JN100526

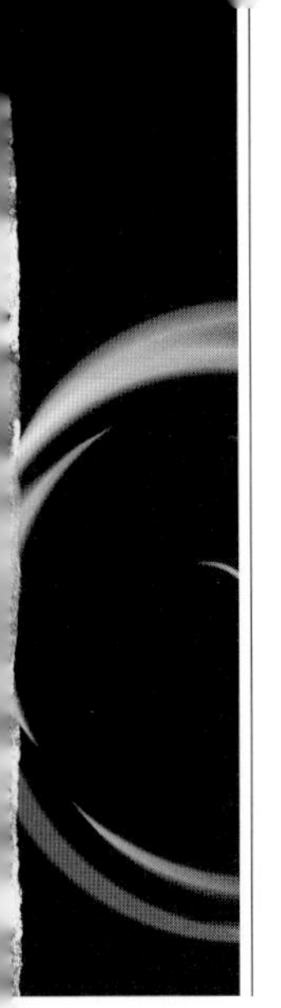

ビジネスコミュニケーションのための英語力

英語の壁を打ち破ったビジネスパーソンの成長要因

English for Business Communication: Factors for Breaking Through Language Barriers

〔監修〕内藤　永・寺内　一

〔編集〕山中　司・石川希美・マスワナ紗矢子

〔著者〕一般社団法人大学英語教育学会産学連携事業成果出版特別委員会
一般財団法人 国際ビジネスコミュニケーション協会

朝日出版社

刊行によせて

大変お待たせいたしました。ついに、『ビジネスコミュニケーションのための英語力 ～英語の壁を打ち破ったビジネスパーソンの成長要因～』が刊行されました。本書は、一般社団法人大学英語教育学会（The Japan Association of College English Teachers、以下 JACET）の産学連携事業成果出版特別委員会と一般財団法人 国際ビジネスコミュニケーション協会（The Institute for International Business Communication、以下 IIBC）の共同出版という形式をとっています。本研究は 2022 年 9 月から 12 月まで、JACET 特別顧問の寺内一が率いる研究チームが実施したアンケート調査とインタビュー調査の結果を分析したものとなっております。

なお、本研究は 2006 年と 2013 年に行われた 2 つの調査を前提としています。ひとつ目は 2006 年にビジネスパーソン 7,354 名から回答を得た小池生夫明海大学教授（当時）を研究代表者とした科学研究費補助金基盤研究（A）「第二言語習得研究を基盤とする小、中、高、大の連携をはかる英語教育の先導的研究」の一部として実施された調査（以下、「2006 年調査」）です。もうひとつは 2013 年に国際的な業務に携わる管理職 909 名からの回答を得た JACET と IIBC の共同研究である「企業が求めるビジネスミーティング英語力」（以下、「2013 年調査」）の調査で、今回は 3 回目の調査となっています。

本研究の土台となるこの 2 つの先行研究については、書籍入手が困難である方のために、「2006 年調査」については『企業が求める英語力』（監：小池、編：寺内、2010）に、「2013 年調査」については『ビジネスミーティング英語力』（監：寺内、編：藤田・内藤、2015）として Web に無料公開しましたのでご覧いただければ幸いです。

21 世紀も 4 分の 1 に差しかかってきていますが、社会全体でグローバル化とデジタル化が急速に進んでいます。それは、ビジネスの世界でも例外ではなく、というよりも、他のどの世界よりも早いペースでグローバル化とデジタル化に対応しなければならないのがビジネスの現場であると言ってもいいかもしれません。そのビジネスの現場では、対面によるミーティング、電子メールやドキュメントのやり取り、テレカンなど多種多様な形態でコミュニケーションが行われてきました。

しかし、皆さんご存知のように、2020 年初頭から世界的に蔓延した新型コロナウイルス感染症（COVID-19）は、皆さんそれぞれが工夫し、作り上げてきたビジネスのやり方そのものを大きく変えてしまったのではないでしょうか。そのようななか、複雑化した異なる仕事環境や文化背景を乗り越えて、ビジネスを成功に導かなければなりません。そのために、以下の 2 点を解明する必要があります。

1）まずは、ビジネスにおける英語コミュニケーションに求められる英語力の理想と現実の間にあるギャップにはどのような要因が存在しているのか。
2）近年著しい進化を続けているテクノロジーがビジネスにおける英語コミュニケーションにどのような変化をもたらしているのか。

本研究では、この2点を解明するために、英語を外国語として使用するビジネスパーソンの英語によるコミュニケーション力の実態をTOEIC® Listening & Reading Test（以下、TOEIC L&R）の公開テスト受験会員2,686名から得られたアンケート調査結果を分析し、その全体像を量的に解明することにしました。さらに、その調査結果に基づいて、15名のビジネスパーソンに対してインタビュー調査を実施して、その実態を質的に捉えることにいたしました。なお、本書の刊行に合わせて、『ビジネスコミュニケーションのための英語力研究成果報告書』という報告書もWeb版で公開していますので、研究の背景や調査結果の詳細なデータそのものはそちらをご覧ください。

ここで、本書の概要を紹介いたします。本研究は、「企業が求める英語コミュニケーション力」を研究題目としてスタートしました。しかし、アンケート調査とインタビュー調査から得られた知見は、英語力は業務内容と密接に絡み合っており、そうした状況を前提に相手とのビジネスにおけるコミュニケーションが行われているものでした。この調査結果を踏まえ、求められる英語力をビジネスコミュニケーションの全体像という視点から俯瞰すべく、本書では『ビジネスコミュニケーションのための英語力〜英語の壁を打ち破ったビジネスパーソンの成長要因〜』というタイトルを冠しました。
本書は、この「刊行によせて」に続いて「序章」、そして、「第1部 ビジネスコミュニケーションの全体像と英語力」、「第2部 ビジネスコミュニケーションと英語力の実態：分析結果」と大きく2部に分かれて構成されています。そのあとに、全体総括と今後の方向性を記した「終章」、学問的背景をまとめた「付章」があり、巻末に、「参考文献・引用文献」、「索引」、「略語一覧」、「本研究の担当と本書の執筆分担」、「あとがき」を載せています。

「序章　本書のねらい――2つの先行研究結果を踏まえて」では、先行研究の紹介と今回の研究の背景を説明します。文部科学省が2003年に「英語が使える日本人」の育成のための行動計画を打ち出し、企業で社内英語公用化などが進められましたが、私たちが実施した「2006年調査」から「2013年調査」、今回の「2022年調査」によると、母集団が違うので簡単に比較はできませんが、英語力は目標や理想に到達することなく15年以上変わらない現状があり、応用言語学の知見を活かした打開策の方向性をお示しし、第1部につなげていきます。

そして、本書の大きなポイントである第1部が来ます。その先陣を切るのは本書の副題にもなっている「第1章　英語の壁を打ち破ったビジネスパーソンの成長要因」です。ここでは、上記の 1）の課題を取り扱います。端的に示すならば、一定水準の英語力を有するビジネスパーソンは、ビジネスの現場に即した英語を学び、相手に伝えるだけでなく、相手に伝わるやり取りをしていくコミュニケーション力を身につけるということです。

「第 2 章　テクノロジーの普及と新たに出現した困難とは」では、上記の 2）の課題に対する実態を調査結果からレポートします。テクノロジーの進化でもはや英語学習は不要、という声をビジネスの現場から聞くことがあります。しかし、実際には、ジュニアレベルの業務で使用する英語はテクノロジーで代替される可能性はありますが、シニア、エグゼクティブと進むにつれ、高度な英語力に根差したコミュニケーション力が求められるので、英語学習はテクノロジーを利用しつつも英語使用の現場で継続する必要があるということです。テクノロジーがカバーする領域が拡大しつつある現在、人材育成に携わる方には、とても重要な知見であると私たちは考えています。

続く「第 3 章　座談会」では、グローバルの最前線でマネージャー、エグゼクティブとして活躍する方々を中心にお招きし、自由に討論した内容を掲載しました。第一に、日本人のビジネスパーソンの特徴を語っていただきました。とかく日本人の英語はダメと言われがちですが、実際には、英語を丁寧に準備する姿勢、傾聴する姿勢は高く評価されているとの勇気づけられる発言が登場します。

その日本人の特徴を踏まえて、次に、最前線で活躍する人材となるためのきっかけづくりについて思うところを述べられています。皆さん、英語が使用される現場に飛び込む「場」が鍵となるということをあげられました。終盤では、この英語使用現場に飛び込む準備として、今後とるべき方策には何があるのかという未来に向けた提言を行っています。

第 1 部は、以上のように過去から現在に至るまでの英語によるビジネスコミュニケーションの全体像、そして未来への提言を読み物として提示していますが、第 2 部では、その議論の裏付けとなるデータに興味を持っていただいた方が確認できるように、「2022 年調査」の分析結果がまとめられています。

「第 4 章　アンケート調査内容と単純集計結果」では、本アンケート調査の目的、方法、内容、対象、調査時期などを説明した後、28 問の選択式質問と 3 問の自由記述式質問から成る、全 31 問の質問項目の回答結果と考察を掲載しています。

「第 5 章　アンケート調査結果からの示唆――クロス集計の結果から」では、主に、対面会議とオンライン会議の困難度の違い、テクノロジーの使用と困難度との関係、ビジネスパーソン育成のための英語力以外の側面という 3 つの自由記述式質問から得られた回答を多角的に分析した結果となっています。

「第6章　インタビュー調査の分析結果」では、アンケート調査結果から得られた回答をさらに深堀りして、特に、新型コロナウイルス感染症下でのデジタル化を含む英語業務の変化や、業務経験と英語力の関係、そして、英語力を伸ばした要因などについて述べられています。

そして、締めくくりとなる「終章　言語学習プラットフォーム化に向けて」では、第1部と第2部の総括を行ったうえで、英語によるビジネスコミュニケーションの「場」の提供について、今後の方向性を示しています。

また、「付章　本書の学問的背景にあるESPの考え方—ESPの基本概念であるジャンルに焦点を当てて」では、本研究の学問的背景、特に本書で頻繁に登場するESPという概念とCEFRについて簡単にまとめてあります。

以下に、本研究の成果を短くまとめておきます。

①ビジネスパーソンに必要な英語力は「2006年調査」、「2013年調査」とほぼ変わらない。

②「2006年調査」で、ビジネスパーソンに必要なのは「高度な英語力」と「英語力＋α」であるということが指摘されたが、実は求められる英語力そのものが変化しているのではなく、相手方を常に意識するコミュニケーション力が必要とされている。

③グローバル化が進み、コロナの影響もあり、オンラインでの会議に参加して、様々な発音の英語に触れる機会に直面し、リスニングやスピーキングの困難が際立っている。

④こうした問題を克服してくれる「場」の提供が必要である。

本研究は、その企画段階からアンケート調査とインタビュー調査の実施、分析内容の精査、報告書の作成、研究成果の発表、そして本書の刊行にいたるまで、本当に多くの方に協力していただきました。まずは、研究全体を通して絶えず的確なアドバイスを送り続けてくださったアドバイザーの皆様に感謝を申し上げたいと思います。特に、ESPの専門家である野口ジュディー津多江神戸学院大学名誉教授には、本研究の節目節目で的確なご助言を賜るとともに、付章の作成に際し、お名前を出すことを快くお引き受けいただきました。また、一人ひとりのお名前をあげることはできませんが、コロナ下で多忙を極めるなか、アンケート調査やインタビュー調査に快く協力してくださった方々、インタビュー対象者をご紹介していただき、さらにはその場をアレンジしてくださった方々、そして、本研究に対して様々な形で携わってくださった方々全員に、心より御礼申し上げます。

特に、本研究の企画から本書の刊行にいたるまで、何から何までサポートしていただいたIIBCの大橋圭造理事長をはじめとした同協会の皆様、本書の刊行に積極的にご協力いただいた小田眞幸会長を中心としたJACETの皆様、そして、本の出版元である朝日出版社の小川洋一郎社長、清水浩一氏、田家昇氏、千葉淳子氏には文字通り辛抱強くご対応いただきました。改めて御礼申し上げます。

本書が、ひとりでも多くのビジネスパーソンがビジネスの現場で活躍する一助となることを、心より願っております。

最後に、本研究と本書の作成に関わったメンバーをあげておきます。

【本研究のメンバー】

寺内　一　（統括・高千穂大学学長・商学部教授）
内藤　永　（研究リーダー・北海学園大学経営学部教授）
山中　司　（立命館大学生命科学部教授）
石川　希美　（札幌大谷大学社会学部教授）
マスワナ　紗矢子　（東京理科大学教養教育研究院准教授）
山田　政樹　（札幌大谷大学社会学部講師）
山田　浩　（高千穂大学商学部准教授）
三木　耕介　（IIBC 調査研究室）
三橋　峰夫　（IIBC 調査研究室）
吉田　温子　（IIBC IP 事業本部 IP プロモーションユニット）
槌谷　和義　（アドバイザー・東海大学工学部教授）
中原　正徳　（アドバイザー・シスコシステムズ合同会社 Technical Lead Engineer/Business Development Manager）
宮田　勝正　（アドバイザー・ニュータニックス・ジャパン合同会社 経営戦略本部 執行役員 経営戦略本部長）
小川　洋一郎　（アドバイザー・朝日出版社代表取締役社長）
篠原　凌乃子　（中国人民大学商学院修士課程修了）※ 2023 年より参画

【本書の作成メンバー】

一般社団法人大学英語教育学会産学連携事業成果出版特別委員会

金丸　敏幸　（担当理事・京都大学国際高等教育院准教授）
山中　司　（委員長・立命館大学生命科学部教授）
寺内　一　（高千穂大学学長・商学部教授）
内藤　永　（北海学園大学経営学部教授）
石川　希美　（札幌大谷大学社会学部教授）
マスワナ　紗矢子　（東京理科大学教養教育研究院准教授）
篠原　凌乃子　（中国人民大学商学院修士課程修了）

一般財団法人 国際ビジネスコミュニケーション協会

三木　耕介　（調査研究室）

本研究を代表して
2024 年 3 月　寺内　一

目　次

序章

本書のねらい
——2つの先行研究結果を踏まえて

本調査研究は2022年に企画・実施されました（以下、「2022年調査」)。ただし、この「2022年調査」は2006年と2013年に行われた2つの大規模調査を前提としており、それらと深くつながっています。

なお、2006年の調査（以下、「2006年調査」）とは、ビジネスパーソン7,354名から回答を得た、小池生夫明海大学教授（当時）を研究代表者とした科学研究費補助金基盤研究(A)「第二言語習得研究を基盤とする小、中、高、大の連携をはかる英語教育の先導的研究」の一部として行ったものであり、また、2013年の調査（以下、「2013年調査」）は、国際的な業務に携わる管理職909名からの回答を得た、一般社団法人大学英語教育学会（JACET）と一般財団法人 国際ビジネスコミュニケーション協会（IIBC）の共同研究である「企業が求めるビジネスミーティング英語力」と称したものです。

もっとも古い調査である「2006年調査」と、今回実施した「2022年調査」の間には15年以上の開きがありますが、文部科学省が「2006年調査」の直前の2003年に「英語が使える日本人」の育成のための行動計画を打ち出したことや、経済産業省が「日本企業の人材マネジメントの国際化度合いを測る指標（国際化指標2010）」を打ち出すなど、国のいくつかの施策に呼応する形で、企業の社内英語公用化や人材のグローバル化など様々な政策が実施されてきました。

さらには、ビジネス現場のDX化や外国人労働者の受け入れなど、多くの特筆すべき事象も積み上げられてきました。また、2020年初頭から世界的に蔓延した新型コロナウイルス感染症（COVID-19）の拡大により、リモートワークを含む仕事のやり方そのものが複雑化したのはご承知のとおりです。

しかしながら、ビジネス環境が目まぐるしく変化する一方で、多くの日本のビジネスパーソンにとって、英語を使ったコミュニケーションに対する課題感、そして英語力そのものに関しては期待されるほどの大きな変化は見られず、問題の本質は15年以上変わっていません。皮肉にもこれは過去2回の調査から共通して見えてきた結果であり、その傾向は今回の「2022年調査」においても基本的に踏襲されています。

最初に、本書の議論を概念図［図表１］にまとめておきます。これは、本研究全体の見取り図にもなっています。

なお、「2006 年調査」の詳細に関しては、『企業が求める英語力調査報告書』（編：寺内、2008）と、それをコンパクトにまとめた『企業が求める英語力』（監：小池、編：寺内、2010）を、「2013 年調査」のより詳しい結果に関しては、『企業が求めるビジネスミーティング英語力調査報告書』（編：寺内、2014）と、それをまとめた『ビジネスミーティング英語力』（監：寺内、編：藤田・内藤、2015）をご覧ください。

本書のねらい：10年変わらない英語力の根本原因とその解決策に迫る

2006年調査 ー 2013年調査 ー 2022年調査
（英語力は決して向上していない）
→ 根本的な構図は変わっていない

① 英語力の伸び（常にある理想とのギャップ、スコアの上昇×）
② 英語業務に対する困難（受信力、発信力、苦手な場面など）

CEFR B1からB2への壁

・なぜCEFR B1からB2への壁を乗り越えられないのか？
・どうしたら英語力のブレークスルーを達成できるのか？

「英語力＋α」に対する問い直し
・2006年調査からの継続的言及
・本当に＋αなのか？（こちらが主）
・言語的要素だけを単独で取り出せない
「ビジネスコミュニケーション」の全体像から捉えた「英語力」へ

「場」の提供 →
プラットフォームという発想へ
・CEFR B1とB2の最大の違いは、**相手を常に意識したコミュニケーション**の有無
・こうしたサービスはこれまで皆無（これまでの成功者は我流で模索）

プラットフォームの設計可能性
・教育的なプラットフォーム（×OJT）
・一定のコツや戦略的知識の明示化
・予測可能なビジネスコミュニケーションのパターンの存在
・目的的なビジネスコミュニケーションにおける仲間意識の利用

［図表１］本書の全体マッピング

1 データから見る「変わらないものの本質」①英語力

まずは、２つの調査結果のデータから、前述の「変わらないもの」が何なのかを具体的に裏付けてみたいと思います。英語力から見てみましょう。［図表２］は「2006 年調査」からの引用で、「現実の英語力」と「国際交渉を第一線で行うのに必要だと思う理想の英語力」を TOEIC L&R のスコアで回答してもらったものです。

約７割の回答者が国際交渉に必要な英語力として「TOEIC L&R 800 点以上」と回答しているのに対して、実際に 800 点以上を取得していたのは全体のうち３割程度に過ぎず、さらには、理想と現実に約 150 点もの差が存在していることがわかりました。

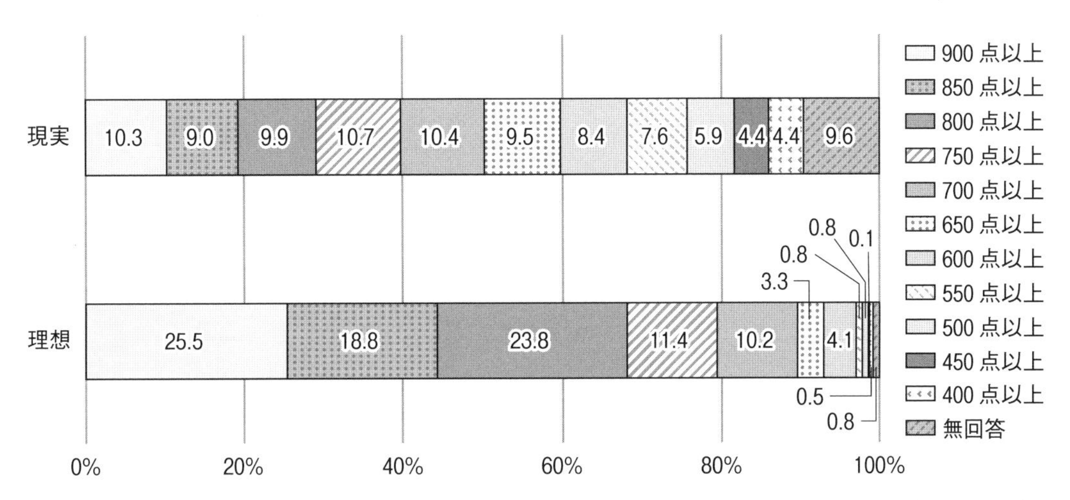

［図表２］現実の TOEIC L&R スコア（n=6,651）と理想の TOEIC L&R スコア（n=7,354）
※「2006 年調査」結果より引用、n は回答者数

次に「2013 年調査」から、部署の現在の CEFR レベルと到達させたい CEFR レベルのギャップを質問した結果を紹介します［図表３］。なお、CEFR（セファール、シーイーエファアール）とは 2001 年に欧州評議会が発表した Common European Framework of References for Languages: Learning, teaching and assessment（ヨーロッパ言語共通参照枠組み）のことで、新しい外国語能力の参照基準として昨今世界的に注目されているものです。

もっとも低い A1 レベルからもっとも高い C2 レベルまで、段階を追って「できること（Can-do）」が記述されており、これらの基準は英語だけではなくすべての外国語を用いたコミュニケーションにあてはめることが可能です（詳しくは付章を参照）。

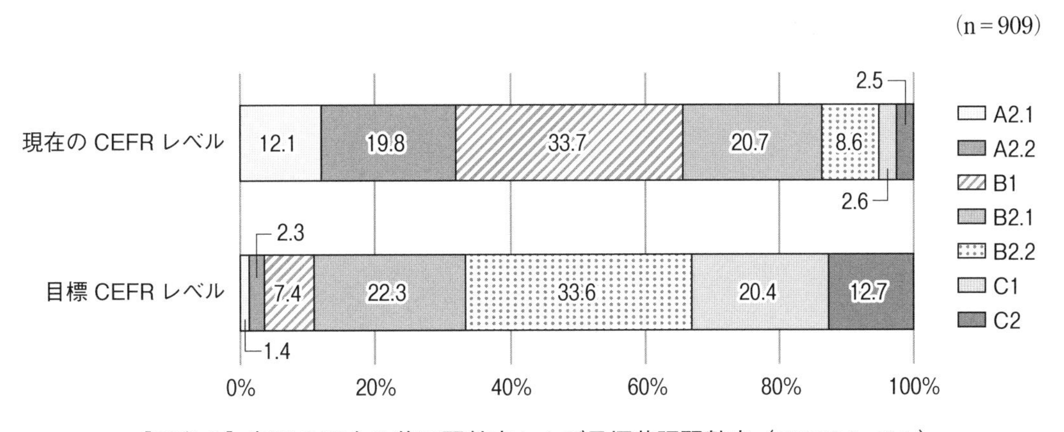

［図表３］部署の現在の英語習熟度および目標英語習熟度（CEFR レベル）
※「2013 年調査」結果より引用

管理職が部下に到達させたいCEFRのレベルと、部署内の現実のレベルを比較したところ、部署内の現在のレベルは「はっきりとした話し方や発音であれば基本的なやり取りや議論はできる」(CEFR B1) レベルであるのに対して、管理職が目標とするべきとしているのは、「活発で複雑な討論についていき説得力を持って見解を示せる」(CEFR B2) レベルとなっています。

このことから、CEFRのレベルにおいても、現実と理想との間にギャップが存在しており、これは「2006年調査」で得られた理想と現実のギャップの差とほぼ変わらないことがわかります。なお、第1章では、この「2013年調査」をもとにさらに詳しく検証を実施しています。

2 データから見る「変わらないものの本質」②英語の何に困難を感じるか

次に「変わらないもの」に関して見てみましょう。日本のビジネスパーソンの多くが、英語によるビジネスコミュニケーションにおいて困難だと感じる点に着目してみます。

まずは「2006年調査」から、外国人との職務上のコミュニケーションの問題点を取り上げます。外国人と職務上で議論を行う際、シチュエーション別に、「平均して10回中、何回くらい困った経験をしているか」という質問に対して、「5～6回」、「7～8回」、「9回以上」と回答した人たちを「ストレスを感じている回答者」としてまとめると、[図表4] のようになりました。

(n=7,354)

シチュエーション	感じている割合
1) 英語力不足で討論についていくのが精一杯で、積極的に貢献できない。	45.5%
2) 相手の言うことについて聞き役になっていて、自分の意見を言う前に話の筋道が相手のペースになってしまう。	58.0%
3) 日常会話での問題はあまりないが、いったん議論になると相手の言う事に反論し、かつ自分の論を進めることがあまりできない。	60.4%
4) 議論中に自分が言いたいことをすぐ言えないうちに、別の外国人に同じ意見を言われてしまって、タイミングを逸して不利な立場に立たされる。	49.3%
5) 議論中に話す内容の広さと深さが乏しいために相手の信頼を得ることができたか不安を覚える。	57.5%

[図表4] 相手との議論においてストレスを感じる人の割合

※「2006年調査」結果より引用

1）と4）の回答から、約半分、つまり2人に1人が、1）英語力不足であり、4）意見を言うタイミングを逃してしまうことに悩んでいることが判明しました。残りの2)、3)、5）はストレスを感じる回答者が約6割にもおよび、2）ではビジネスパーソンが聞き役になってしまうことに悩んでおり、3）では反論したり、自分の論を主張したりできないこと、5）では相手の信頼を得られていないのではないかという不安を抱えていることが数字として表れています。

また、同じ「2006年調査」では、「ビジネスで英語力を高めるためには何が必要なのか」についても聞いています。自由記述式の質問で、回答者の英語学習方法や英語教育に関しての改善点や要望を書いてもらい、それをテキストマイニングしたうえでTOEIC L&Rの得点層に分け、頻度別に並べた結果が［図表５］です。

TOEIC L&Rスコア	400点～500点（n＝125）	600点～700点（n＝367）	800点～900点（n＝393）
上位1位	日常会話	スピーチ	論理的思考
上位2位	日本語	—	ビジネス
上位3位	—	—	語彙
下位2位	交渉	ビジネス	スピーチ
下位1位	論理的思考	語彙	日本語

［図表５］英語力を高めるのに必要なこと
※「2006年調査」結果より引用

TOEIC L&Rの高得点者と低得点者で、ビジネスで英語力を高めるときに留意すべき点が対極をなしていることがわかります。つまり、点数の低い層は「日常会話」ができることを重視する一方で、点数が高くなるにつれ「日常会話」と「ビジネスで必要とされる英語」とは明確に違いがあることを認識していると思われ、「日常会話」がほとんど出てこなくなりました。

それと反対に、低得点者層では最下位であった「論理的思考」が、高得点者層では第1位となっています。高得点者は、ビジネスを行ううえで「論理的思考」が非常に重要であるということを強く主張していることがわかります。

さらに「2006年調査」と「2013年調査」に共通する英語のスキル別困難度について紹介します。［図表６］は「2006年調査」の結果から、［図表７］は「2013年調査」の結果からの抜粋です。

(n＝7,354)

		90%以上	70～80%	50～60%	30～40%	20%以下	無回答
聞く	簡単	42.7%	30.6%	15.2%	6.8%	4.6%	0.1%
	複雑	11.0%	27.4%	26.2%	17.0%	18.4%	0.1%
話す	簡単	36.9%	26.1%	17.6%	10.6%	8.7%	0.1%
	複雑	8.0%	21.7%	23.5%	17.9%	28.7%	0.1%
読む	簡単	64.0%	21.7%	7.8%	3.6%	3.1%	0.1%
	複雑	18.9%	33.2%	23.9%	12.7%	11.3%	0.1%
書く	簡単	40.7%	24.3%	16.2%	10.0%	8.7%	0.1%
	複雑	8.6%	22.0%	24.2%	17.8%	27.3%	0.1%

［図表６］簡単な内容と複雑な内容の理解（聞く・読む）、発表（話す・書く）できる力の差

※「2006年調査」結果より引用

［図表６］は、国際交渉で自分の英語力が、日常会話ではなく、自分の専門分野での簡単な内容と複雑な内容に対して、英語の４技能（聞く・話す・読む・書く）がどの程度発揮できているかを調査した結果です。なお、ここでいう「簡単」と「複雑」は、CEFRにある抽象的な表現のままであり、具体的な判断基準までも示したものではないことは注意してください。

「聞く」力と「読む」力を「受信型スキル」とまとめてみます。簡単な内容を聞いて理解する能力（「聞く」力）の場合には、「90%以上」と「70～80%以上」を合計した70%以上理解できるというのが73.3%であるのに対して、複雑な内容を70%以上理解できるのは38.4%にとどまっています。すなわち、複雑あるいは高度なものになると「聞く」力に自信を持つ割合が半減してしまいます。

「読む」力に関しても、同じ70%以上というところで見てみると、簡単な内容ならば85.7%が理解できるというのに対して、複雑な内容になると52.1%にまで下がってしまい、複雑な内容を読むことに関して困難を感じている人が多いことがわかります。

次に「話す」力と「書く」力を「発信型スキル」としてまとめてみます。「話す」力については、63.0%の人が簡単な内容であれば70%以上話すことができると回答していますが、複雑な内容になると29.7%と半減してしまっています。

さらに、「書く」力を見ると、簡単な内容であれば65.0%の人が70%以上スムーズに書くことができるのに対し、複雑な内容になると30.6%とやはり半分以下になってしまっています。

「発信型スキル」については、複雑な内容を70%以上スムーズに話したり書いたりすることができないという人が、全体の回答者の約７割も存在していることが明らかになりました。この「発信型スキル」の習得が、日本人のビジネスパーソンにとってひとつの大きな壁であることがわかると思います。

(n＝909)

インプット（リスニング力）		アウトプット	
速いスピードの英語を次々理解するリスニング力	87.6%	専門語彙を含めた単語力	80.9%
様々な発音の英語を聞き取る力	85.4%	雰囲気づくりに役立つユーモアのある表現	68.4%
		会議や仕事内容に特別な言い回しや表現	77.0%
		気軽に言葉を取り交わすインフォーマルな表現	67.0%
		依頼したり敬意を示したりする際の丁寧な表現	61.8%

［図表７］英語のスキル別困難度

※「2013年調査」結果より引用

［図表７］は、英語による会議参加者の英語力に関して「インプット（リスニング力）」（「速いスピードの英語を次々に理解するリスニング力」と「様々な発音の英語を聞き取る力」）と「アウトプット」（「単語力」と「表現力」）に分類して困難の度合いを聞いたものです。後者の「単語力」とは「専門語彙を含めた単語力」を意味し、「表現力」は「雰囲気づくりに役立つユーモアのある表現」、「会議や仕事内容に特別な言い回しや表現」、「気軽に言葉を取り交わすインフォーマルな表現」、「依頼したり敬意を示したりする際の丁寧な表現」という項目を含んでいます。

選択肢には「あてはまる」、「ある程度あてはまる」、「あまりあてはまらない」、「あてはまらない」を用意し、「あてはまる」と「ある程度あてはまる」を困難度が高いとみなし、その合計を上位から並べました。

これらの英語力に関するすべての項目で、何らかの困難を感じているという人が6割を超えている点は注目に値すると思います。なかでも、リスニングに関する項目で突出しており、英語によるビジネスミーティングでもっとも難しいと捉えられているものとして、「速いスピードの英語を次々理解するリスニング力」、その次に多かった「様々な発音の英語を聞き取る力」が共に8割を超えていて、5人中4人が何らかの困難を感じていることがわかります。

次に「アウトプット」に関しては、「専門語彙を含めた単語力」を約8割が難しいと捉えており、さらに「会議や仕事内容に特別な言い回しや表現」についても8割近くが難しいと考えていました。専門語彙だけでなく、会議特有の言い回しの理解不足が困難の原因となることも多いようです。「雰囲気づくりに役立つユーモアのある表現」、「気軽に言葉を取り交わすインフォーマルな表現」、「依頼したり敬意を示したりする際の丁寧な表現」についても、6割以上がそれらの項目を課題としている実態が明らかになりました。

3 データから見る「変わらないものの本質」③段階的な英語習得

さらに、「2013年調査」において、ジュニア、シニア、マネジメントの三層に区分した場合に、会議における役割が各層で異なるため、求められる英語力も異なり、その結果、英語習熟度の指標であるCEFRのレベルも異なることが明らかになっています。「2022年調査」では、「2013年調査」のマネジメント層をエグゼクティブ層という表現に変えていますが、その本質は変わるものではありません。[図表8]は、その「2013年調査」で示された各層における役割と英語の習得レベルをまとめたものです。

層	ジュニア層 (会議へ参加する)	シニア層 (会議を動かす)	マネジメント層 (参加者を会議に巻き込む)
現状	基礎的段階の言語使用者 CEFR A2.1からA2.2*1	自立した言語使用者 CEFR B1	自立した言語使用者 (熟達した言語使用者) CEFR C1からC2
目標 (理想)	CEFR B1	CEFR B2.1からB2.2*2	CEFR C1からC2 (異なるストラテジーで対応)
内容	会議の経験、リスニング対応、意見を述べ、会議内容を確認できるスピーキング力、周到な準備	海外での経験、会議の文脈・状況や異なる慣習を踏まえたファシリテーション、議論の流れをコントロールする英語表現	会議の枠組みを超えたところでの交流、英語力が不足した会議参加者への配慮、信頼関係の構築

[図表8] 各段階における役割と英語の習得レベル
※「2013年調査」結果より引用(オリジナルを一部修正)

*1 A2はA2.1とA2.2に下位区分されています。A2.1よりA2.2のほうが上位になります。
*2 B2はB2.1とB2.2に下位区分されています。B2.1よりB2.2のほうが上位になります。

各レベルについては以下のとおりです。

A2.2:議論がゆっくりとはっきりなされれば、自分の専門分野に関連した公式の議論での話題の動き・変化をおおかた理解できる。直接自分に向けられた質問ならば、実際的問題についての関連情報をやり取りし、自分の意見を示すことができるが、自分の意見を述べる際には、人の助けを借り、必要に応じて鍵となるポイントをくり返してもらわなければならない。

A2.1:もし必要な場合に鍵となるポイントをくり返してもらえるならば、公的な会合で直接自分に向けられた質問に対して自分の考えを言うことができる。

B2.2：活発な議論について行き、支持側と反対側の論理を的確に把握できる。自分の考えや意見を正確に表現できる。また、複雑な筋立ての議論に対し、説得力を持って見解を提示し、対応できる。

B2.1：日常・非日常的な公式の議論に積極的に参加できる。自分の専門分野に関連した事柄なら、議論を理解し、話し手が強調した点を詳しく理解できる。自分の意見を述べ、説明し、維持することができる。代案を評価し、仮説を立て、また他人が立てた仮説に対応できる。

（訳・編：吉島・大島ほか、2004：82より引用）

詳細は『ビジネスミーティング英語力』（監：寺内、編：藤田・内藤、2015）でご覧になれますが、ポイントだけまとめておきます。

ジュニア層：会議の参加者が基礎的段階の言語使用者（Aレベル）であるならば、アジェンダを固定し、会議を想定の範囲内に収めること、専門用語を正確に把握することで齟齬を防止することが重要になります。まさにジュニア層に求められる英語力と言えます。

シニア層：会議の参加者が自立した言語使用者（Bレベル）であれば、会議において相手を動かすためにどのような表現が効果的なのか、また、英語力が不足している参加者が会議の内容を理解できるよう促したうえで、会議をファシリテートするためにどのような質問や確認をするのかを考えるのが役割となり、それに対応できる英語力が要求されます。

マネジメント層：熟達した言語使用者（Cレベル）を理想とする場合もありますが、会議そのものだけではなく、いかに信頼関係を構築するかなど、会議のスムーズな運営や展開の前提となるものがとても重要となります。英語力そのものではなく、まさに人間力とでもいうべきものが大切だということが示唆されます。

以上のように、「2013年調査」では、3つの層それぞれに必要とされる英語力とはどういうものなのかについて把握することができました。一方、それを習得するためにはどうすればよいのかを提示するまでには至りませんでした。そこで今回の「2022年調査」では、その具体的な対応策を提示するべくより深い調査を実施しています（詳しくは第1章を参照）。

4 データから見る「変わらないものの本質」④ CEFR B1からB2への壁

ここまで「2006年調査」と「2013年調査」を通して、経年的に変わらない現象として、①英語力、②英語でビジネスを行ううえでの困難な点、③3つの層に求められる役割と英語力について見てきました。部分的ではありますが、日本のビジネスパーソンの多くが、構造的に同様の問題を持ち、これらの状況を必ずしも克服できてはいないことが示せたと思います。そして、こうした構図を端的にまとめる言葉として、私たちはこれを「CEFR B1からB2への壁」と称し、その認知の普及に努めてきました。

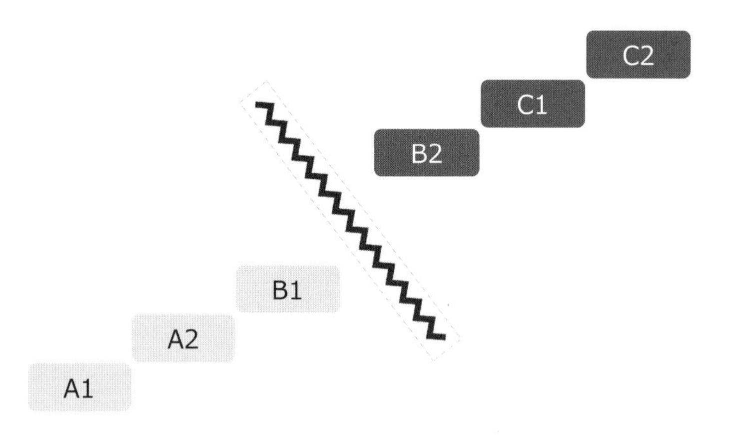

［図表 9］CEFR B1 と B2 の間に立ちはだかる壁

異なる仕事環境や文化背景を乗り越えて、ビジネスを成功に導いていくためには、「はっきりとした話し方や発音であれば基本的なやり取りや議論はできる」（CEFR B1）レベルの人材（TOEIC L&R スコアの目安：550 点以上）から、「活発で複雑な討論についていき説得力を持って見解を示せる」（CEFR B2）レベルの人材（TOEIC L&R スコアの目安：785 点以上）への成長が必須であることが、「2006 年調査」と「2013 年調査」の結果から明らかになっています。この大きな違いは、相手を意識したコミュニケーションが取れるかどうかの差であり、詳しくは後半で改めて取り上げます。

つまり、日本のビジネスパーソンの多くにとって、たとえどれだけテクノロジーが進化し周りの環境が整備されても、CEFR B1 レベルから CEFR B2 レベルへ、英語力のブレークスルーが達成できていないのが現状であるということです。もはや、日本のような英語を実際に使用する場が限られているような環境下では、何らかの大きな変革を成し遂げない限り、このような現状が再生産され続ける懸念すら存在します。

なぜ CEFR B1 レベルから日本のビジネスパーソンがなかなか抜けられないのか、どうして多くの日本人が CEFR B1 止まりになってしまうのか。私たちはこの点に着目し、その原因と解決策を導くことを本調査の中心課題としました。

次からは、2 つの先行研究の結果を踏まえながら、今回の「2022 年調査」の方向性を考えたプロセスを紹介します。

5「2006 年調査」で得られた「英語力＋α」についての考え方の発想の転換

根本原因とその解決策を考えるにあたり、私たちはすでにヒントをつかんでいました。「2006 年調査」、「2013 年調査」、そして、今回の「2022 年調査」を通し、幅広く英語業務における困難の内容やその性質を追究する過程で、私たちは多くの日本のビジネスパーソンが、単なる「英語力」ではない、もしくは「英語力」だけではない、「英語力＋α」とも言える比較的広い領域で困難を感じていることを見出していたからです。

「2006年調査」の自由記述式質問への回答をもとに、ビジネスで求められる「英語力」と「英語力＋α」について「2006年調査」の結果として次のようにまとめています。

「英語力」

・高度な言語活動に対応できる文法・語彙などの強固な基礎力を育成する。
・文法のしっかりした基礎がなければ、アカデミックな場やビジネスの場で使う英語として足りない。
・プレゼンテーション能力や交渉能力と並行した英語力、正しい文法と正確な語彙、知性を感じさせる英語力が必要である。
・英語教育で必要なことは強固な文法・語彙に基づく構成能力および理解力である。

「英語力＋α」

・コミュニケーション能力を多角的に捉え（論理的思考）、カリキュラム構築や教材開発に反映させる。
・ビジネス英語は、専門分野における知識や論理的に話を構成する能力、考えを適切に訴えることのできる能力がなければ通用しない。
・きちんとロジックを立てた議論を行える能力が必要である。
・英語以前に日本語で論理的思考をし、文章を書き発信できるような教育を行うべき。

上記の「2006年調査」でまとめた結果をもとに、さらに、多くの議論や関係者との様々な意見交換を経て、そもそもの発想の転換が必要であることに気づきました。それは「英語力＋α」のαこそが肝要であるという発想への転換です。

ビジネスコミュニケーションにおいて、英語力に何らかの要素が付け加わった「＋α」的な要素が重要であることは、決して真新しい主張ではないでしょう。誰もが感覚的に理解できることだと思いますし、ビジネスが言葉だけで行われているわけではないことは事実だからです。しかし、「2006年調査」で提示したこの感覚的に理解できる「英語力＋α」という表現の仕方が、本当に実態を適切に反映しているのか、今一度検討してみる必要があると考えたのです。

「英語力＋α」というと、何か英語力というものが大きく存在し、そこに付随的な要素として文化や他者理解、業務知識や経験の蓄積が入ってくるように思えます。しかし、本当にそうなのでしょうか。英語でビジネスをする、国際的な業務に携わるというと、たしかにそこには英語力というものが大きく存在し、高度で正確な英語知識をまずは必要条件として想定しがちです。しかし、「2006年調査」、「2013年調査」、そして今回の「2022年調査」を経てわかってきたことは、重要かつ支配的なのは、むしろこの「+α」の部分であり、ビジネスで英語を使いこなせている人たちに共通して見出せた点は、「+α」について、自身の経験を伴いながら深く理解していることでした。あくまでも英語力はそれに付随するものに過ぎず、「+α」の理解によって英語力のほうが引き上げられる構図だったのです。

これはビジネスで求められる英語力というものが、単に英語の言語的能力と、言語外の要素に切り分けられ、その双方の鍛錬を別々に行うことで間に合うといったものではないことを示しています。これらはおそらく渾然一体としており、純粋な言語的要素が占める割合は一般的な想定よりは少ないのではないかという感覚を私たちは持っています。

また、単に異文化に関する知識を蓄積し、ファシリテーションのスキルを高めればよいというわけでもなく、一人ひとりの業務内容や期待されている仕事の領域、目指したい役割などに応じた、カスタムメイドのコミュニケーションの経験の蓄積が必要だということになります。

こうしたことを総合的に判断して、私たちは、本書で言語だけに目を向けた狭い範囲での分析を止めることにしました。むしろ、業務内容や役割によって異なるであろうビジネスコミュニケーションの全体像を捉えることを優先させ、その視点から、求められる英語力とは何なのかを多角的に考察することにしました。なお、私たちが考えるビジネスコミュニケーションのための英語力とは、言語能力をそのささやかな一部としながらも、それ以外の大きな要素としての業務特有の知識やコミュニケーションパターン、環境要因、そして、それらの要素を直接的で有意味な経験を通して、いかに獲得できているか否かを意味しています。

日本では、こうした観点からトレーニングの場を用意し、これらの能力を伸長させられる場の提供は、企業における英語研修を含め、十分にされていないといっても過言ではないでしょう。CEFR B1からB2への壁を突破し、CEFR B2以上のレベルでグローバルに活躍されているビジネスパーソンの皆さんは、ほとんどの場合、実際の業務経験を通して、苦労しながらも、我流で学び、感じ、成功と失敗をくり返しながら体得しているのが実態であるということが今回の「2022年調査」で明らかになっています。私たちはこのような場の提供を「言語学習プラットフォーム」と称し、こうしたプラットフォームのコンセプトを創出することこそが、抜本的な問題の解決に貢献できるのではないかと考えました。

以下、応用言語学の知見も踏まえながら、私たちが考える「言語学習プラットフォーム」のあり方を展望してみたいと思います。

6 言語学習プラットフォームの構築

「言語学習プラットフォーム」の構築を通して、日本のビジネスパーソンが、ビジネスコミュニケーションを成功させるための英語力を身につけること、それは英語力のブレークスルーとも言えます。すなわち、ここに、懸案であったCEFR B1からB2への壁を打ち破るための秘訣が存在するということです。

私たちが考えるCEFR B1とB2の最大の違いとは、「相手」の存在の有無だと考えています。CEFRは、種々存在するテストの得点との換算に数値的に使われ、その意味が矮小化されてしまっているように思いますが、もともとは、獲得しようとする外国語を用いる当該の文化圏でどのようなコミュニケーションができるのか、その場面別のCan-doを示すためのスタンダードです。

CEFR B1レベルに比べ、当然CEFR B2レベルではできることが増えるわけですが、そこには大きな質的差異があると考えています（詳しくは第1章を参照）。それこそが相手方を常に想定したコミュニケーションができるか否かの違いであり、簡単に言うなら、CEFR B1レベルまでは、自分中心の「言いっぱなし」のコミュニケーションで済みますが、CEFR B2レベルからは、相手とのやり取りが存在し、コミュニケーション全体を積極的に調整したり、修正したり、共創していける能力が求められています［図表10］。

CEFR B1レベル（以下）	CEFR B2レベル（以上）
自分中心	相手方を常に意識するコミュニケーション

［図表10］CEFR B1レベルとCEFR B2レベルの違い

相手の存在を想定したビジネスコミュニケーションを前提に、それを成功させるための英語力を訓練することは、果たして可能なのでしょうか。期待されるCEFR B2レベル以上のコミュニケーションですから、もはや独りよがりのコミュニケーションに終始するわけにはいきません。そこには決して思い通りにはいかないリアルな相手が存在し、その他人とのコミュニケーションを通した実践経験が必要です。これを私たちは「場の提供」と位置づけ、こうしたトレーニングは可能だと考えました。場の提供については「2013年調査」においてもすでに言及しており、その必要性やプログラムの策定を訴えていた一方、あくまでそれは示唆・提言にとどまり、その具現化には至っていませんでした。

今回、私たちはそれを「言語学習プラットフォーム」の構築と位置づけ、そのコンセプトを明確にすることを目指しています（詳しくは第3章を参照）。

次に、そうした場においては、一部の研修プログラムや、ましてや学校の教室のような、人工的で実際のビジネスコミュニケーションの場面と大きく乖離するようなものであってはいけません。さらにこうした場は、極めて個別具体的である必要があります。同じ企業のなかでも、経験年数や役職、勤務している場所や上司や部下との関係によって、ビジネスコミュニケーションの内容は千差万別であり、逆に皆が皆、英語テストの高得点者である必要もないのです。大切なことは、個々人が「自分にとって意味がある」と思える場において、必死になって与えられた環境と相互作用し、プラグマティックな（実用的で役に立つ）意味での有意義なビジネスコミュニケーションの経験を積めること、そうした経験は能動的で直接的であること、こうしたことに尽きるのです。

さらに場の鍛錬において、私たちはその設計や、効果的な活用法、そして戦略の習得が一定程度可能であると考えています。つまり、単に場が準備されて個々人がOJT（On the Job Training）で放置され、弱肉強食的な環境で勝者だけが果実を得ていくような、そういった実社会と何ら変わらない場ではなく、スキャフォールディングされ（足場がかけられ）、一定のコツや戦術が教えられたうえで場に臨むことができるような、すなわち「教育的な」言語学習プラットフォームの構築が可能であると思っています。

この点については第3章の座談会や終章でも述べられていますので、ここではその一端に触れるだけにします。ビジネスにおけるコミュニケーションは、決して完全に予測不可能で、対策が取れないものではありません。そこには一定のパターンが存在し、「習うより慣れよ」の要素が存在することは、多くの皆さんが経験的にわかっていることだと思います。役職が上がるにつれ、業務の複雑性が増すにつれて、予測できないケースの割合が増え、取り扱う話題も拡散します。しかしこれらも、100％想定できないものではありません。

またビジネスコミュニケーションは、特定の目的のもとで起こることが大部分であり、一定の仲間意識を集団のなかに構築できるかどうかが鍵になります。いわば「外の人」ではなく、「中の人」にいち早くなってビジネスコミュニケーションを行うことで、目的が達成しやすくなるのです。これらは訓練可能であり、メタ認知的なコミュニケーションのパターンとして、あらゆるビジネスコミュニケーションに応用できる考え方です。これは応用言語学のESP（English for Specific Purposes）という領域に属するものです（詳しくは付章を参照）。

7 本章のまとめ

本調査研究では、ビジネスパーソンの英語力について、主にはその成長要因の解明を目的に、アンケート調査およびインタビュー調査の結果を分析することで、ビジネスコミュニケーションの全体像という視点から多角的に考察しています。

最終的には、英語教育に関わるステークホルダーがこれらの研究成果を活用できるように、CEFR B1からCEFR B2へ成長するための、自律学習による言語学習プラットフォームを構築することをゴールとしています。

第1部

ビジネスコミュニケーションの全体像と英語力

第1章

英語の壁を打ち破ったビジネスパーソンの成長要因

今回の「2022年調査」では、国際的な業務に携わる企業で英語を使用している2,686名から得られたアンケート調査の結果をもとに、15名のビジネスパーソンにインタビュー調査をすることで、英語の使用実態と成長要因を探りました。

ただし、調査で得た膨大なデータを見ただけでは、その実態を理解することは困難です。調査結果を数値で表すのは第2部と、Webで公開されている研究成果報告書に譲り、この章では、英語レベルに言及しつつ、理解の助けとなるような事例を取り上げながら、ビジネスコミュニケーションに必要な英語力に関する成長要因をひとつの読み物として提示することを試みます。それでは、早速、成長要因の議論をスタートさせましょう。

ビジネスパーソンに英語業務の習得の秘訣を尋ねると、英語力そのものが大事と捉えている人と、いわゆる人間力が大事だと考えている人に分かれ、「英語力か、人間力か」という二項対立の議論に陥ってしまいがちです。しかし、「2022年調査」の結果を横断的に見ると、どのビジネスパーソンにもあてはまる共通項といえるものと、個々人の立場や状況によって異なるものが存在している様子が見えてきます。

そこで、①多くのビジネスパーソンに共通する**英語の成長要因の基本**について、次に、②英語力が身についていく**成長過程において共通して生じる困難**について、順に述べていきます。そのうえで、**英語の成長要因の実態**は「英語力か、人間力か」の二項対立で語るものではなく、立場や状況によってどちらかに比重が移る、グラデーションがあることを示したいと思います。

なお、この英語の成長要因の実態については、話をわかりやすくするために**ジュニア、シニア、エグゼクティブ**（マネジメント）の3段階に分け、各段階において求められる英語レベル、英語習得のコツ、注意点をそれぞれ見ていくこととします。では、さっそく①から話を始めましょう。

1 共通する英語の成長要因の基本とは：「英語が通じた」経験

英語をどうやって習得するか、どうやって成長させるかについて、いかに多くの日本人が関心を寄せているかは、書店で販売されている書籍の数を見れば一目瞭然です。

何をもって英語の習得とみなすかは、立場や状況によって大きく異なるものだと思いますが、ここでは「ビジネスの目的を果たすうえで、遅滞なくコミュニケーションが取れる英語レベルを有していること」と簡潔に定義します。

すると、英語を習得したビジネスパーソンには共通した特徴がありました。それは英語学習のどこかの段階で「英語が通じた」経験を有していることです。ここで言う「英語が通じた」とは、「スピーチができた」、「会議で議長を務めることができた」などの大役を果たした成功経験というよりも、極めて単純に、「外国語である英語を使用して、伝達すべき事項を相手に伝えられたと実感を抱くことができた」という意味で使っています。

インタビュー調査で、多くのビジネスパーソンが「自分の英語がわかってもらえた」、「相手はとても親切で意図をくみ取ってくれた」と答えているように、ビジネスで目的を果たすためには、自分の言いたいことがしっかりと相手に伝わっていることが重要です。

勇気を振り絞って英語を使う場面に身を投じたときに、相手が自分の伝えたいことをわかってくれた様子をかなり克明に、しかもうれしそうに語ってくれた方がいましたので紹介します。

> 「大学まで大して英語を勉強しておらず、TOEIC スコアが低かったので、異動で海外営業をしたとき、**英語が全然わからなかった**。時差を利用して日本側の担当者から状況や問題点を引き出し、それを午前いっぱいかけて英語にして先方にメールする。先方から電話がかかってきて回答をいただく。英語がさっぱりわからないので、Email please と話して、メールを読むと回答内容が部分的にわかってくる。それを**半年ほどくり返して自信を徐々につかみ**、ついには、さらに高度な英語が求められるポジションに異動希望を出した」

その場でのやり取りができず、時差を利用して文字の英語を駆使しながらの「英語が通じた」経験であっても、それをエネルギーにして英語を使い続けることで自信をつけていったことがわかります。ところが、たいていの場合、また新たな「通じない壁」にぶつかります。

次に引用する方は、異動先での経験について語ってくれています。

> 「英語ネイティブがいる環境に身をおいて、業務に関わることは議事録をとったり、法律的な言葉を使ったりもしていたので**英語はできると思っていた**が、（現地の）**工場に出向いて英語で話そうとすると、まったくできていなかった**。まず、何が話されているかもつかめなかった。語彙や表現を一つひとつ学んでいくことで、英語が使える幅が広がり、英語そのものへの興味を抱くようになった。そうなると、ニュースを見たり、**雑談にチャレンジ**したり、学習が進んだ。」

この経験談からは、業務上の英語の壁、雑談上の英語の壁、というように立場や状況が変わるたびに新たな課題（＝壁）が生じていることがうかがえます。英語ができるビジネスパーソンは、「英語が通じた」経験を積み重ね、それらの壁を突破してきています。そのため、英語は大して話せないという感覚とは別に、周囲からは英語業務をテキパキこなす人と見られるようになっているのです。

英語業務に不自由のないビジネスパーソンの背景を調べていくと、海外で教育を受け、堪能で流暢な英語をアドバンテージとしている人はいますが、誰もが海外留学の経験がある訳ではありません。また、高レベルの英語資格を取得しているとか、幼い頃に英会話学校やインターナショナルスクールに通っていたなどの経験がなくても、国際的な業務に携わるビジネスパーソンとして活躍している人は大勢います。

大事なのは、言いたいことが、外国語である英語を使って相手に伝わった経験があるかどうかです。「英語が通じた」経験が日本国内にいても果たせるならば、それが公立学校の一般的な英語授業での英会話練習であろうと、偶然できた外国人の友人との会話であろうと、オンラインゲームでのやり取りであろうと一切関係ありません。日本語を知らない人に英語で言いたいことが伝わった体験を起点に、さらに伝えたい気持ちを育て、それを表現するための英語学習を続けた人が結果的にビジネスで通じる英語を習得しているというのが実態です。

アンケート調査では、**「国際的に活躍できるビジネスパーソンの育成のためには、どのような能力開発や支援が必要だと考えますか」**という質問を自由記述形式で行っています。その回答内容を分析し、言及の多かった単語をもとにまとめました［図表1］。

(n＝1,231)

英語使用環境づくり	コミュニケーション力	海外を知る	英語力	思考
351件	254件	220件	198件	170件

［図表1］国際的に活躍できるビジネスパーソンの育成に必要な能力や支援

多くのビジネスパーソンが、「英語使用環境づくり」の大切さを指摘しています。351件の回答のなかから一部抜粋して紹介します。

「英語に関しては、**日常的に使用する環境に身をおく**ことが上達の近道であると思っている。」
「機会を設けること。弊社の同部門の**同世代の社員は海外関係者とのやり取りを皆やっており、自然に仕事を進めることができる**ようになっている。自分はキャリア上、アサインが無かったので、努力をしていますが苦労しています。」
「積極的に海外に出て経験を積むことが重要と考える。実際に海外に行くのはハードルが高いので、**日本国内で経験が積める実践の場を用意する**ことが重要と考える。」
「母語の言語能力を完璧にしたうえでコミュニケーションツールとして必要な語学の語彙、文法学習などを行うこと。外国語習得には、**実践の現場が必要であり、資格や英会話スクールなどではなく海外に住む**ことを斡旋してほしい。」

共通して、英語使用環境に身をおくことの重要性を語っていますが、その環境は個々の事情で分かれており、業務のなかで触れる、国内で経験を積む、海外に住む、など様々です。

ポイントとなるのは、実際に使用する場面を作り出すことだと読み取れます。企業によっては、この「英語が通じた」経験を研修に取り入れているところもありました。以下は、インタビュー調査を受けてくれた方の発言です。

> 「国際会議への参加に対応させるために、研修内で、講師が話をしている最中にSorry for interrupting you. と言ってカットインさせる練習をしている。**心理的な壁を打ち壊すために一番効果的なのは、コミュニケーションができたという成功体験であると思う**。日本人と外国人がペアで課題に取り組むフォローアップセッションを通して、外国人と個別にやり取りをさせる課題は成功体験につながっていると思う。」

実際に英語を使用する場は、居住地や業務だけでなく、研修でも十分に有効であるとの証言です。これは非常に重要な知見ではないでしょうか。

まとめると、英語は上手になってから使うのではなく、勇気をもって英語を使用する環境に身をおいて、苦労しつつも現状の英語力でコミュニケーションを取ってみることが大事であり、それぞれのレベルで「英語が通じた」経験を積み重ねていくことが、英語の成長要因になっていると言えるでしょう。

次からは、英語力を身につけていく過程において、共通して生じる困難について見ていきたいと思います。

2 共通して生じる英語の成長過程での困難：リスニング

英語を使う環境に身をおいて、「英語が通じた」経験を重ねるたびに、実力は向上しているとはいえ、すべてがバラ色なわけではありません。その成長プロセスには、共通した困難、ビジネスコミュニケーションを阻害する要因も含まれています。

多くの日本人にとって、英語の読み、書きは学校の授業でもかなり学習してきているので、時間をかければどうにかできるものの、話すことは苦手で、英会話ができるようになりたい、流暢に話せるようになりたいという思いを強く抱いているように感じます。しかし、私たちが2006年、2013年、2022年と3回行った調査研究によると、ビジネスにおける英語の最難関は、実は、スピーキングではなく、リスニングにあることがわかっています。

特に、「2013年調査」では、実に9割ものビジネスパーソンがリスニングに困難があると回答していました。さらに、**「会議における困難を感じる英語スキル」**についてのグラフ［図表2］が示すとおり、**「速い英語に対するリスニング力」**、**「様々な発音の英語を聞き取る力」**の2項目が、際立って会議を困難にさせる要因とわかりました。

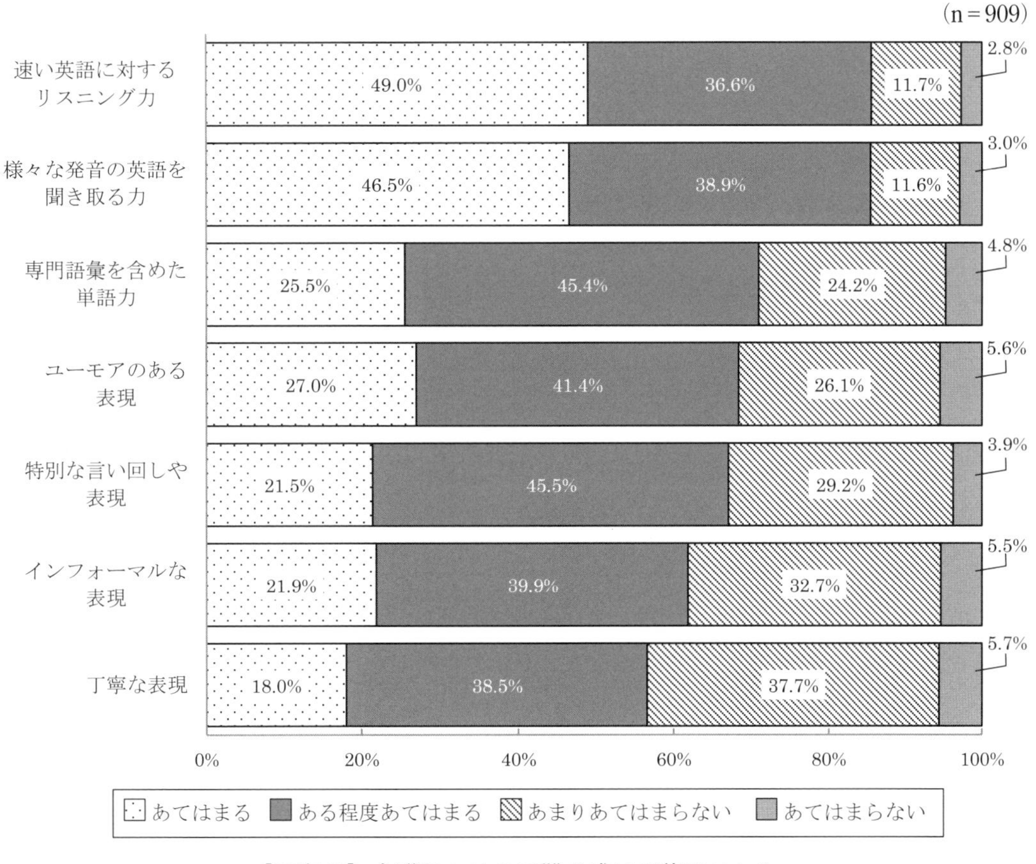

［図表２］会議における困難を感じる英語スキル
※「2013年調査」結果より引用

これら２つのスキルについては、「困難を感じる」に「あてはまる」がどちらも５割近くあり、「ある程度あてはまる」を入れるとほぼ９割に達します。これは、国際的な業務に携わる管理職者に部署内の様子を尋ねているアンケート調査ですから、日常的に英語業務に従事している人の間でこのような結果が出ているのです。高度な英語を駆使できる人であっても、リスニングに関する課題を抱えているということが明らかです。

今回のインタビュー調査でも、海外駐在を長年経験し、難しい交渉について経験を重ねた方が、「リスニングが今でも難しい」と話していたことが印象的でした。

> 「イギリスの研修では技術的な勉強を、駐在のときは、日本で開発された装置を一人で拡販する業務を英語で行った。駐在後は国際管理という海外子会社の管理部門の担当になったので、やり取りは英語で行っていた。帰国後の業務においては『読む』『書く』がメインで、『話す』ことは少なかった。おそらくボキャブラリーが少なかったことが理由で、『話す』のが苦手であった。**『聞く』に関しても大変**であった。ヨーロッパの英語はわかるが、

> **今でもアメリカの英語が聞き取れないことがある。**『聞く』相手に関しては、欧米から東南アジアまで色々な国とのやり取りがあり、インド英語やタイ英語がわかりにくいことがある。」

難しい交渉の場合は、細かな意味や、言葉のニュアンスを理解しなければ相手の意向を正確に理解することができません。メールやドキュメントと違って、話し言葉は瞬時のやり取りとなるので、時には訛りのある英語、速いスピードの英語の音を聞き分け、その意味合いを瞬時に理解していかなければなりません。

百戦錬磨の英語経験を有していても、このリスニング問題は常に発生します。筆者が展示商談会で通訳の手伝いをしたときのことです。日本企業とバイヤーの間に有名商社を退職された方が介在していました。海外支社のトップを務め、英語はもちろん堪能です。横で見ていて、筆者よりも英語が明らかに上手に使えている方でした。ところが、そんな方が、筆者に通訳のヘルプを求めてきたのです。バイヤーの英語がほとんど理解できないというのです。ミャンマーから来ていたバイヤーで、訛りが強いだけでなく、文法的に間違いが多い英語をかなり速いスピードで話す方だったのです。英語の達人であっても、英語ネイティブでない日本人の場合、リスニングは最難関なものと言えるでしょう。

ビジネスコミュニケーションを成立させるためには、英語力、特にリスニングを鍛えることが極めて重要です。なぜか。これについては、この章の後半で語ることとも関連しますので、もう少し深堀りしておきます。

言葉が聞き取れないことには、ビジネス目的が果たせなくなり、業務に支障をきたします。そのポイントを理解するために、昔から知られている話を引用したいと思います。

西洋の古典（バイブル）

And the Lord said, Behold, the people is one, and they have all one language; and this they begin **to do**: and now nothing will be restrained from them, which they have imagined **to do**. Go to, let us go down, and there confound their language, that **they may not understand one another's speech**. Genesis 11：6 – 7

［資料］バベルの塔（聖書欽定訳）

西洋の古典であるバイブル（旧約聖書）では、言語が異なるためにコミュニケーションが取れなくなった外国語問題を『バベルの塔』という物語で扱っています［資料］。

バイブルによれば、人類創世の時代、言語はひとつしかありませんでした。人々は神様のいる天国に届けとバベルの塔を高く、より高くと建設していきます。それを神の領域を犯す行為と見た神は、人々の言語を混乱させて、互いの言葉が理解できないようにしたのです。その結果、人々はバベルの塔の建設が継続できなくなったという小編です。

注目したいのは神様の「彼らが互いのことばが通じないようにしよう（they may not understand one another's speech.）」というセリフです。ここで使われている「ことば（speech）」は、「言葉」という意味だけでなく、「唇」とか「端」という意味を持つヘブライ語です。人々にとって「バベルの塔を建てる」ことはビジネス目的として共有されていました。ところが、神様によって、具体的な業務を進めて行く際の指示、すなわち目的達成のために必要な言葉が異なるものとされ、理解できなくなってしまった結果、彼らのビジネス目的は果たせなくなってしまったのです。お互いを理解するための入り口に「言葉」があったことを意味します。

ここで重要となってくるのがリスニングです。リスニングができないことには、交渉が進まず、ビジネス目的を果たすことはできません。主張点を相手に伝えるだけであれば、あらかじめ英語を用意することによって伝えることが可能です。しかし、リスニングに関しては、例に挙げたミャンマーのバイヤーのように非文法的な英語もあれば、高度な専門知識と教養のあるネイティブが流暢に話す英語まで、実に様々な英語があります。人種や民族によって、また、個々人によっても、話し方や聞こえ方は微妙に異なるものです。

ビジネスコミュニケーションの入り口として、リスニングを鍛えることは、英語力の成長に欠かせません。これは、コロナ以降のオンラインにおけるビジネスコミュニケーションにおいても同様です。ここで、リスニングに関する日本の状況を共有しておきましょう。

今回の調査結果をもとに**「英語のリスニング力」が「英語業務対応度」にどのようにかかわっているか**を見ていきます。ここでは、**リスニング力を「簡単」と「複雑で高度」の大きく２つのレベルに分けて比較**しています。

まず、［図表３］が示すとおり、「簡単なリスニング力」が90％以上あると、英語業務対応度で「問題なし」、「多少苦労」と回答した人の割合は９割を超えており、ほとんどすべての人が英語業務を自力で進行できているとわかります。ところが、リスニング力70％～80％だと、その割合は８割以下、リスニング力50％～60％だと６割以下まで低下します。

一方、「複雑で高度なリスニング力」で比較した［図表４］を見てみると、英語業務対応度で「問題なし」、「多少苦労」と回答した人の割合は、リスニング力が90％以上でも、70％～80％でも変わらず９割を軽く超えています。さらに、リスニング力が30％～40％でも、その割合は６割を超え、リスニング力が20％以下でも４割を超えていることから、「複雑で高度なリスニング力」が少しでもあれば、苦労しながらも自力で業務が進行できている様子が見えてきます。

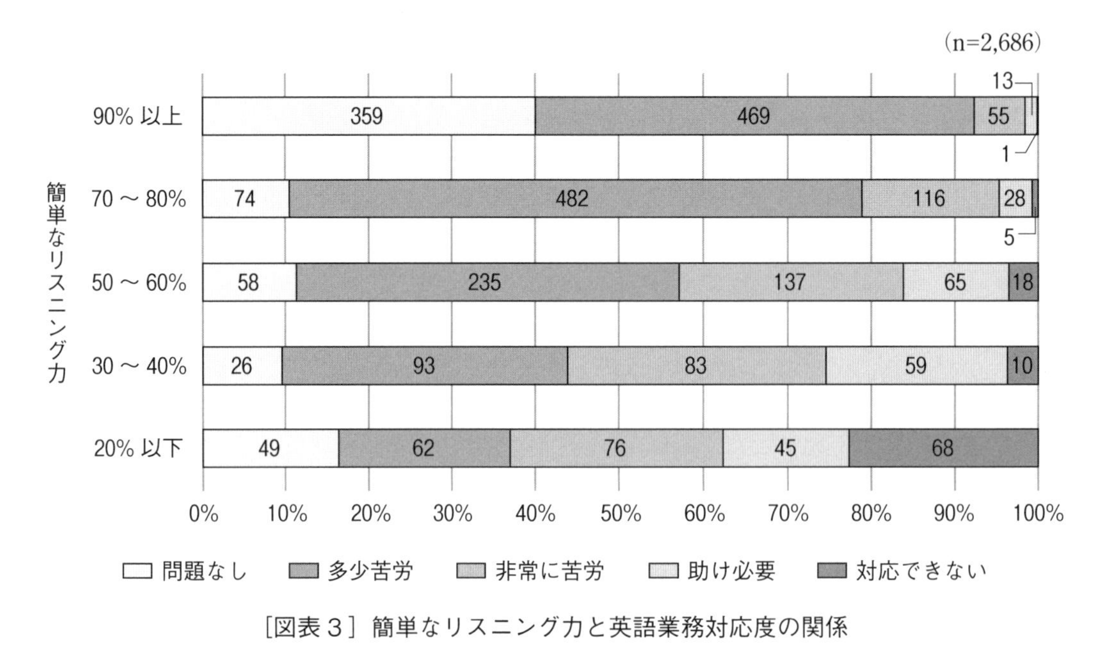

［図表３］簡単なリスニング力と英語業務対応度の関係

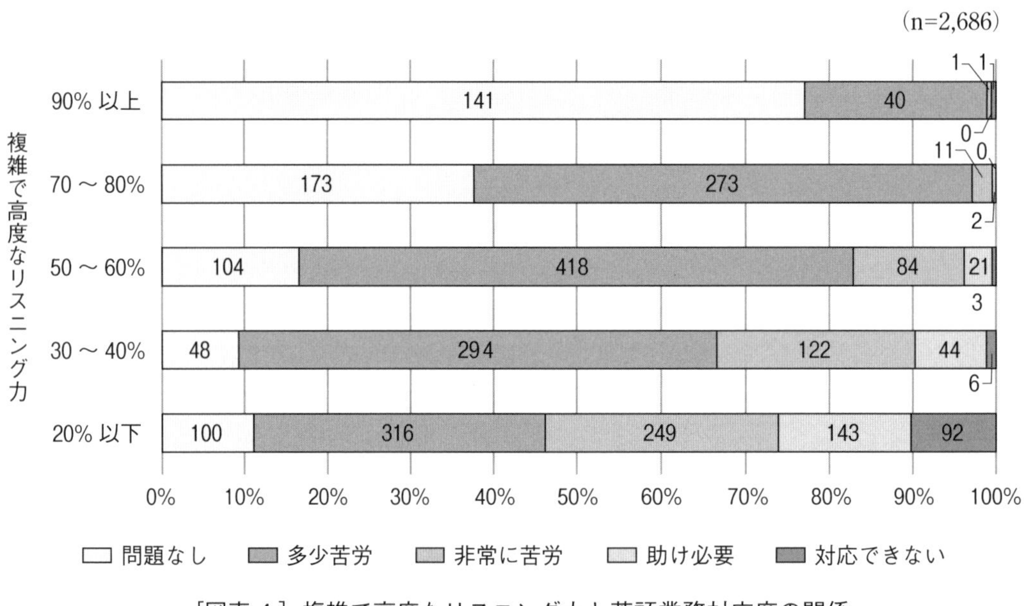

［図表４］複雑で高度なリスニング力と英語業務対応度の関係

しかし、「リスニング力 70% ～ 80%」という状態は、それを日本語で行われる会議に置き換えてみれば、専門用語や背景のわからないことが 2、3 割程度あるということでもあり、いわば「細かなことはわからない」まま業務を行っているともとれます。

このように、細部がぼやけた状態が、英語を使った業務においては常態化しているわけです。解像度が高い、ピンポイントの議論をしていくためには、こういった現状を打破できるだけのリスニング力が必要であることがおわかりいただけるのではないでしょうか。

3 リスニングができない理由のひとつは多様な英語

リスニングができないのには、いくつか理由があります。そもそも知らない単語や表現は耳に入ってきません。業務で使用されている語彙、ビジネス上日常的に使用される表現は早急に学んでおく必要があります。その他の理由としては、グローバル化が起きて、訛りのある多様な英語が使用されていることが挙げられます。ですから、英語の語彙や表現を増やすだけでなく、色々な英語に慣れる必要があります。

アンケート調査では、**「英語業務相手の言語的バックグラウンド」**についての質問をしています。英語業務の時間の総量を100%とした場合の平均的な割合は、次のような結果となりました[図表5]。英語業務の相手の言語的バックグラウンドは、「英語ネイティブ（英語圏出身者）」だけでなく、「英語を共通語として使用している人（英語公用語圏出身者）」、「英語を外国語として使用している人（英語・日本語以外の言語）」など、実に様々であることがわかります。また、日本人同士で英語でのコミュニケーションを図っているケースも少なくありません。

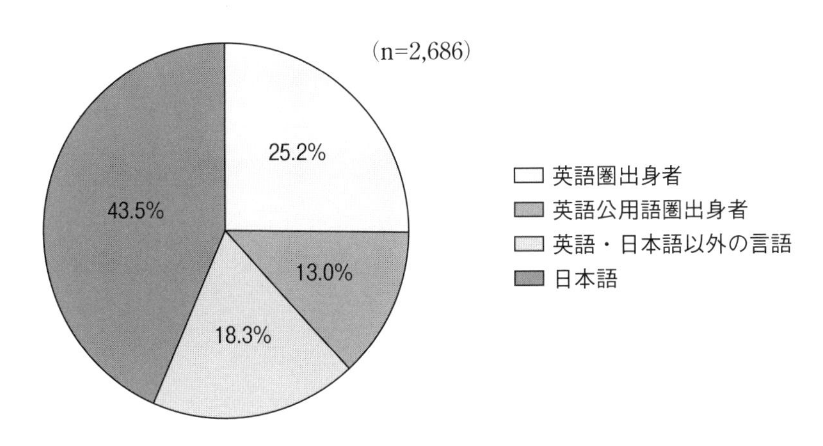

[図表5] 英語業務相手の言語的バックグラウンド

よく世界でもっとも英語が上手なのはシンガポール人だと言われます。また、どのステークホルダーの英語も聞き取ることのできるシンガポール人はファシリテーションが巧みとも言われます。これは、シンガポールには世界中の人が集まっており、それぞれのお国訛りの英語を日常的に耳にしているためにリスニングが極めて上手であるからと考えられます。

一方で、平均的な日本人は、日常的に様々な英語に触れる機会が少ないのでしょう。ネイティブ以外の英語に対応しなければならない状況に直面して初めて、速いスピードの英語や、訛りのある発音の英語についていけない、聞き取れないということが起きやすくなります。若いときから、様々な発音の英語に耳を慣らしておくことが重要です。

TOEIC L&Rスコアの歴史的な推移を見ると、卒業旅行で大学生が海外に出ることが多くなった1980年代以降、リスニングスコアの全国平均は段階的に上昇し、現在に至るまでに70点近く伸びています。時代背景としては、2000年前後に情報革命が起き、英語教育ではオーラルコミュニケーションが重視されるようになりました。近年では、格安航空券が流通し、それまで以上に海外へ気軽に出かけられるようになり、外国の音楽やエンタメがネット上に流れるといったことも当たり前になっています。そのような環境変化に伴い、若い人たちは様々な英語に対して、かなり早く適合するようになっていったと言えるでしょう。やはり、若い頃から多様な発音やイントネーションの英語に触れて、インプットの量を増やしておくことがリスニング力の向上には役立つことが推察されます。

日本人特有の リスニングの難しさ	TOEIC L&Rの リスニングスコア全国平均 1980年代以降、段階的上昇 現在までに約70点の伸び	より多くの・様々な 英語に触れる必要性

［図表６］日本人のリスニングの状況

まとめると、「リスニング」はビジネス目的を果たすうえで基本とされるべきものですが、日本の大多数のビジネスパーソンが課題を抱えており、人によってはリスニング力40%以下と低いまま業務を行っている様子も見えてきました。グローバル化に伴って、発音もスピードも文法も様々な英語が飛び交っている現在、細かな部分まで英語を聞き取れるように訓練を継続することが大切です。

ここで、これまでの議論の流れを確認しておきます。まずは、多くのビジネスパーソンに共通する英語成長要因の基本である「英語が通じた」経験について、次に、英語力を身につけていく成長過程において共通して生じる困難、すなわちリスニングについて考察してきましたが、それによって見えてきたものは、「英語使用環境に身をおいて、リスニング力を鍛えつつ、英語が通じる経験を重ねることが重要」という、ある意味ありきたりのものです。

そもそも私たちの研究グループが課題として捉えたのは、2010年前後から日本が国を挙げて取り組んできた、「『英語が使える日本人』の育成のための行動計画」の成果がそろそろ出てきても良いのではないか、という素朴な疑問からです。しかし、実際のビジネスの現場ではどうでしょう。業務で英語を使っているビジネスパーソンの英語力に関しては、残念ながら、理想の状況には遠く及ばないというのが、現実ではないでしょうか。

ここからは、英語力を示す指標を調査結果のデータに重ねてみることで、問題の所在を解明していきたいと思います。

4 ビジネスパーソンの英語力の現在値と目標値のギャップ

英語力を示すには、英語の試験や指標があります。ここでは、ヨーロッパで言語スキルを評価する共通の基準を提供するために作られたCEFR（セファール、シーイーエフアール）：Common European Framework of Reference for Languages: Learning, teaching and assessment（ヨーロッパ言語共通参照枠組み）について考えてみたいと思います。ヨーロッパに留学や仕事を理由に在住するためには、ビザ（査証）の取得が必要となるのですが、場合によっては、言語スキルを証明しなければなりません。そのときに使われるのがCEFRです。

日本人のサッカー選手がヨーロッパのクラブに移籍するとき、英語だけでなく、イタリア語、ドイツ語などでインタビューの受け答えをするのを見て、その流暢さに驚かれたことがあるのではないでしょうか。彼らがヨーロッパでサッカーをするためには労働ビザが必要とされており、そのビザ取得のためにCEFRを提示してコミュニケーション力があることを示さなければならないのです。

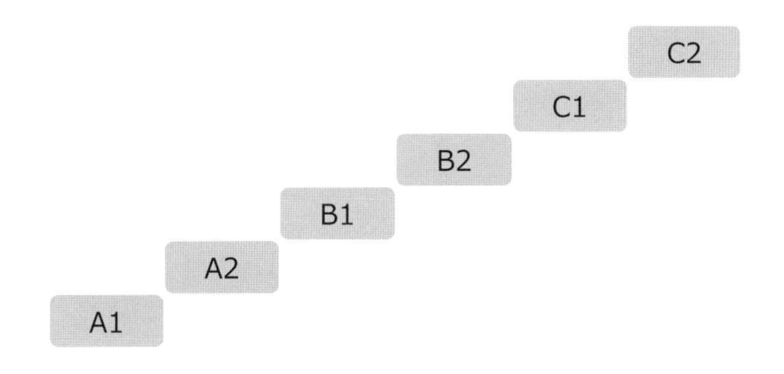

［図表７］CEFRの理想的な成長

CEFRは、入門レベルのA段階、自立した言語使用者レベルのB段階、熟達レベルのC段階とレベル分けされており、それぞれの段階のなかで、A段階はA1、A2、B段階はB1、B2、C段階はC1、C2のように細分化されています。そして、初等教育（小学校）→中等教育（中学校・高校）→高等教育（大学・短大）と成長の階段を上るのと同じく単純な指標とされています。

「2013年調査」で、国際業務を担う企業の管理職に部署の英語力を尋ねたところ、現在値のCEFRレベルはB1、目標値のCEFRレベルはＣ１と答えた人がそれぞれもっとも多く、中央値も同じでした。現状と理想の間にギャップがあることがわかりました。

このギャップは、約10年の時を経ても変わらず、「2022年調査」の結果を見ても明らかです［図表８］。現在値について、B1と回答した人が40.2%（1,080名）と最大で、37.2%（999名）

のB2と合わせると7割を超えています。一方、目標値は、C1と回答した人がもっとも多くて37.8％（1,014名）、次いでB2が35.0％（940名）でした。

さらに、「2022年調査」で得られたCEFRの現在値とTOEIC L&R平均スコアは、[図表9]のようになりました。

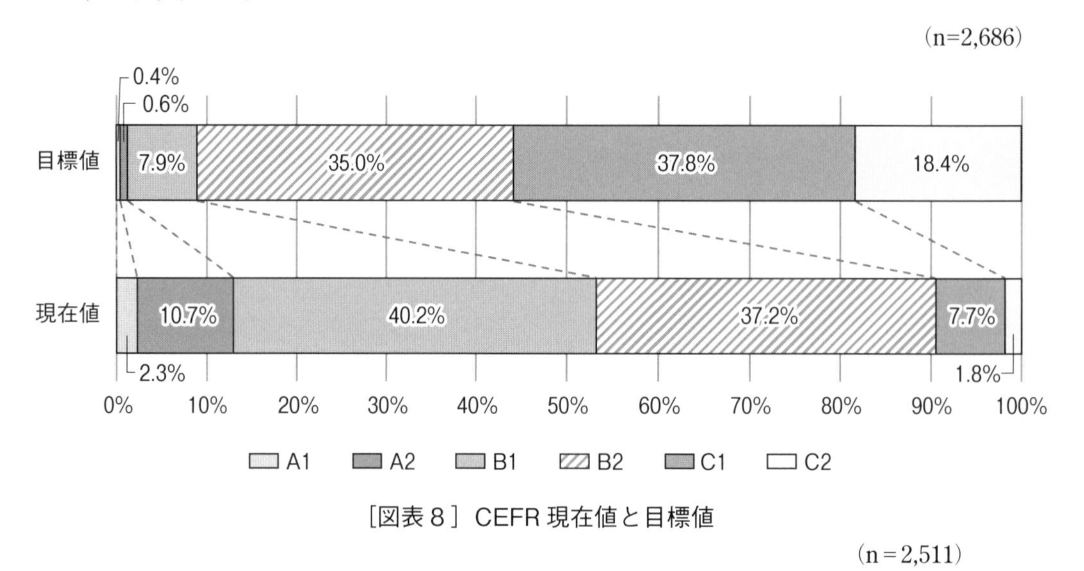

[図表8] CEFR現在値と目標値

(n＝2,511)

A1	A2	B1	B2	C1	C2
576点	477点	669点	835点	906点	819点

[図表9] CEFR現在値とTOEIC L&R平均スコア

CEFRのレベルを1つ上げたときにTOEIC L&R平均スコアの増加がもっともあるのは、A2からB1に上げたときの192点でした。やはり、入門レベルのA段階から、自立した言語使用者レベルのB段階に上がるところでもっとも英語力が要求されています。

全体的に見ると、B2より上は800点超えと極めて高得点層で、B2とB1との間にも166点もの差があることは見逃せません。

私たちがここで関心を寄せるのは、単に英語力があるなしではなく、英語で業務に対応できるかという問題です。そこで、次に、TOEIC L&Rスコアと英語業務対応度についてのクロス集計を見ることにします。

[図表10]が示すとおり、英語業務での対応について「問題なし」、「多少苦労」と回答した人のTOEIC L&R平均スコアは700点台で、「非常に苦労」、「助け必要」という業務に何らかの支障が出ている人は600点台、「対応できない」という人は500点台という結果でした。得点差が最大なのは「非常に苦労」から「多少苦労」のところで、85点の差がありました。

次に「多少苦労」のTOEIC L&R平均スコア約750点を基準にCEFRとの関係を見ていきま

しょう。[図表11]は、CEFRの各レベルで何パーセントの回答者がTOEIC L&Rスコア750点以上を獲得しているかを示しています。

(n=2,511)

対応できない	助け必要	非常に苦労 ➡	多少苦労	問題なし
539点	622点	667点	752点	794点

[図表10] 英語業務対応度とTOEIC L&R平均スコア

(n=1,286)

A1	A2	B1 ➡	B2	C1	C2
19%	3%	20%	92%	98%	80%

[図表11] CEFRレベル別TOEIC L&Rスコア750点以上保有者の割合

CEFR B2～C2の人たちは8割以上がTOEIC L&Rスコアで750点以上に達しているのに対し、B1の人たちはわずか2割しか達していません。ここに大きなギャップが存在しています。

前述したように、CEFRレベル別のTOEIC L&R平均スコアについて、調査全体ではA2とB1のところに最大のギャップがありました。しかし、英語業務への対応という要素を加味したときには、B1とB2のところに最大のギャップがあるという結果です。英語業務に対応していくためにはB2以上が必要で、B1ではかなり厳しいとわかります。

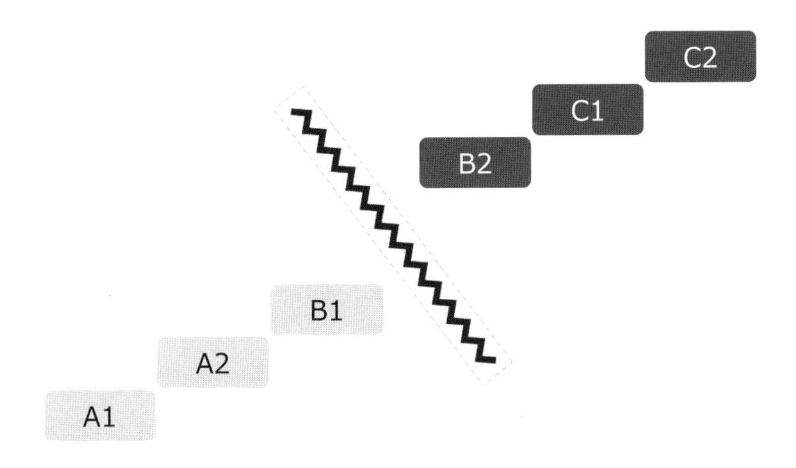

[図表12] CEFR B1とB2の間に立ちはだかる壁

実際、ビジネスパーソンとしてはB2、C1、C2レベルの英語使用者になるのが理想ではあるのですが、調査の回答者2,686名の過半数を超える1,431名がA1、A2、B1のレベルに留まっています。B1からB2のところには壁があり、突破するのは容易ではありません。単純な英語学習を重ねながら階段を上るようにレベルを上げていくことができるのはせいぜいB1までで、

B2との間にある壁を突破するためには、何らかの形で質的転換を図る必要があるようです［図表12］。

英語業務に対応していくために、従来の英語学習とは質的転換が必要なことは、インタビュー調査からもわかっています。

> 「入社当時、TOEICは800点程度で、英語はできるほうであった。一方、出身の外国語大学では、英語の価値基準が、ネイティブに近い英語かどうかに置かれていた。**今思えば、単に英語ができることと、英語で仕事ができることはまったく違うと思う**。そのことに気づいたのは、仕事を始めてからであった。仕事では、時間的な制約もあり、言語的な美しさや洗練さにこだわってなどいられないケースも多い。**英語は、業務の目的を遂行するために使うものであり、そういったある種の『割り切り』を得られたことも、仕事で英語を使えるようになった契機だったように思う**。」

この方は、TOEIC L&Rスコア800点程度と高得点層ですが、英語ができることと、仕事ができることの違いを指摘しています。仕事では、「目的を遂行するために英語を使用する」と述べており、このような指摘は、他の方の証言にも見られます。

> 「英語がネイティブに近いほど、ニュアンスを含めた理解がしやすくなるので、コミュニケーションは取りやすくなり、お互いの理解度は深まる。（中略）帰国子女のように英語が流暢であっても、業務知識や経験などがなければ、ビジネスコミュニケーションや交渉ができるわけではないことも感じる。**ある程度の英語力は最低限必要だろうが、専門用語を把握し、どのような英語表現で交渉するかなど業務と結びついた知見や能力、事前準備、努力、そして経験の積み重ねが大事である**。」

英語力が高いことで細かなニュアンスまで理解できるようにはなるが、業務と結びついた事前準備や努力が必要となる、との指摘です。

アンケート調査では、**「国際的に活躍できるビジネスパーソン育成のためには、どのような能力開発や支援が必要だと考えますか」**という自由記述式の質問に答えてもらっています。

B2～C2レベルの人の回答のうち、個人の資質やスキルに関わる項目をピックアップしてみました。マインド（47名）、思考（93名）、行動力（35名）、統率力（14名）、対人力（12名）に関する回答があり、延べ201名が回答していました。

回答内容を簡単にまとめると、英語は国際的なビジネスの共通言語として必要ですが、それ自体が目的ではなくコミュニケーションの一手段であることが指摘されていました。また、広範なスキルとマインドセットが極めて重要で、これらすべての要素が総合的に働くことで、国際的なビジネス環境での成功を収めるための実力が形成される、との回答でした。必要なスキルとして、

［図表13］のようなものが取り上げられています。

自己制御的要素	知的能力的要素	社会・対人関係力的要素
レジリエンス（回復力） 自己管理能力 積極性	教養 専門知識と技能 データ分析とIT知識 論理的思考力と表現力 意思決定と問題解決スキル 課題発掘・解決力	リーダーシップ 自己表現力 他者理解力 多様性の受け入れ 異文化理解と尊重 エンパワーメント能力 ビジネスマナーと社会常識

［図表13］国際的に活躍できるビジネスパーソンに必要なスキル

2003年に内閣府でまとめた『人間力戦略研究会報告書』では、人間力を「社会を構成し運営するとともに、自立した一人の人間として力強く生きていくための総合的な力（内閣府、2003：10)」と定義し、**自己制御的要素、知的能力的要素、社会・対人関係力的要素**、の3要素で構成されると述べています。回答者が指摘していた内容は、まさにこの3要素に分類されるものでした。英語を通じた経験、様々な発音やスピードに対応するリスニング力を常に向上させるなど、英語力を鍛えることは非常に重要です。特に、入門レベルのA2から、自立した言語使用者の最初の段階であるB1にレベルアップするには、大幅な英語力の向上が必要となります。しかし、英語力を身につけるだけでは、英語業務に対応していくことは難しいのが実情です。

つまり、B1とB2の間にある壁を突破するためには、英語学習に加えて、この「人間力」とも呼ばれる業務を遂行するためのマインドセットやスキルセットを学ぶ必要があるということです。インタビュー調査では、壁を突破した方々に、この点を尋ねており、次のような回答が得られています。

> 「英語を使う機会や研修などのチャンスを通じて勉強した部分もあるが、大きな経験だったのは2年間ほど**副社長のアシスタント**をしたことであった。その際に、マネジメントや戦略立案といったハイレベルな業務を行っている人から、**『考える力』を身につけるといった英語力以外のことを学び、それが英語業務や英語力にも影響した**。特別に勉強をしたというよりは、**業務を通じて英語を身につけてきた**。例えば、会議の回し方や形式などについては入社時の英語力が十分だったとは言えず、**業務を通して英語力を向上させた**。」

> 「イギリス駐在時、**上司であるイギリス人役員**に対して日本での（日本語母語話者とやり取りする）経営会議における同時通訳を経験。また、役員に限らず、構造改革案件で一緒に仕事をした**外部コンサルタント**等、社内業務以外の**業務についての英語でのやり取りや、そのような方々との雑談や日常生活における英語のやり取りを通して、英語母語話者**

を相手にした際の、自分なりの工夫を行ってきた。こうした経験が総合し、英語力が伸びたと思われる。

比較的早い段階で、業務に特化した英語は身につけられたと思うが、次のレベル（業務＋α）の英語力の習得は、母語話者に揉まれたことが要因として大きい。帰国後、日本を拠点に業務を行い、また、親会社が外資系になったこともあり、さらに総合した英語力を伸ばすことができたと感じているが、全体を通して、**業務経験の蓄積に伴って英語力を伸ばしており、業務での経験が、今の自身を形成するうえで、決定的に重要**であったと思う。」

「業務に必要な英語の書きぶりなどもあるが、それは現場で学ばなければならない。例えば今困っているのが、ディプロマティックな英語を書くことである。**上司は上手く書くことができる。なるほどと思ったのは、型が何個もあることである**。総じて書いていることのロジックは同じだが、tackling the global challenge など、一般的にはあまり言わない言葉をいくつか組み合わせて文章を作っている。型は何度も出てくるので、何度も出てくるものを記憶しながら習得している。（中略）**彼らは型を習得しているうえに頭が良いので、その組み合わせが上手い**。型の組み合わせも学ばなければいけない。最低限の英語力があったから型の存在に気付くことができた。」

この３名の回答者は、**「『考える力』を身につけるといった英語力以外のこと」、「英語母語話者を相手にした際の、自分なりの工夫」、「なるほどと思ったのは、型が何個もあることである」**と回答しており、英語業務を遂行するうえでは、一定の英語力はベースにしているものの、プラスアルファの自分なりの発見があることがわかります。

そして、もうひとつ共通しているのは、「副社長のアシスタント」、「役員」、「上司」、「外部コンサルタント」、「社外」と業務内容が高度化し、様々なステークホルダーとやり取りをするなかで、次のレベルの英語を習得しているということです。

業務内容の高度化と書きましたが、ビジネスパーソンがおかれている状況は個々で大きく異なると思います。なかなか一般化できない部分ではありますが、ひとつの目安として、アンケート調査では、回答者の役職、会議で果たしている役割について尋ねていますので、その分布を確認してみましょう。各役職の回答者の何％が、会議においてどのような役割を果たしているかを表にしてみました［図表 14］。上位２つは色を濃くしました。

(n＝921)

	役職				
会議での役割	役員	部長	課長	係長	一般社員
最終判断をする／結論を出す	53.6%	45.6%	29.0%	18.5%	9.5%
会議全体を進行させる	46.4%	56.3%	47.5%	40.4%	33.6%
交渉・協議の担当窓口	50.0%	42.7%	45.7%	43.8%	34.8%
定型内容の説明、質問応答	35.7%	41.7%	40.3%	47.9%	39.8%
何か聞かれたら答える程度	14.3%	41.7%	43.0%	47.9%	50.7%
参加するのみで発言しない	7.1%	8.7%	19.5%	18.5%	25.9%

［図表14］役職別の会議役割

「役員」、「部長」、「課長」は、会議において、最終判断、会議進行、交渉担当など複雑なやり取りを必要とする役割が上位に来ています。その一方で、「係長」、「一般社員」の場合は、定型の質疑応答や、聞かれたら答える程度の割合が多く、役職が上がるごとに会議で果たす役割が高度化している様子がわかります。

(n＝2,511)

	TOEIC L&R 平均スコア	C2	C1	B2	B1	A2	A1
役員	800点	7.5%	18.9%	34.0%	35.8%	1.9%	1.9%
部長	776点	4.5%	13.1%	39.2%	38.1%	4.0%	1.1%
課長	730点	1.1%	7.4%	38.7%	40.0%	9.8%	2.8%
係長	721点	0.9%	6.3%	37.3%	41.1%	12.2%	2.1%
一般社員	719点	1.7%	6.8%	36.8%	40.8%	11.5%	2.4%

［図表15］役職別のTOEIC L&R平均スコアとCEFRレベル

(n＝2,511)

対応できない	助け必要	非常に苦労 ➡	多少苦労	問題なし
539点	622点	667点	752点	794点

［図表10］英語業務対応度とTOEIC L&R平均スコア

ここで各役職のTOEIC L&R平均スコアと、CEFRレベルについても見て行きましょう［図表15］。どの役職であっても、70%～80%の人がB2とB1に位置付けられます。参考までに、英語業務対応レベルごとのTOEIC L&R平均スコアを再掲しておきます［図表10］。

すると、「役員」のTOEIC L&R平均スコア800点で、英語業務対応は「問題ない」レベル、「部長」の776点も「多少問題」レベルですがかなりのハイレベルです。しかし、「課長」、「係長」、「一般社員」のTOEIC L&R平均スコアは719点～730点と「多少問題」に届かないレベルにあります。CEFRも約40%がB1レベルにあります。

こうした状況から、役職が上がるにつれて、業務上果たすべき役割は高度化し、英語でやり取りする相手、すなわちステークホルダーが増え、より人間力が求められるようになることがわかります。英語力を身につけていないと、英語業務の対応が難しくなっていくと言えるでしょう。

5 ジュニア、シニア、エグゼクティブの3つにレベル分け

ここからは便宜上、A1～B1、つまり一般的な英語力がまず求められるレベルを「ジュニア」、業務が高度化してステイクホルダーの数が変わり、B1とB2の間にある壁を破るために質的転換が必要となるレベルを「シニア」、そして、全社的な対応が求められる「エグゼクティブ」の3つに分けて議論していくこととします。

アンケート調査から、**①役職、② CEFR レベル、③英語業務対応度**によって、**ジュニア、シニア、エグゼクティブ**のいずれかに振り分けることでデータを整理しました。各段階を想定した3つの条件については以下のとおりです。

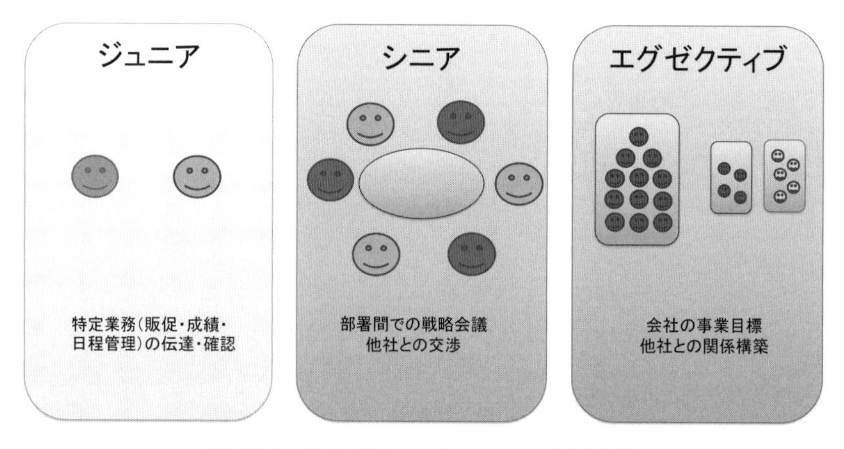

［図表16］ビジネスパーソンの成長段階

・ジュニア　①一般社員、係長　②A1～B1　③問題なし、多少問題
⇒条件を満たす人は190名
・シニア　①課長、部長　②B2～C2　③問題なし、多少問題
⇒条件を満たす人は280名
・エグゼクティブ　①役員　②A1～C2　③問題なし、多少問題
⇒条件を満たす人は40名

ジュニア

ジュニアの業務内容としては、確認や伝達が中心になります。サービスや商品を売り込む、材料を調達する、規格やサイズを伝達する、色や重量を確認する、期日を設定する、イベントを企画するなどを想定しています。対話をする相手も、特定の限られた人ということになります。

コミュニケーション形態は［図表17］にあるように、「Eメール」が6割を超えているほか、「仕様書」、「操作マニュアル」など時間をかけて英文を作成できるものが上位を占めています。

また、会議での役割は［図表18］にあるとおり、「聞かれたことに回答」、「会議参加のみ」など準備することで対応できるものが中心です。

(n＝190)

Eメール	オンライン会議	電話	仕様書	操作マニュアル	プレゼン資料
63％	29％	23％	23％	21％	21％

［図表17］ジュニア・コミュニケーション形態（上位5項目）

聞かれたことに回答	会議参加のみ	交渉窓口	定型説明・応答	議事録	通訳	ファシリテーション	最終判断・結論
27％	20％	13％	13％	9％	7％	5％	4％

［図表18］ジュニア・会議での役割（会議参加者は190名中56名）

シニア

シニアになると、ジュニアに課せられている個々の業務について、部署間を超えた協議をしたり、他社の人たちと調整をしたり、問題への対応や解決策を練ったり、業務を成し遂げるためにいかにスムーズに進めるか、いかに相手を説得するかなどが中心となると想定しています。対話をする相手は複数になることが多く、複数間の利害関係を調整しながら進めていく、といったことは頻繁に起きる業務内容になります。

コミュニケーション形態の回答割合が総じて高く、［図表19］にあるように「オンライン会議」は7割以上、「対面会議」でも6割以上の人が参加していることがわかります。

また、［図表20］からは、それらの会議において、単に参加するだけでなく、会議を仕切る役割を果たしている様子がうかがえます。

(n＝280)

Eメール	オンライン会議	プレゼン資料	対面会議	オンライン プレゼン
91%	76%	65%	62%	54%

［図表 19］シニア・コミュニケーション形態（上位５項目）

ファシリテーション	交渉窓口	最終判断・結論	定型説明・応答	聞かれたことに回答	議事録	通訳	会議参加のみ
48%	39%	32%	28%	24%	22%	18%	9%

［図表 20］シニア・会議での役割（会議参加者は 280 名中 230 名）

エグゼクティブ

エグゼクティブになると、関係者はさらに増えます。会社やグループ会社の事業目的や目標に関わるすり合わせ、他社との事業提携や契約、吸収合併、政治・経済・法律などの情勢に合わせた判断や危機管理など、業務に関わる相手は膨大な数になると想定しています。

コミュニケーション形態の回答割合は、シニアと同じように総じて高く、［図表 21］を見ると、「対面」での会議やプレゼンが増えている点も同じです。

また、会議で果たす役割は、［図表 22］を見てもわかるとおり、より重要なポジションにおかれることが多くなり、意思決定や会議を仕切る役割を果たしている様子がわかります。

(n＝40)

Eメール	オンライン会議	対面会議	対面プレゼン	プレゼン資料
80%	68%	63%	53%	53%

［図表 21］エグゼクティブ・コミュニケーション形態（上位５項目）

最終判断・結論	ファシリテーション	交渉窓口	定型説明・応答	通訳	聞かれたことに回答	議事録	会議参加のみ
48%	45%	45%	31%	17%	10%	10%	3%

［図表 22］会議での役割（会議参加者は 40 名中 29 名）

ここまで、ジュニア、シニア、エグゼクティブの各段階で、どのようなコミュニケーション形態をとるのか、また、会議でどのような役割を果たしているのかを見てきました。

想定したとおり、段階が上がっていくにつれて役割が異なっている様子がわかります。ジュニアはドキュメントベースのコミュニケーション形態ですが、シニアになると会議が増え、ここでは掲載していませんが、ドキュメントも増え、様々なコミュニケーション形態が求められます。エグゼクティブになると、ドキュメントは減りますが、より対面での英語業務が増えます。

また、英語業務に対応している人たちのTOEIC L&R平均スコアは、ジュニアが646点、シニアが849点、エグゼクティブが814点となっていました。この結果から、必ずしも、段階が進むこと＝TOEIC L&Rスコアが上昇する、というわけではないことがわかります。

次からは、ジュニア、シニア、エグゼクティブの各段階で、どのような英語レベルが求められているのか、英語習得のコツ、注意点を見て行きましょう。

6 ジュニアの成長要因：英語の基礎力×業務に即した英語使用

ジュニア段階では、時間をかけて英文作成できるコミュニケーション形態が主体です。「聞く」、「話す」のオーラルに関わる英語も、主戦場は対面ではなく、オンライン会議や電話です。

オンライン会議では、「聞かれたことに回答」や「参加するのみ」など、事前準備をすることで対応可能な役割が中心です。こうした役割を果たすためには、どのような英語レベルが求められるのでしょうか。

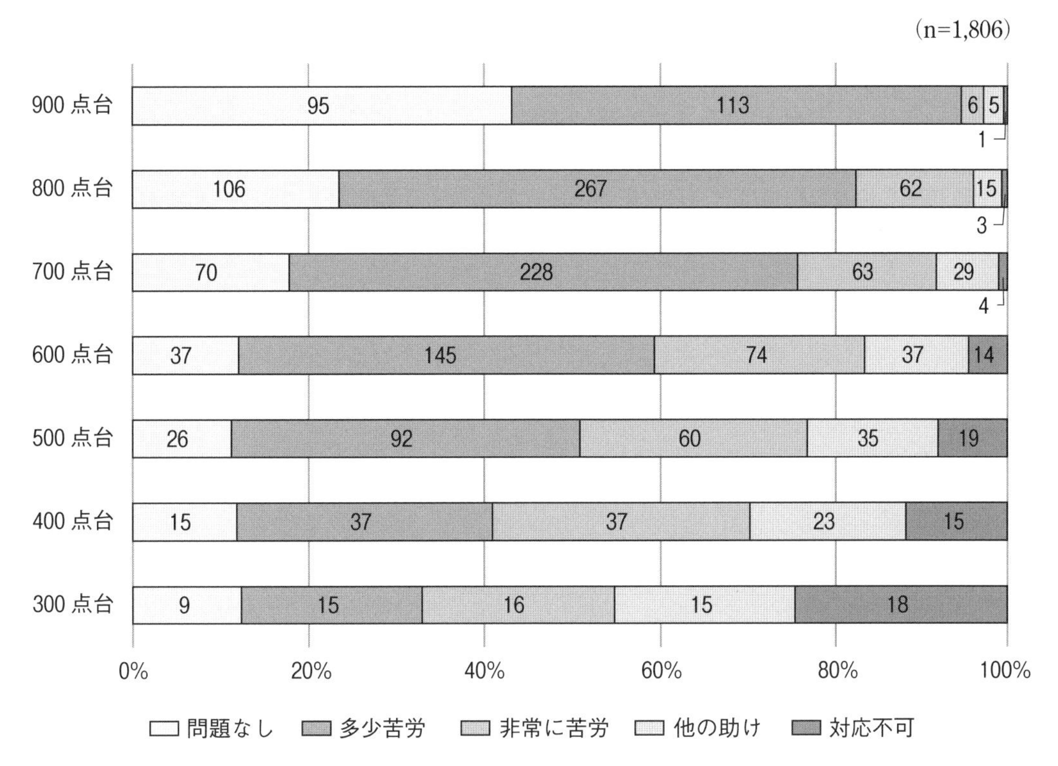

［図表23］一般社員と係長のTOEIC L&Rスコア別英語業務対応度

まず初めに、ジュニアの振り分け条件のひとつである役職が「一般社員」もしくは「係長」のTOEIC L&Rスコアと英語業務対応度を確認してみましょう。TOEIC L&Rスコアを100点刻みにして、英語業務対応度は、「問題なし」、「多少苦労」、「非常に苦労」、「他の助け」、「対応不可」の5段階で評価します。

[図表23] のグラフを見ると、英語力が高いほど、英語業務の対応が容易になることがうかがえます。TOEIC L&Rスコアが300点台になると約5割の人が自力で対応ができていないことから、英語業務をこなすためには一定の英語力が必要とわかります。インタビュー調査でも、多くの人が基礎力の重要性を指摘しています。

> 「学生時代に留学した経験はなく、英語でメールを書いた経験もなかった。英語の勉強に自主的に取り組み始めたのは、**就職活動対策としてのTOEIC受験に向けた取り組みであり、そこでの基礎力は、現在の業務に一定量、寄与している**と思う。」

> 「**入社前の段階で、英語について、ある程度の基礎力があったため、意識的に英語力を伸ばすことができた**ようにも思う。その意味では学校で学んだ英語も、自身の業務における英語力を伸ばすうえで、大いに役に立ったと感じている。」

> 「入社時点のTOEIC L&Rスコアは290点、1年後のTOEIC L&Rスコアは295点だった。国内の営業を担当している間は500点～600点を推移していた。**一般の大卒程度(600点程度)の基礎力を身につけたと感じたあと、海外営業に異動**となり、日常的に英語使用が求められる業務を行ってきた。業務経験を積むことで、海外駐在数年が経ったところで、ようやく750点まで上がった。」

- **伝達・確認**が中心の英語
- 資料・メールなど
  時間をかけて英語を準備
- 基礎英語を土台として
  専門英語の習得は比較的早い
- **TOEIC L&Rスコア400点～500点**
  レベルで英語業務可能

[図表24] ジュニア段階に必要な英語力

このように、英語業務に対応するには、英語の基礎力が前提となっています。TOEIC L&Rスコア400点～500点台になると、7割以上の人が非常に苦労しながらも英語業務に対応できています。したがって、英語業務を遂行するためには、TOEIC L&Rスコア400点～500点を前提として、そこからさらなる英語力の成長を図ることが重要とわかります。

インタビュー調査では、この成長プロセスについてのいくつかの重要なポイントが浮かび上がってきました。

【習得のコツ】①専門用語のリスト化

まず、業務の詳細と、それに付随する業界特有の専門用語を理解することで、英語でのコミュニケーションが可能となり、業務プロセスは円滑に進行します。熟練度が上がるにつれて、英語を調べる頻度は減少し、基本的な英文作成のスキルだけで業務を遂行できるようになります。

> 「現地の業務については、**業務に即した専門用語を覚えることでコミュニケーションが取れるようになる**。イレギュラーな問題が起きたとしても、その対応のための一連の**基本的な英語表現を覚えれば、次回以降は同じことのくり返しである程度は対応できる**ようになってくると思う。」

また、「専門用語」というと難しい印象を受けますが、実際には、そうでもないという意見がありました。

> 「英語では、**専門英語が一番簡単**であると思う。**技術関係の英語は単語がある程度絞られてくるので、わかりやすい**。マネジメントの英語は、海外企業に日本人が管理者として行く場合は、現地の人が一生懸命聞こうとしてくれるので、それほど難しくないかもしれない。」
> 「専門用語については、難しい反面、**一番よく目にする単語でもあるのでわかりやすい**部分もある。」
> 「**新たに覚えた業務用の単語・表現数は200～300あるかないか**で、そのうち**頻出単語は100**くらいである。」

語数が多くないこと、業務上頻繁に目にすること、そして、業務知識と結びつけることができるため、当初の印象とは違って習得は比較的容易なのが、この専門用語の特徴です。分野によってはもちろん、法律用語のように高度に専門化されているものもありますが、最初に決まった表現を覚えることが重要という点は変わることがありません。

> 「法務で必要な英語力のトレーニングについては、**まずは、法務における決まった表現を覚えることが大切**である。案件ごとにケースバイケースであるが、大枠として、ある程度

の型が存在するため、それらを身につけることも重要になる。」

したがって、ジュニアの段階では、業務内容を覚えたら、その業務に関わる特定の用語を覚え、業務や事例に合わせた英語表現と組み合わせることで、英語業務は対応できるはずです。覚えるべき単語や英語表現は200～300語あれば対応できるので、1日に10語くらいずつ覚えていくことのできるリストを作成すれば、約1か月で達成できてしまいます。

日本語で行う仕事の場合、どの単語を使うか、どの表現を使うか、一つひとつ考えることもありませんが、英語業務に対応するには、専門用語のリストを作成することが大いに役立ちます。

【習得のコツ】②時間をかける

この「時間をかける」には、いくつかの意味が込められています。まず、TOEIC L&Rスコア400点未満で、英語基礎力が不十分な場合、英語業務の遂行には一定の抵抗感を感じるでしょう。心理的な抵抗感があると、言葉がスムーズに出てこないことが多いうえに、英語は短期間で習得することは難しいものですから、習得のコツ①「専門用語のリスト化」を行いながら、英語業務に慣れていくことが必要です。インタビュー調査では、次のような指摘がありました。

> 「**1つの業務を円滑に進められるようになる期間については、簡単な業務は3か月**、考えることの多い業務は1～2年かかるだろう。簡単な業務は、例えば、**外部の顧客と交渉するというプロセスについては、約3か月で一回りするので、1つのステップをクリアできる期間となる**。難しい交渉については、日本語やその他の能力にもよるが、3か月から半年くらい必要である。購買部で外部のサプライヤーと価格交渉をする場合、**1か月から半年くらいで部下が一人で担当できる**ようになっていた。」

このように、慣れていない段階では先行き不安になりがちですが、簡易な業務については、数か月のうちに英語で遂行できるようになる可能性があります。しかし、ただ単に業務を行うだけでは不十分で、次のような指摘もありました。

> 「慣れ、経験、ニュアンスを理解する、といった業務を通じて得られるものは多いので、英語力の上達レベルは業務量とリンクしていると思う。ただ、**漫然と回数をこなすだけでは不十分**であろう。また、きっかけとなる出来事が影響する場合もある。例えば、仕事で失敗をして、**自分で何が足りなかったかを考えることから伸びるパターンもある**。」

この指摘から読み取れるのは、単に時間をかけることで英語に慣れれば良いということでなく、創意工夫が必要であるということです。「時間をかける」とは、業務サイクルを視野に入れるだけでなく、このような試行錯誤のプロセスを大切にするという意味も込められています。次のような工夫をされている方もいました。

「英語業務を担当し始めた頃は、電話でのやり取りの前には、**質問想定集をかなり用意**するなど、決して気軽に電話をできたわけではなかった。相当、入念な準備をして臨み、それでも想定外の質問が出た場合は質問想定集に加えるといった努力を続けてきた。今は、納期の提示・確認のような単純なやり取りは特段準備をしなくてもできるが、価格交渉時などは、今でも、交渉の際にポイントとなるような項目を事前に準備している。」

この方の場合、大学時代のTOEIC L&Rスコアは500点程度だったそうです。時間をかけて、入念な準備をすることで英語力をカバーし、質問想定集の精度を徐々に高めて習得していった様子がうかがえます。こうした事前準備の大切さを語る方は多くいます。

「大きな会議を担当するには、ある程度の年次や役職が必要な部分もあるため、まだ経験量が少ないが、小さな会議については、英語業務担当当初から経験を積ませてもらえた。**初めはプレッシャーも大きかったため、事前準備を入念に行って取り組んでいた**。結果的にこうした取り組みを行いながら、多くの業務経験を積んできたことが、英語力の伸長に大いに役立ったように感じている。」

「英語を使う際、細かいニュアンスが伝えにくく、課題として認識している。業務として品質向上を担っており、相手に伝えるために様々な工夫をしている。具体的には、言葉だけでなく、写真や動画でのやり取り、**事前資料の入念な作成など、自分なりの戦略を持って臨んでいる**。

プロジェクトについては、プロジェクトをスタートさせるときに、関係者の意識を合わせることが重要である。とくに海外事業体の技術員は、そのタイミングでしっかりと伝えられないと、こちらの想いや方向性がずれたまま業務が進んでしまい、良い仕事ができないという経験がある。所属する部署でもこの点を重視しており、だからこそ、**伝えるための事前準備を、意識して入念に取り組んでいる**。」

この二人は、事前準備を「入念に」取り組んでいる点がとくに印象的でした。プレッシャーをはねのけるため、関係者の意識を合わせるために、戦略的に「時間をかけて」事前準備することで、齟齬を防止し、経験を積み上げ、英語力を伸ばしている様子がわかります。インタビュー調査では、ここまでの議論をまとめたかのような発言もあります。

「**一定の基礎力を持ったうえで**、プレッシャーのかかった強制的な**英語使用環境に身を置き、数々の英語業務経験を積んできたこと**が、法務に関する英語力を伸ばすことができた要因だと分析している。なお、英語による法務については、ただ英語が通じれば良いということではないため、難しい部分も多いが、一方で、**法務という業務の専門性に起因して、準備による対応が行いやすく**、経験によってカバーできる部分も多い。」

英語業務を始めたばかりの頃は、様々な不安を抱くものですが、まずは1つのサイクルが終わるまでに業務を覚えること、そのうえで、漫然と取り組むのではなく、様々な事態を事前に予測し、時間をかけて入念な準備をすることが必要と言えるでしょう。

要するに、英語業務に対応するためには、英語を磨くだけでなく、業務との関連付けのなかで習得することが大切だとおわかりいただけるのではないでしょうか。

【習得のコツ】③割り切る

ジュニアの段階は、業務に対応した英語を伸ばす時期ですから、どうしても英語力不足が生じがちです。一つひとつの業務において、最初から上手い英語を使うのではなく、すでに紹介しているように、ビジネス目的を果たすことを最優先させ、英語は道具と割り切ることがポイントとなります。そうすることで「英語が通じる」経験を積み重ね、より大きな英語業務を遂行する力を養っていくことが可能となります。

多くのビジネスパーソンは英語を話すことに苦手意識を持っています。習得のコツ②の「時間をかける」という技は、直接的なコミュニケーション、例えば会議や電話での対話では、即時レスポンスが求められるため「時間をかける」ことがそもそもできません。そのような場合は、アプローチを変えるしかありません。次の事例は、そのよいヒントになります。

> 「**こちら側のやり方が伝わらないときは、英語が得意な社員にサポートしてもらったり、文書にしたり、と工夫をしていた**。英語のサポートをしてくれる方の『話す』力を100%とすると、自分は30%くらいだと思う。具体的な問題として、電話ですぐに済ませられるところがメールになるなどが挙げられる。正確に伝わらないと問題になるので、『話す』を避けた形になってしまう。今の業務では『話す』自体少なく、メールやチャットで業務が済んでしまっている。チャット上ではシンプルに端的に言うようにしている。深く知りたい場合は、**質問のポイントを絞って、確実に欲しい回答が得られるような工夫**をしている。」

この方は、「サポートを依頼」、「文書化」、「ポイントを絞った質問」など、英語力をカバーするためにかなり戦略的に工夫を重ねています。さらに、次のようにも述べています。

> 「社会人になってからは、臆しない、自分の意見を明確に述べる、**わからないことはわからないと伝える**、といったコミュニケーション力がより大切だと思うようになった。」

こうした割り切った姿勢は非常に重要です。この点は、高校までの学校英語教育とは大きく異なる点です。学校における英語教育では、試験があり、「正解」があります。試験は一発勝負であり、あとから訂正することはできません。しかしビジネスの場合は、相手と何度もやり取りをして、最終的に「正解」にたどり着けば良い、という割り切りができます。先に質問想定集を作成していた方は、次のようにも述べています。

> **「担当業務におけるコミュニケーションは、一度のやり取りで終わることはなく、事後の確認など複数回のやり取りを経ることができるため、理解や認識の齟齬や行き違いなどは起きていない。」**

　このようにして、ビジネスにおいては、学校英語教育の試験とは違い、事後確認するなかで理解を深め、互いの認識を合致させていくことができるのです。

まとめと注意点

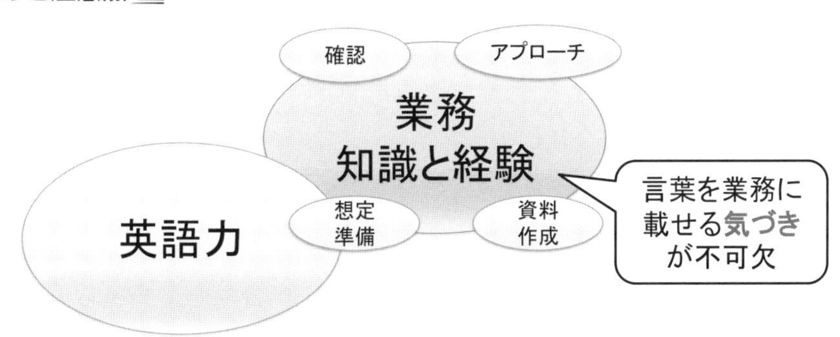

［図表 25］ジュニア段階の英語習得のポイント

　英語業務に対応していくためには、TOEIC L&R スコア 400 点～ 500 点程度の基礎力が前提となります。そこに、業務に関する知識や経験を重ね合わせ、事前に様々な想定をして準備を行います。話し言葉では十分に伝えることができない場合は、丁寧な資料作成をすることで補います。不明な点があるときには、わからないことはわからないと割り切り、相手と何度もやり取りをして確認をします。話し言葉を書き言葉に変えたり、英語ができる社員の助けを借りたりしてアプローチを変えることで対応していきます。
　習得のコツをまとめると、次のようになります。

習得のコツ①　業務に即した、専門用語や英語表現をリスト化して覚える。
習得のコツ②　英語を準備する時間をかけて心理的余裕を確保する。
習得のコツ③　英語はツールと割り切り、ビジネス目的を果たすことを優先する。

　お気づきかと思いますが、ビジネスで英語を使用するために必要なのは、文法書を制覇することでも、やみくもに英語力を伸ばすことでもありません。あくまでもビジネスに即して、業務そのものを英語化することが重要です。つまり、そこで使用される単語は限られており、複雑な文法を駆使しなくても、業務は成立すると言えます。その気づき、ある意味で、割り切りが習得のポイントです。

最後に、企業の英語教育に携わる方、英語を使用した国際的な事業に携わるすべての若い方に是非とも留意していただきたいことに触れておきたいと思います。このジュニアの段階で気を付けていただきたいのは、「なんだ、ビジネスで必要な英語なんて数か月もあればできるし、簡単だ」という意識だけで済ませてはいけない、ということです。数か月で習得した英語が通用するのはジュニアの段階だけ、という厳しい現実があります。

ジュニア段階では、使用される英語は比較的単純であるがゆえに、Google 翻訳や DeepL など翻訳ツールを使用することで、かなり自然な英語を作ることができてしまう時代になりました。第3章の座談会では、椙谷教授から「静的言語」と「動的言語」の話が出てきます。ジュニアの段階で事前準備に時間をかけることができる英語は、「静的言語」に分類されます。椙谷教授は、この静的言語について、翻訳ツールを活用する事例を紹介しています。「静的言語」は翻訳ツールや AI との親和性が極めて高いのです。

したがって、ジュニアの段階で、翻訳ツールなどに頼り切った業務のやり方をすると、次の段階で相当に苦労することになります。英語を使った業務ができるという自信をつかむことは大切ですが、そこで留まらず、「英語の壁」に備えて、地道に英語力を成長させてしっかりとした基礎力を身につけておくことが極めて重要です。

本書を執筆中に ChatGPT が登場し、その便利さに驚愕する一方で、ジュニア段階で英語習得の努力を捨て去ることを危惧しましたし、その思いは現在も変わりません。英語で業務を行えるようになった喜び、成功体験にエネルギーを得て、次の段階への準備を怠らないことが必要であることに是非留意していただきたいと思います。

7 シニアの成長要因：即時対応の英語力×相手の状況に応じた英語使用

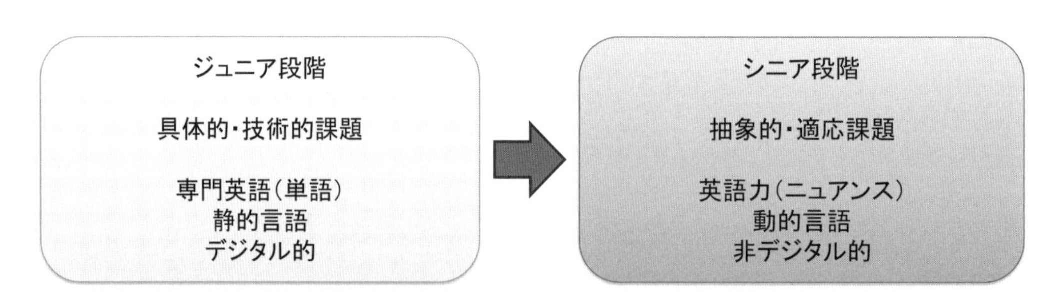

［図表 26］ ジュニア段階とシニア段階の相違

ジュニアの段階で求められるのは、基礎的な英語に専門用語を使いながら、時間をかけて英文を作成し、事前準備ができる種類の英語が中心でした。業務内容としては、期日を尋ねる、これで良いか、改善点があるかを尋ねるなど、具体的なものが多く、表現を工夫することで Yes or

Noに落とし込むことができるデジタル的な対話が多く、技術的課題と呼ばれるものがほとんどです。

確認、修正、変更などの調整をすることで業務が成り立つ比較的単純なものなので、「メールで返事をしますね」とか、「添付の資料を見てもらえますか」などと返すことで、その場で即答できなくても、時間をかけて英語を準備できる「静的言語」でした。

それに対して、シニアの段階になると、会議でプレゼンをする、会議を仕切る役割を果たすといった場面が増えます。目線を合わせた打ち合わせ、相手の意向を確かめながらの課題解決、交渉など、業務内容はYes or Noといったデジタル的なものではない、より複雑で、抽象的な内容となります。ジュニアの段階では、極端な話、製品を見せて専門用語を英語で伝えるだけで、相手は「あ〜、そこで問題があるのね」と理解してくれたことも、シニアの段階では、相手の意向、細かなニュアンスを把握するための非デジタル的な英語力が求められるようになります。

「時間をかける」という技が使えない、その場でレスポンスが必要となるような「動的言語」が求められることが増えます。業務内容としては、指し示す具体的なモノやサービスがあるとは限りません。むしろ、より抽象的な答えが簡単には見つからない適応課題と呼ばれるものが多くなります。インタビュー調査で得られた事例が典型的です。

> 「このような担当者間のビジネスコミュニケーションから、**マネジメントとかシニア同士の情報交換、思いの共有、モチベーションを上げるための議論になると、事前準備で対応できるものとは別で、想定できないニュアンスのやり取りなども増えてくる**。そのような場面で、英語で言い回しが直ぐに浮かばないこと、発言しづらいこともある。自分の語彙や表現力内で話してしまうと、ニュアンスがしっかり伝わらないことが起きたりする。」

心にある思いを共有するようなコミュニケーションというのは、まさに適応課題です。事前準備ができないだけでなく、細かなニュアンスの伝達が大事になるうえに、その場でやり取りをしなければいけない動的な言語であるため、非常に高度な英語力が要求されることになります。

CEFRのB1とB2の間には壁があることをお話ししましたが、それが起きるのは、まさにこのジュニア段階からシニア段階に進むときです。専門用語を使う場面とは違って、業務や会議の外での人間関係を構築するための会話や、真意を知るために微妙なニュアンスや細かな言い回しを駆使する必要があり、割り切った英語では通用しません。持ち帰ってあとで回答ではなく、即時レスポンスが必要なやり取りが続く事態が起きます。

具体的な事例として、次のように語る方もいました。

> 「15年くらい前から年1回程度は米国出張で英語業務を行う機会があった。その後、メールでのやり取りや電話会議に参加する機会が増えていった。当時は『話す』経験がほとんどなかったが、話したいトピックは決まっているので、事前に用意して覚えれば良いと

思っていた。**最初の出張時に衝撃的だったことは、相手が言っていることが『聞けない』ことであった。話したい内容が決まっていても、聞けなければ、用意してきたことをいつ話せば良いのか、話がかみ合っているのかさえわからないので、『聞ける』ことが非常に重要であることを痛感した。**」

時間をかけた静的言語から突如、動的言語環境に移行したときの戸惑いが伝わるエピソードです。書き言葉である静的言語は自分で英語と格闘することになりますが、話し言葉である動的言語の場合は、自分だけの主張・理解の問題ではなく、相手がいて初めてコミュニケーションが成立します。相手の話すことを理解し、相手に理解してもらうことが強く求められるのです。シニアの段階では、この「相手」が大きな課題となります。

CEFRの観点から確認してみましょう。CEFRのB1とB2の間にある壁を克服するためには、英語学習に加えて、より広範なスキルセットを英語業務に絡めて学ぶ必要があることを示してきましたが、まずは、英語学習の部分にフォーカスをあてたいと思います。CEFRの各レベルで何ができると示されているのかを見ていきます。

【A1】日常生活での基本的な表現を理解し、**ごく簡単なやり取り**ができる。
【A2】日常生活での身近な事柄について、**簡単なやり取り**ができる。
【B1】**社会生活での身近**な話題について理解し、**自分の意思とその理由を簡単に説明**できる。

CEFR A1～B1では、相手とのやり取りは「簡単」な内容しかできないと定義されています。ジュニアの段階では、英文を事前準備するなど「時間をかける」という技を使うことができました。また、焦点を絞った表現で相手から情報を引き出し、Yes or Noで回答できるように落とし込むこともできました。B1に到達さえしていれば、ジュニアの段階では、英語業務に対応することができていたのです。

しかし逆に言えば、B1は、身近なことについての理解はできても、相手の言う複雑なことや、詳細、ニュアンスを理解することはできないレベルです。自分たちの側の主張を相手に伝えるのも簡単な表現ではできますが、議論の詳細や複雑な部分についてはまだまだ表現できないレベルとも言えます。シニア段階では、会議を仕切り、微妙なニュアンスのやり取りが求められる適応課題が中心になることから、B1レベルの英語力では足りないということになります。

続けて、B2以上のCEFRの記述を見てみましょう。

【B2】社会生活での**幅広い話題**について自然に会話ができ、**明確かつ詳細に自分の意見を表現**できる。
【C1】広範で**複雑な話題**を理解して、目的に合った適切な言葉を使い、**論理的な主張や議論を組み立てる**ことができる。

【C2】ほぼ**すべての話題**を容易に理解し、その内容を**論理的に再構成して、ごく細かいニュアンスまで表現**できる。

B2以上のレベルになると、取り扱えるのは、「幅広い話題」→「複雑な話題」→「すべての話題」となります。さらに、「明確かつ詳細」→「論理的」→「細かいニュアンス」と表現力も高度になります。シニアの段階に求められるのは、まさにこれらのレベルということがわかります。

現代言語学の巨人とも呼ばれるノーム・チョムスキー（Noam Chomsky、2013：655）は、「コミュニケーションとは、Yes or Noのようなものではなくて、むしろ、More or lessの加減の問題である（Communication is not a yes-or-no but rather a more-or-less affair.）」と著書のなかで述べています。シニア段階で求められるのは、こちらの主張と相手との意向との間で繰り広げられ、さじ加減を調整するコミュニケーション力であると言えるでしょう。

ジュニア段階では業務に英語を乗せることでこなすことができても、シニア段階では通用しません。業務目的を達成するためには、相手とコミュニケーションを図るなど広範なスキルが求められます。

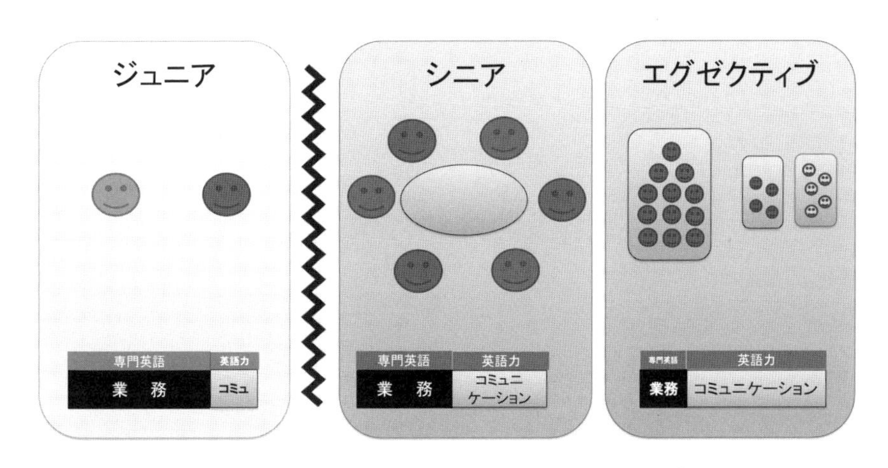

［図表27］シニア段階以降に必要な質的転換

ジュニア段階からシニア段階に進む際に求められる質的転換とは、業務のステークホルダーの数が増えて、相互の主張や意向を調整するためのコミュニケーション力が求められるようになることを意味します。シニア段階では、業務内容の伝達・確認のための英語というよりも、コミュニケーションを取るための英語の比重が大幅に増えるということです。ジュニア段階で英語ができていたはずの人も、シニア段階では、リスニング力も、スピーキング力も、大幅に増強しなければ英語業務に対応できなくなります。

アンケート調査からデータを確認してみましょう。ジュニア段階では、冒頭にTOEIC L&Rスコアと英語業務対応度のクロス集計を見てみましたが、シニア段階では**「課長」と「部長」のデータに絞ってクロス集計**してみました。その結果が［図表28］のグラフです。

英語力が高いほど、英語業務の対応が容易になることがうかがえる点では、ジュニア段階と同じです。統計的に差異を調べても、ジュニア段階とシニア段階では有意な差は出てきません。ここで、英語力のデータを見ても差がないというのは重要な結果です。テスト結果からだけでは様子が見えてこないのです。

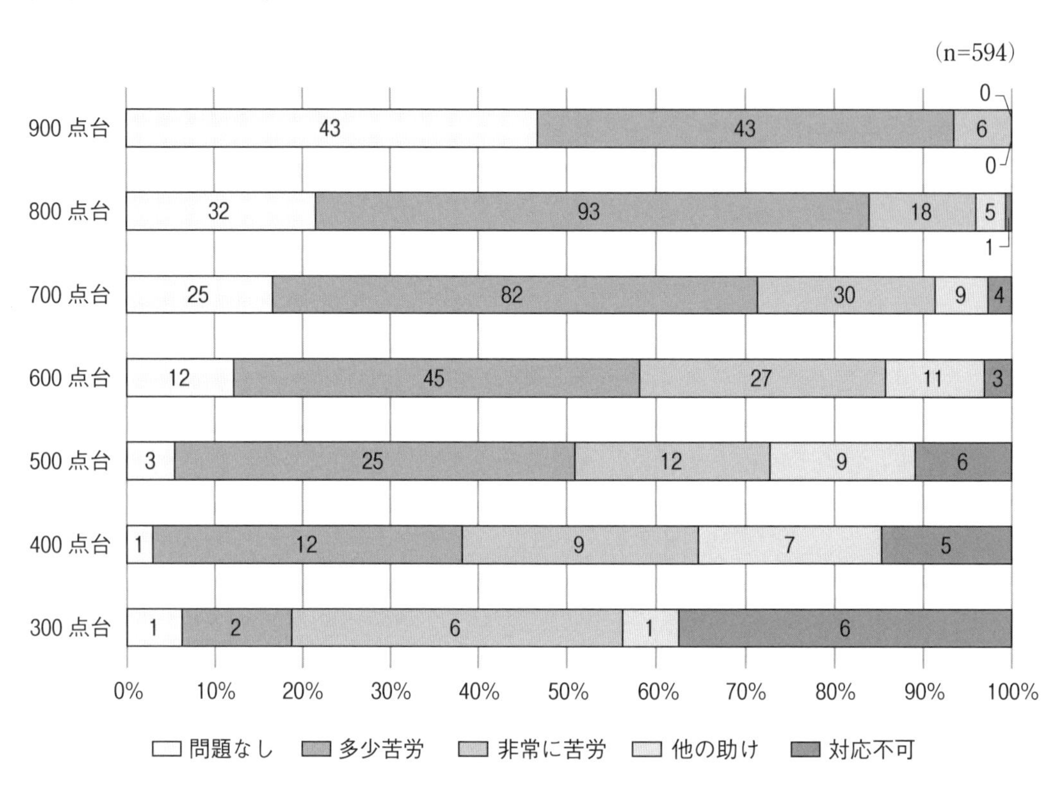

［図表28］課長と部長のTOEIC L&Rスコア別英語業務対応度

続いて、もう少し異なるデータを見てみましょう。シニア段階の特徴は、抽象的な適応課題が増え、相手を考慮した動的言語を使うことが増える点にあります。それがもっともよく表れるのが会議の場面です。[図表 29]は、英語業務対応度と会議で果たす役割についてクロス集計をかけて、そのクロスする各セルに該当者間の TOEIC L&R 平均スコアを記したものです。

(n＝492)

	会議での役割			
英語業務対応度	司会進行	交渉窓口	定型説明	参加のみ
問題なし	819	827	774	900
多少苦労	756	753	745	723
非常に苦労	645	653	637	622
他の助け	700	700	725	625
対応不可	400	400	400	300

[図表 29]会議の役割別・英語業務対応度別の TOEIC L&R 平均スコア

会議で様々な役割を問題なくこなすためには、TOEIC L&R スコア 800 点以上が必要で、750 点台でも「多少苦労」があるとわかります。自分たちの意見や主張を明確に表明し、相手の細かな意向まで把握し、会議を円滑に進行させていくためには、800 点～ 900 点レベルの英語力が求められます。600 点台、700 点台前半では、英語業務においては「非常に苦労」、「他の助け」が必要になります。単純な内容のやり取りはこなせても、相手が投げかける想定外の内容や、細かく複雑な内容を理解するとなると、やはり困難が生じるようです。

ジュニアの段階では 400 点～ 500 点を起点として仕事ができましたが、シニアの段階では対応が難しくなります。400 点～ 500 点レベルだと、相手の意向を十分に聞き取ることができない、必要に応じた回答をその場で返すことが難しいということが起きていると考えられます。

次は、会議で司会進行をする場合の英語業務対応度について、TOEIC L&R スコアを 100 点ずつに区分してクロス集計すると、どのような度数分布になるのかを見ていきます。

(n＝302)

TOEIC L&R スコア	英語業務対応度				
	問題なし	多少苦労	非常に苦労	他の助け	対応不可
900 点台	29	30	2	0	0
800 点台	13	56	8	2	0
700 点台	13	48	18	7	0
600 点台	4	21	13	2	0
600 点未満	0	19	7	7	3

［図表 30］会議役割・司会進行の英語業務対応度、TOEIC L&R スコア別の分布

［図表 30］で示しているように、業務対応度「問題なし」では 900 点以上、「多少苦労」では 800 点台、「非常に苦労」では 700 点台が最大度数でした。やはり、相手とのやり取りがある場面において、問題なく対応するためには 900 点台、多少苦労しながらでもなんとかこなすためには 800 点台が必要で、600 点～ 700 点台では問題が多々生じるということがわかります。

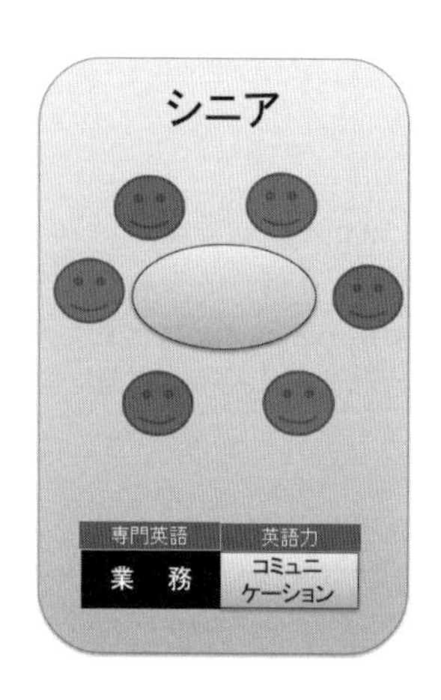

- **説得と意向把握、交渉の**英語
- **その場**でのやり取り
- **英語力で差**が出る
- **TOEIC L&Rスコア600点～700点でも**
  ニュアンスの汲み取りに**苦労**

［図表 31］シニア段階に必要な英語力

相手とのやり取りは「聞き取り」が前提です。ここでは、リスニング力についても確認してみましょう。［図表 32］は、英語業務対応度と会議で果たす役割についてクロス集計をかけて、そのクロスする各セルに該当者間の「高度な内容についてのリスニングの出来具合い（＝リスニング力）」の平均値を％で記しました。

(n＝492)

	会議での役割			
英語業務対応度	司会進行	交渉窓口	定型説明	参加のみ
問題なし	84%	83%	79%	91%
多少苦労	62%	62%	55%	48%
非常に苦労	46%	43%	37%	25%
他の助け	28%	55%	35%	15%
対応不可	15%	15%	15%	15%

［図表 32］ 会議役割別・英語業務対応度別のリスニング力

会議の様々な役割を果たすためには、高度なリスニングは80%程度以上できないと難しいことがわかります。これが50% ～ 60%に落ちると「多少苦労」し、30% ～ 40%だと「非常に苦労」するか、「他の助け」が必要となり、10% ～ 20%では「対応不可」となっています。

シニアの段階では、相手の意向についてそのニュアンスを理解することが重要になります。［図表 33］は、TOEIC L&Rスコアを100点ごとに区分して、会議におけるニュアンスの理解についての困難度を集計したものです。

(n=284)

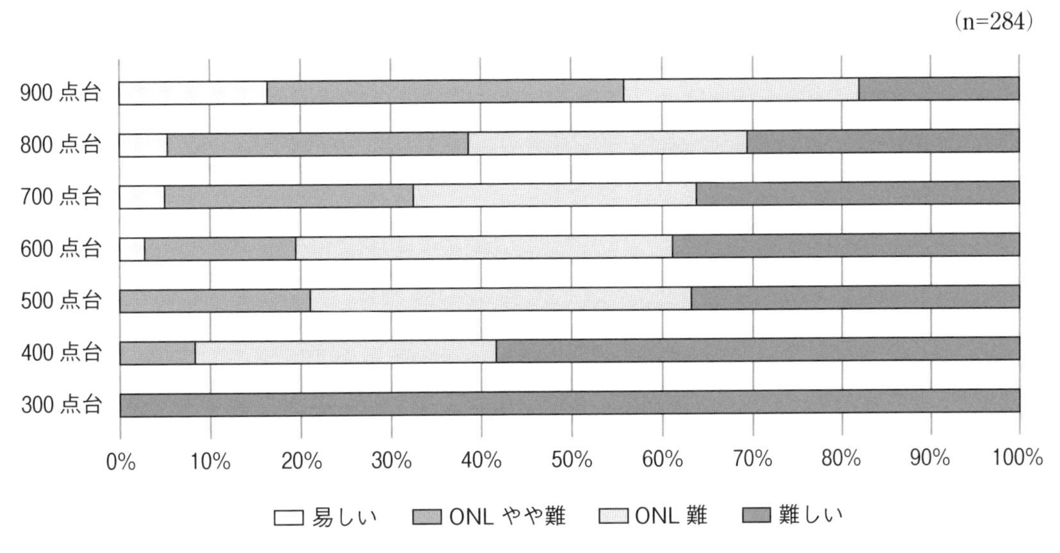

［図表 33］ TOEIC L&Rスコア別のニュアンス理解の困難度

対面・オンラインに関係なしに困難なくできる（易しい）、どちらかというとオンラインが難しい（ONL やや難）、オンラインが難しい（ONL 難）、対面・オンラインに関係なしに難しい（難しい）に分類しました。

このグラフから、TOEIC L&R スコアが 900 点台であってもニュアンスの理解が容易にできるのは 20% もいないし、60% 近くの人が相手の表情が見えない、音声状態が不安定なオンライン会議になるとニュアンスの理解に困難を感じていることがわかります。また、500 点以下ではニュアンスの理解が相当に難しくなる実態も見えてきます。その一方で、TOEIC L&R スコアの改善は、ニュアンスを理解することに貢献する様子もうかがえます。まとめると、以下のようになります。

- **ジュニア段階同様、英語力が高いほど英語業務対応度は良くなる傾向あり**
- **会議では、TOEIC L&R スコア 600 点〜700 点では困難、800 点台でも多少苦労、900 点台でようやく問題なし**
- **900 点台でも高度なリスニング 80%程度ではニュアンスの理解は困難**

TOEIC L&R スコア 900 点はかなりのハイスコアです。それでもニュアンス理解は困難となると、英語力だけでは会議の相手とのやり取りはスムーズにはいかないという実態がわかります。そこで、ニュアンスの理解を補完するために、先にも述べたとおり、英語力以外の能力、人間力が求められることになってくるわけです。

では、この人間力とはどのようなものなのでしょうか。アンケート調査では、**「国際的に活躍するために、どのような能力開発が必要か」**について自由回答で尋ねています。得られた回答のなかから、「相手」について言及しているものをピックアップして掘り下げてみましょう。

ピックアップしたのは、部長、課長の役職で、英語業務形態のなかに会議が含まれていて、司会進行、交渉の窓口を担当されている方々です。CEFR の B1 から B2 の壁を突破した人たちの意見は非常に具体的なものでした。

> 「相手の意見を理解し、**建設的な整理ができる**コミュニケーション力」
> 「相手国の文化を理解し**歩み寄る**こと」
> 「キャリア感から**全く異なる相手と理解し合うには、お互いの背景を知ることが欠かせず、**早期にそれを知る機会があれば、と思うことがありました。」
> 「自身とコミュニケーション相手の意見の**食い違いが『ありそうな』ときに、その事項を正確に言葉にし、その事実を相手と『フラットに』共有する技術**。バイアスの（極力）ない**ファクト認識から課題解決を始める**と、スムーズに進むことが多い。」
> 「文化、制度、価値感等の違いを理解した上で、それらの**違いを許容し、相手の思考ロジックが理解できるようでないと、分断が発生**してしまう。こうした気づきを教育していくことが、大事だと思っています。」

これらの意見は、会議において相手を理解するだけでなく、理解を踏まえて業務を前に進める推進力が何であるかを示しています。会議では、お互いの目線を合わせることからスタートし、分断が起きないようにファクトを認識し合い、そのうえで会議を進めている様子が見えてきます。これが英語力では推し量ることのできない人間力の中身であるとわかります。このことからも、CEFR B1からB2の壁を突破するには、自分から相手への気づき、そして、相手への働きかけができるようになることが必要なのだとわかります。

では、CEFRがB1以下に留まっている方、あるいは、会議での役割が参加のみ、定型説明であった方々とは、どのような違いがあるのでしょうか。

自由記述式という調査の方法に起因することかもしれませんが、相手についての記述は基本的に異文化理解や尊重に関わることであり、その表現は比較的簡素で抽象的でした。もっとも詳細に記されていたのは、以下の外資系民間会社にお勤めの方で、様々な国籍の方と接しておられる方でした。

> 「**『あらゆることで違うのが当たり前』の感覚を身につける**ことが重要と考えます。例えば、必要に応じて隠れた前提（自分自身の価値観や考え方等）を説明し**『基準を共有』して認識を合わせるステップを踏む**、あるいは、**相手はまったく異なる考え方をしているかもしれない？という想像力を働かせたうえで会話に臨む**などです。自分自身の育った環境や価値観が絶対ではなく、それらは数あるうちのひとつに過ぎないという認識を持つような能力開発が必要と感じます。」

相手の理解の前提として、自己認識について触れた内容です。B1以下の方々のなかにも自己や自国について知る重要性を語る方々はいました。もちろん、行動力、問題解決の重要性に言及している方々もいましたが、B2以上の方々のように、会議を推進させる具体的な意見は記載されていませんでした。もしかすると、自己認識から踏み込んで、相手にどのようにアクションをかけていくのか、攻めあぐねている現状があるのかもしれません。

シニア段階では、TOEIC L&Rスコア600点～700点でも困難が生じ、800点台でも苦労し、900点台でもニュアンスの理解まではいかないというのが英語力に関する全体像です。会議を推進していくためには、英語力を越えた人間力が必要で、それは相手を理解するだけに留まらず、目線合わせをしたうえで、共通の土壌を築いて対話を進めて行くコミュニケーション力が必要であるということです。

それでは、このような英語力、コミュニケーション力を習得するには、どのようなことができるでしょうか。ジュニア段階と同じく、3つの観点から習得のコツを見ていくことにしましょう。

【習得のコツ】①割り切り（中学英語）

ジュニアの段階で習得のコツとして3番目に取り上げたのが「割り切り」でした。ビジネス上のやり取りにおいて、一度で済ませることを優先するのではなく、周囲のサポートを得つつ、確認をくり返しながら最終的にビジネス目的を果たせば良いと割り切ることで、英語業務経験を積むということでした。このような気づき、マインドセットの切り替えは、シニアの段階でもさらに必要になります。

シニアの段階では、即時対応が求められる場面が増えますが、インタビュー調査では、英語力を向上させるコツとして、以下のようなマインドセットの重要性が指摘されています。

> 「**英語力を向上させるうえで重要なことは、できないことを隠さない**ことだと思う。そのためには目的を明確にし、それを実現するまでしつこく取り組むことが重要。」

> 「特定の英語に慣れるために必要な期間は、その英語に触れる頻度にもよる。最初に失礼のないかたちで、**『聞きとれない、ゆっくり話してほしい、もう一度説明してほしい』と言うことが大切**である。自分の英語が訛っていることを相手に伝え、相手にゆっくり話してもらうように依頼している。……海外経験が豊富なマネジメントが、**英語を上達させる秘訣は、『Sorry, say again』と聞き返すこと**であると言っていた。日本では一般的に聞き返すことは、失礼であると考える傾向がある一方で、“聞き返さなかった結果、理解できなかった”その損失を懸念する風潮が強い国・地域もある。聞き返すことを例に、自分が生まれ育った文化にない行動をとるためには、なぜその行動が必要なのかを理解すること、そして、マインドセット、度胸が必要である。」

ビジネスにおいてはその目的を果たすことが重要という前提のうえで、お互いの状態を確認し合い、理解度において齟齬が生じないようにすることは何より重要であるという指摘です。即時対応が求められるシニアの段階では、あいまいな理解のまま放置せずに、確実な理解を積み重ねることが必要なのです。

とくに、リスニングに関しては、TOEIC L&R高得点者層であっても100%聞き取ることはできていないのが現状です。また、アンケート調査では、会議における心理面を尋ねたとき、「躊躇せずに発言する」ことについて困難が生じていないと答えた人は17.6%しかいませんでした。「カットインして発言の機会を逃さない」ことについて困難が生じていないとなると、わずか9.3%でした。

大多数の人が、英語で発言することには「ためらい」があるのが現状です。リスニング力の不足に加えて、こうした心理面での壁があるなかでビジネス目的を果たしていくためには、少なくとも**「できないことを隠さない」**、つまり「わかったふりをしない」ことは鉄則です。

そのうえで、相手を理解することだけでなく、相手に理解してもらうように伝えることも重要になります。事前に準備したこと、想定したことだけで話し合いが進めば良いのですが、想定外の発言に対応することが必要となる場面はよく起きることではないでしょうか。業務に慣れていない状況や、英語力が不足しているなかで、即時対応していくためには、やはり「割り切り」が必要になります。

> 「最初は経験がまったくなく何をしていいのかわからない苦しい停滞期があった。そこを乗り越えたのは、**完璧な英語ばかりではなく、色々な英語が許容され伝わっていることを目の当たりに**した経験である。場慣れをしていくためには、英語だけではない部分も必要になっていくが、英語そのものについては、**学校で習ったものがベース**になっている。スピーキングについては、**中学校で習った英語でほぼ事足りている。**『話す』は一番省エネできており、限られた単語とフレーズを用いて、**平易な表現で言えば何とか伝わっている。**」

> 「今、英語で業務を行うようになって思うことは、**中学英語はビジネスで役に立つ**ということ。中学英語だけでは、流暢で人を感動させるような長文でのスピーチを構成するのは、少し難しいが、**業務上話したいこと、伝えないといけないことは、全部表現することができる。中学で習ったことをアウトプットする練習をすることが大事**だと思う。」

英語を母語としていない人にとって、英語を流暢に話すことは困難です。それでも、会議や打ち合わせの場で即時対応していくためには、ここで指摘されているように、一度、中学英語にレベルを落とすことが必要なのでしょう。非常に大事なポイントですので、この発言の意味するところを掘り下げてみます。

まず、「**色々な英語が許容され伝わっている**」という部分です。世界で共通語としての英語を話す人は10億人以上いると考えられていますが、英語ネイティブは2割程度しかいません。世界中で使用されている英語は、このインタビューの回答者の方が言われるように、実際には「色々な英語」が使われているのが現状です。

ビジネスの現場でもこのような多様性があることは、私たちの「2013年調査」でも、今回の調査でも明らかになっています。以下にまとめた［図表34］は、英語業務における相手の言語的バックグラウンドについての結果です。

(n＝2,686)

英語圏出身者	英語公用語圏出身者	英語・日本語以外の言語	日本語
25.2%	13.0%	18.3%	43.5%

［図表34］英語業務における相手の言語的バックグラウンド

英語業務の相手が、アメリカ、イギリス、オーストラリアなどの「英語圏出身者」、すなわち英語ネイティブの割合は25.2%、インドやシンガポール、南アフリカなどの「英語公用語圏出身者」は13%、中国や韓国などの「英語・日本語以外の言語」は18.3%、日本人同士で英語を使う割合は43.5%です。

つまり、英語業務のなかで英語ネイティブは全体の4分の1程度しかいないというのが平均的な様子なのです。ネイティブ英語を話す人は決してマジョリティではなく、中国人であれば、Chinglish（Chinese English）、シンガポール人であれば、Singlish（Singaporean English）を話す時代です。

子どものときや若いときに英語に浸る経験をしたこともなく、ビジネス上で英語を使うようになった場合には、まずは、ネイティブのような英語を話せるようにするという幻想を捨てて、日本人訛りがあってもいいJapaneseらしいEnglishで良いと割り切るマインドが大切です。

このような母語に引きずられた英語を許容すると言ったときに、実は、発音上の訛りだけが許容されているのではないという事実も見逃せません。インタビュー回答者の「**中学校で習った英語でほぼ事足りている**」、「**平易な表現で言えば何とか伝わっている**」、「**中学英語はビジネスで役に立つ**」という発言に注目しましょう。

アジア人が使う英語を思い出してみてください。現在はYouTubeなどでもアジア人の話す英語がたくさん公開されています。そんななかから、著名な経営者やスポーツ選手の話す英語を聞いてみれば、先ほど指摘したとおり、ネイティブのような発音ではありませんが、矢継ぎ早に言葉が出てきており、英語に不自由していない雰囲気で話しています。話すスピードという観点から見るとかなり流暢な方が数多くいます。

外国語や第2言語として英語を使用しているにもかかわらず、どうしてそのような流暢さを確保できているのでしょう。その話しぶりをよくよく聞いていると、思いのほか簡単な単語を使って話していることに気づきます。そして、文法的な誤りを気にしていない様子もうかがえます。

過去形と現在完了形の違い、動詞につける三人称単数の「s」、単数形と複数形の違いなど細かな文法が抜け落ちたり、英語文法的にはおかしな語順が使われたり、前置詞が間違っていることもあります。それだけでなく、一つひとつのセンテンスは短く区切られたり、複雑な構文が出てこなかったり、文法的にも、構文的にも非常に簡単な英語が使われています。文法に対する気遣いを捨てて、簡単な表現を連続させることで複雑なことを表現しているのです。

アメリカの国営放送にVOA（Voice of America）という放送局があり、そのなかに、英語を母語としていない人のためのLearning Englishという番組があります。この番組は、通常のニュースを非常にゆっくりとした英語スピードで放送しているのですが、基本的には1,500語（要するに、中学校レベルの語彙量）だけを用いているという特徴があります。もちろん、ニュースごとに固有名詞や専門用語は出てきますが。

世界の話題、最新のニュースであっても、少しの専門用語を交えれば、簡単な中学レベルの英語でも十分に表現できてしまうことを示しています。

ビジネスの現場に話を戻します。ビジネス英語を駆使するビジネスパーソンのなかには、「ビジネスの英語なんて中学レベルで十分」と語る方が大勢います。確かに中学レベルで十分なのですが、欠かせないのが、インタビュー回答者の「**中学で習ったことをアウトプットする練習をすることが大事**」という発言です。ビジネスで十分に通用するためには、アウトプットの練習は欠かせないのです。

中学レベルの英語の流暢な使い手となるためには、英語試験でいう平均的な6割程度を取れば、それで十分ということではありません。簡単な英語が6割程度では、半数以上の人が英語業務に非常に苦労することになるのです。「中学レベルで十分」という意味は、中学英語レベルの単語や文法は完璧に習得して、自由に使いこなせるようになるということが前提となっています。そのようなレベルに到達するためには、インタビュー回答者が述べているように、アウトプットの練習を何度も積み重ねることが欠かせません。中学レベルの英語は、少なくとも9割できないと英語業務を円滑にこなすことはできません。

アウトプットの練習をするときには、そのやり方も大切です。日本の英語教育では、読解の訓練を長時間行うことがデフォルトとなっているために、英語学習というと、英語を日本語に訳す練習をしがちです。しかし、英語での発信能力を磨くためには、考えたことを英語に瞬時に切り替える練習が必要です。日本語に訳すのが英語学習ではなく、日本語で記された内容を英語にする練習をひたすら重ね、どのページのどの単語も、どの単元のどの重要ポイントも、どのダイアログもすべて自由に英語化できるように練習をします。中学英語を使いこなすためには、日本語から英語にするスピードを身につけて、最終的には、日本語を意識せずにどんどん英語が出てくるようになる、そういった感覚を習得することが大事になります。

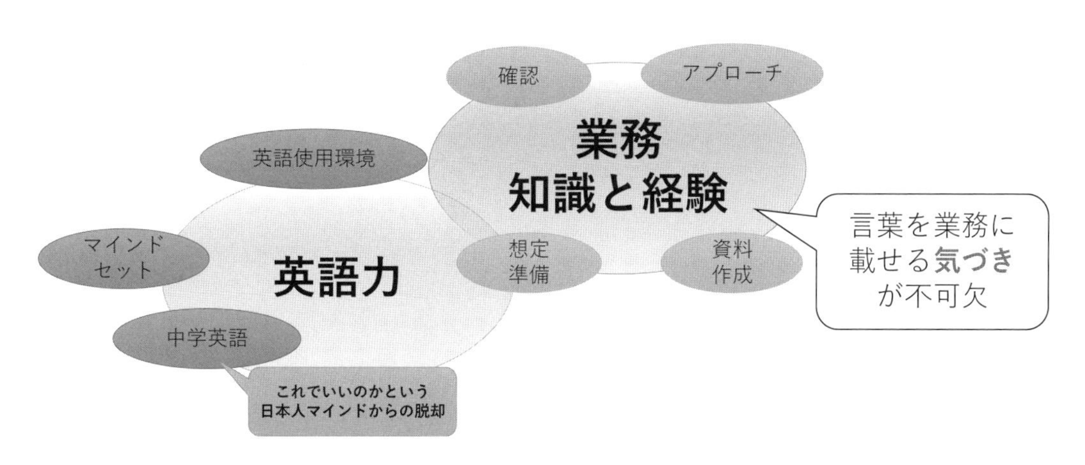

［図表35］シニア段階の英語習得のポイント〈その1〉

簡単な英語を使いこなせるまでに成長するためには、英語を使用する環境に身をおくことが欠かせません。アンケート調査でも、インタビュー調査でも、英語使用環境に身をおく大切さは多く語られています。しかし実際には、忙しい日常業務のなかで、留学をしたり、長期で海外出張したりすることは多くの人の選択肢としてあるわけではありません。その場合は、英語業務そのものを成長の機会とするしかありません。

日本語であれば、考えたことをそのまま言葉として発することが容易です。ところが、考えたことを英語にするには、知っている単語や英語表現の数が少ないし、日本語ほど長文で複雑な構文のものを瞬時に組み立てることは不可能に近いです。そこで必要になるのが、因数分解です。例えば、以下のような内容を即時対応で英語にする場面に遭遇したとします。

本案件は諸般の事情により十分な検討を要するので、慎重な議論を経てからお返事したい。

英語にするとどうなるでしょう。「諸般の事情」、「議論を経て」など、その場でパッと英語を思い浮かべるのは難しいのではないでしょうか。

This matter requires full consideration for a number of reasons, and we would like to reply after careful discussions back at headquarters.

これが書き言葉であって、時間をかけて返事をするものであれば何とかなるとして、一瞬で返事をする話し言葉ではとても出てきそうにありません。このような難しい英語ができるようになるためには相当の訓練が必要になります。この場合、伝えたい要素は、単文で次のように3つに分解してしまうと英語で言いやすくなります。

1）私たちはこの案件を難しいと考えている。
2）私たちは今、答えを出すことができない。
3）私たちは本社で話をして、後日返事をしたい。

この3つの要素を1文で話すのではなく、要素ごとに3つの文に分けて話せば良いということになります。

1）We think this is a very difficult matter/issue/agenda.
2）We cannot make an answer right now.
3）We would like to talk this matter at our company and answer you later.

このくらい簡単な英文であれば、中学レベルの英語を駆使することで即座に作れるのではないでしょうか。これでも、相手に自分たちの意向は十分に伝わります。

つまり、日本語で日常的に使用しているビジネス上の言葉を、簡単な表現に分解することがまずは必要と言えるでしょう。分解の仕方はそれほど難しくはありません。会話は、およそ、過去・現在・未来の3つの要素で成り立っています。過去は、状況そのものをどう捉えているか。現在は、その状況に対して、今とれる自分のアクションであり、未来は、自分がどのように望んでいるかを語ることです。

例えば、相手の主張を覆す発言をしたいときも、このパターンに当てはめると、「あなたの主張は私たちと合わない（過去）」、「あなたの主張は受け入れることが難しい（現在）」、「あなたの主張を変えて欲しい（未来）」となります。

難しい表現も、こうして3つの要素に分けて簡潔化すると、案外とスムーズに対話を進めることができます。このようなやり取りをすればするほど、経験値が積み重ねられ、適切な英語表現が徐々にできるようになっていくはずです。

シニアの段階では、英語業務において取り扱う内容は、より抽象的に、より複雑になり、解決が難しい適用課題が増えます。やり取りする相手も増えますので、耳を傾けて理解を心がけ、表現をシンプルにして相手に確実に伝達できる会話形式を取ります。できるだけ英語を使用する環境を確保し、練習を積み重ねることで即時対応する力を身につけていくことが必要です。

一方で、シニアの段階の難しさは、このような対策だけでは十分ではありません。職位が上がったり、海外出張や駐在に派遣されたり、扱う案件も新規プロジェクトや新規開拓や吸収合併など、日本語であっても難しい業務になることがあります。海外出張や駐在では、現地の人たちと折り合いをつけて業務を遂行する必要が出てきます。話す相手は、多種多様な背景を持つ人となります。日本では当然と思っていた背景や状況が共有されていない、文化の違いや、議論のスタイルの違いなど、業務を越えた問題も多数発生します。

このように業務内容も、やり取りをする相手も多様化するなかでは、相手の背景、立場、状況に対する理解やリスペクトを示しながら事を進める必要が出てきます。信頼関係を構築しないままで言いたいことを相手に伝達するだけでは、受け取る側は一方的に感じたり、命令的であると感じたりといったことが起こり、声は届かず、理解もされず、事態が膠着してしまうなどの悪い影響が出てしまいます。中学英語レベルで留まったままでは、人間関係も、業務も円滑にいかなくなるのがシニア段階です。

こうした事態を回避するためには、英語表現力を一段階上げることが必要となります。そこで、2つ目のコツとして「英語表現」を取り上げたいと思います。

【習得のコツ】②英語表現の増強

ジュニアの段階では、英語力全体を上げながら、業務との関連で英語を覚えることが大切でした。専門用語などは典型例です。シニアの段階でも、英語力はあればあるほど英語業務対応はスムーズになるので、英語力を上げることは欠かせません。しかし、数ある業務のなかで英語習得に充当できる時間はそれほど多くないのが現実ではないでしょうか。

一方で、シニアに到達する頃には、業務と関連した専門用語をかなり習得しているはずです。そのうえで、さらに英語を習得するためには、英語ができる先輩や同僚から英語表現を学び、増強することがポイントです。

Yes or No の回答だけでは済まない適応課題が増えるシニアの段階では、英語力に加えて人間力が求められます。実際、英語業務の際には、ジュニアの頃よりもコミュニケーションを取る相手は増えてきます。業務内容そのものを覚えることはもちろん、数多くの相手の様々な事情を考慮して、それぞれの事情に合わせた対応が求められます。言い方ひとつで相手との対話の状況は、円滑にいく場合もあれば、困難になることもあります。このようなときに、シニアの段階に先に到達し、経験から事情をつかんでいる先輩からのアドバイスは有効です。

> 「次のステージになると、**できる人が横にいてサポートしてくれる安心感のもと、自分で一語切り出して英語表現を覚えていった**……英語が堪能な先輩が近くにいた……その方が、自分にとって補助輪のような役割を果たしていた。その先輩と一緒に海外出張に行く機会があり、自分からまず一語を切り出すことを心がけて、あとは**先輩に助けてもらい、**そこで使われた英語を学ぶことをくり返した。このようにして**限られた文脈やトピックでの言い回しを覚えていった**。」

> 「**小規模の価格交渉は部下に任せているが、大きな案件には自分も参加する**。……任せられるためには、商流に関する知識と製品に関する知識に加えて、多面的な思考や臨機応変な対応といった交渉力や場数も必要になる。**交渉に必要な知識やスキル**を身につける期間は人にもよるが、５年くらいかかる。会社としては**知識の継承を標準化**して３年にしたいと思っている。」

「限られた文脈」、「トピックでの言い回し」、「交渉に必要な知識やスキル」、「知識の継承を標準化」という言葉からは、それぞれのビジネスシーンに特化した学びが必要であるということがうかがえます。シニアの段階に参画した人には、先輩が先導役となって、独特な言い回しなどは社内、部署内の知識として継承する必要があります。

> 「担当業務を遂行するにあたり、担当業務のなかで使う専門的な英語（単語、語彙）が重要。また会議や担当業務における会話のなかで出てくる文法も重要で、**都度習得**するようにし

ている。**市販のテキストや教科者などを使って学習するといったことはしていない**。」

この証言にあるように、シニアの段階で学ぶべきことは市販のテキストや教科書に一般化できるものではないということです。先輩たちの経験や知識、そこから生み出される知恵は、それぞれのビジネスシーンにカスタマイズされたものです。したがって、この部分をアウトソースすることが難しいと言えるでしょう。

それでは、具体的には、どのような表現を習得すべきなのでしょうか。インタビュー調査のなかから該当する証言を拾い上げてみたいと思います。

「自身の英語でのコミュニケーションのサバイバル戦略としては、業務で使用し始めた当初は、命令文を意識的に使用し、可能な限り言い切る形で要件・要望を伝え、相手に『なぜ』と質問させることで相手に近づいてもらいながら議論を行ってきた。その後、英語力、単語力、知っていることが増えるにつれて、**命令的な表現から相手の状況を配慮した言葉遣いが徐々にできるようになってきた**。」

「インドで交渉役を担当していた2年間のうち、はじめは相手との言い争いや喧嘩ばかりであったが、最終的には、自分の英語力が向上したこともあり、相手の話が聞けるようになった。また、**双方が双方の、言外の状況や背景、仕事内容を把握することで、互いの『言い分』がわかるようになった。結果、交渉や、やり取りについても無駄なハレーションを起こすことなく、うまく対応できるようになった**。そのような状況に到達するには、インド着任から1年ほどかかった。

インドの経験を通して得たこととして、**互いの理解や方向性にずれが生じた際に、なぜか？ということを掘り下げることと、それを丁寧さの度合いを高めて表現していくことが大事であるということである**。また、互いの理解や方向性のずれの原因となる、物事の考え方や捉え方の『違い』が存在することに『気づき』が得られることも重要なポイントであった。」

「業務によって必要とされる英語能力はかなり違うということである。特に『話す』ということに関しては大きな違いがあり、業務が高度になるにつれて、**より詳細を表現できるかどうかが重要**となってくる。結果、その重要度に応じて、話す力が向上していくように思う。」

これらの証言からは、業務上の困難に直面しながら「壁」を突破している様子が見えてきます。「相手の状況を配慮した言葉遣い」、「丁寧さの度合いを高めて表現していく」、「より詳細を表現」と出てくるように、ジュニアの段階と比較して、相手に投げかける言葉のきめ細かさが格段に上がっている様子が見て取れます。

先に言及した方は、「会話のなかに出てくる文法も重要」と述べていました。相手に気遣った丁寧な表現をしようとすると、助動詞を活用するなどの工夫が必要となり、丁寧になるほど長くなる傾向があります。以下は、「価格を下げてほしい」、「納期を延長してほしい」という場合の英語表現です。

「価格を下げていただけますか」

1）Lower the price now.

2）Could you lower the price, please?

3）Would it be possible to consider a slight reduction in the price? I would greatly appreciate your cooperation.

「納期を延長していただけますか」

1）Extend the deadline. I need more time.

2）Could you please extend the deadline? It would help us a lot.

3）Might there be any chance to kindly consider an extension of the deadline? Your understanding and support in this matter would be deeply appreciated.

1）は無駄をそぎ落としたもっとも簡潔な表現ですが、3）は相手の様子をうかがうなどの気遣いが感じられる、非常に丁寧な表現です。

こうした丁寧な表現については、話し相手との信頼関係の度合い、パワーバランスの違い、業種の特徴などを変数として、対応を変えなければなりません。相手を動かすために敢えて命令口調にすることもありますし、慇懃無礼という言葉がありますが、丁寧すぎて逆に相手に伝わらないこともあります。一度覚えた表現をありとあらゆる場面で使うのではなく、一つひとつのビジネスシーンにふさわしい表現にアレンジして使用していくことが大切です。

ここまでに取り上げたシニア段階のコツは、従来の英語学習で習得したことを活用するものでした。習得のコツ①は、会議のような動的言語、その場でレスポンスする言語の力を伸ばすために、いったん割り切って、シンプルな表現を心がけ、中学英語をフル活用するというものでした。

そして、中学英語が流暢に出てくるまで業務上で練習を重ね、慣れた頃には、習得のコツ②として挙げた「相手に受け入れられやすい英語表現を学ぶ」ことへと進みます。

例えば、相手の状況をおもんばかる言葉を投げかけ、命令口調ではなく、相手の意向をうかがいながら言葉を投げかけることなどが必要となります。これは実は、高校時代に学んだ文法で言及されていた、助動詞を加える、丁寧・婉曲表現とつながっています。

では、次からは習得のコツ③に進みましょう。

【習得のコツ】③パターンをつかむ

第3のコツは、ジュニア段階の「時間をかける」と同様に、英語学習から少し離れるものです。「時間をかける」は、時間をかけて業務に慣れる、時間をかけて事前準備をするといった、業務の全体像を捉えて、英語力の不足を補いつつ、戦略的にコミュニケーションを取るというものでした。このような全体像を俯瞰する力はシニア段階でも求められますが、より重要な点は、やはり「相手」がキーワードとなる点です。中学英語に落とし込むのも、婉曲的な言い方を覚えるのも、相手に即時レスポンスし、相手が受け入れやすい言い方をするというのが目的です。

習得のコツ③も、相手がいて初めて成り立つものです。それは、応用言語学研究では1990年頃から急速に注目されている「ジャンル」と呼ばれているものです（詳しくは付章を参照）。

「ジャンル」とは、社会の現場で取り交わされるコミュニケーションでは、話し言葉であろうと、書き言葉であろうと、一定の「パターン」に基づいている、という洞察です。

この本では、この「ジャンル」という言葉が世間一般で使用されている使い方とは異なるので、インタビュー調査のなかで多くの方が使っていた「パターン」、あるいは、「型」という言葉を使いたいと思います。

スポーツにおいても、芸能においても、料理の世界においても、型を身につけることは重要です。型を身につけてしまうと、その動作はほとんど考えることなく自動化されるので、余裕が生まれます。その余裕から、一定のパフォーマンスを出すことができるようになり、小さな差異やずれなどを察知できるなど調整能力が身につきますし、個性を発揮できるようにもなります。

実は、ビジネスにおいても、似たようなことが起きています。例えば、入社したての新人の頃、営業はかなり困難です。お客様へのアポ取りすら大変に感じます。アポが取れたところでどのような話をすれば良いのか、どのような間合いでお客様との関係を構築したら良いのか、なかなかつかめません。また、業種や職種によって様々な癖があり、その対応方法も数多くあることに気づき疲れ果ててしまいます。膨大な資料をあっという間に読み込み、あっという間にペーパーを作成してしまう先輩の姿を見て、どのようなマジックを使っているのだろうと感じることがあったことと思います。

多くの人は、これを「慣れ」と言いますが、実際にはそれぞれのタスクにパターンを見つけて処理しています。例えば、「年度初めは忙しい」、「午前中は外の人に会わない」、「期末時期は殺気立っている」、「営業職の人は話好き」、「製造の人はルールが厳しい」など、類型化して、それに合わせて仕事をすることで無駄をなくしているのです。

加えて、「仕事の現場に足を運び、現場の雰囲気をつかんでから話題を振る」、「クライアントの人間関係を把握してキーパーソンにアプローチをする」など、高度なテクニックを駆使する優秀な方もいます。ほかにも「資料の収集は部下に任せて、厳選した資料だけに目を通す」、「膨大な報告書は見るポイントを決めてそこだけは読み飛ばすことをしない」、「資料作成の際にはひな形があってそこに流し込むことをしている」など、それぞれが業務経験を積み重ねるなかで、「必勝パターン」、「時短パターン」を見つけて業務の効率化を図っているのです。

このような仕事上の行動パターンは、言葉の使い方にも表れます。例えば、取引先にメールを送る場合で見てみましょう。

冒頭には、「先日の○○店での会食では大変おいしい食事をごちそういただきありがとうございました」、「先日の○○プロジェクト会議では非常に有意義なご提案ありがとうございました」など、自分と相手の関係性がどこにあったのかを明示しつつ、そこに感謝の言葉が添えられると相手も悪い気分がしません。

相手との関係性を明確化して、良好な状況にあることを示したうえで用件に入る、というのはひとつの重要なパターンです。インタビューの回答者からは、以下のような話がありました。

> 「回数を重ねることによって、業務で使われている単語やフレーズが似通ってくるので、自然と頭に刷り込まれていった。**2〜3回くらいメールのやり取りをしていくうちに、決まった型があることに気が付いた**。最初は書店でビジネス英語や英会話の本を買ったりもしたが、それらの英語は業務では出てこないので悩んでいた。そこで**米国提携企業のホームページが一番の教材**ではないかと思った。そのホームページで使われている単語や言い回しは、業務の文脈が反映されているので、よく見るようにした。」

私たちが英語学習をする際に、専門用語や英語表現のリストを作成することはありますが、このように「やり取り」のパターンをつかむことについては、それほど意識していないのではないでしょうか。この方が指摘するとおり、辞書や教科書には決して出てこないものであり、かつ、その業務特有の文脈でのみ出てくるので、個別の特有な現象と考えてしまいがちですが、実際には、このパターンを使うことは、英語力の不足を補ったり、業務の効率化を図ったりするうえで非常に有効なことと言えるでしょう。

また、パターンは、メールのような比較的易しい英語の場面だけでなく、契約書のような高度に専門化されているところにも表れます。

> 「契約書を書く、交渉をするといったことは難しい。**契約書を書く場合、ある程度は共通の決まった型があり、その型を踏まえて書ける部分もある**が、細部に渡る部分についてはケースバイケースであり、案件や状況に応じて、自身が対応内容を考える必要がある……法務で必要な英語力のトレーニングについては、まずは**法務における決まった表現**を覚えることが大切である。案件ごとにケースバイケースであるが、**大枠として、ある程度の型が存在する**ため、それらを身につけることも重要になる。」

この方の場合、契約書を書く際に、法務における決まった表現を覚えて、そのあとは、型通りでいく部分と、ケースバイケースでいく部分があることを指摘しています。こういった区別をすることで、さっと書き進める部分と、丁寧に細部を確認しながら進める部分とに仕事のスピードの強弱をつけて取り組むことができるようになり、効率化を図ることができます。パターンや型への気づきは、業務効率を高めるだけでなく、理解を深めるためにも活用できます。

> 「**資料には型**があって、まずは、エグゼクティブサマリーがある部分と、後ろに出てくるグラフとテーブルを読むと効率的だという話があった。それを実践したら読むスピードが上がったので、**読み方のポイントが存在する**。
> 　また、別の観点として、民間と公的機関の書類では違いがあると思う。例えば民間の書類では、最初の3行で『私はこうします』などと書いてから文章を始める。公的機関の文章は、背景などが長く書いてある。最初に結論を書かないだけでなく、最後まで書いていないこともある。**この構造の違いは、合議制で進める必要がある組織と、結論をもとに進めるビジネスという違いに由来していると思う**。」

業務上、大量の文書を読む必要がある場合、文書には業務へのアプローチの違いからくる型があることを見つけ出し、その型で書かれたことを利用することによってピンポイントで重要な点を把握することができるという指摘です。

科学論文は、毎年世界中で多数発表されていますが、実は、公になるのは氷山の一角で、審査で不合格となる論文は無数に存在します。誰かが、公開される論文と、リジェクトされる論文をより分けていることになります。*Nature* など誰しもが知っている専門誌の場合、世界中から膨大な論文が寄せられるため、編集長が恐ろしいスピードで良し悪しを判定しています。なぜ、それが可能かというと、論文には執筆パターンがあり、重要な研究課題、手法、結果が記されている箇所は固定されているからです。長くて複雑難解に見える論文も、その固定されている箇所を見れば、細かな技術的なことを別にして、良し悪しは直観的にわかるのです。

ここまで、メール、資料、論文といった書き言葉においてパターン（型）があるという話をしてきましたが、パターンは話し言葉のなかにも存在します。

最近は、YouTube などを2倍速で視聴する人、飛ばし見をする人が大勢います。極めて短時間で番組の内容を把握できていることになります。なぜそのようなことが可能なのでしょうか。それは、番組の構成パターンを知っていて、じっくり聞くところ、飛ばしていいところを把握しており、神経を集中させるべきところを熟知しているからだと考えられます。

ビジネスの会議なども同じではないでしょうか。最初のうちは、会議に出席していても、どこがポイントかがわからず、やたら疲労感があったのに、慣れてくると、聞き流すところ、じっくりメモを取るべきところなどの勘所がわかってきて、理解度も疲労度も変わってきます。

このようなことからも、読むことも、聞くことも、私たちは膨大な言語のすべてを把握している訳ではなく、パターンをつかんで、言語を受け取るための集中力に緩急をつけていることがわかります。以下のような回答も寄せられています。

> 「現在も幅広い英語での業務を担っており、担える役割も増えてきているが、現時点では

『同席し通訳する』ことについてはもっとも難しさを感じている。それ以外の**交渉やファシリテーションはかなりパターン化されており、経験として慣れているため困難を感じなくなっている**。会議の進行に関しては、業務内容からして、**十分に予測可能で取り仕切りが可能なもの**である。これまでの努力の積み重ねもあり問題なく担えている。」

英語の業務経験が5年未満と若手に属する方でしたが、英語力はすでにCEFR B2で業務をこなしています。話し言葉を多用する会議の場では、パターンに気づき、そのパターンに基づいて予測しながら取り仕切っている様子がうかがえます。こうした優秀な若手が使っている型もあれば、熟練したシニアの方であっても難しい型も存在します。以下は、若い頃から国際的な仕事を担っている方が型に気づいて述べていることです。

「国際会議のときにGood morning, Good afternoonなどと言ったりするが、それも**ひとつのパターンであり、上層部はそれらを組み合わせて話しているのがわかった**。彼らは型を習得しているうえに頭が良いので、その組み合わせが上手い。**型の組み合わせも学ばなければいけない**。」

型はひとつあるだけでなく、様々な型を習得し、組み合わせることで会議を回しているという話です。ジュニア段階では、専門用語を業務に重ねて組み合わせていましたが、シニアの段階では、相手に合わせて臨機応変に英文表現を変えていきます。それに加えて、会議のなかで起きているパターンを上手く組み合わせることで、業務を円滑化しているのです。この方は、このパターンの気づきには2つの要素があると証言しています。

「**最低限の英語力があったから型の存在に気づくことができた**。特に2度目のイギリス駐在時に、日本語も型であると思った。文章を書くときは数学のようなもので、急に変な流れになるのではなく、『1 + 1 = 2』のような型になっている。言語はそのパーツであると思ったときに、英語もパーツであると思い、そのパーツというのは『1 + 1』の『1』のなかがどのように構成されているのかを見ることだと考えるようになった。

上司に文章を直されているとき、この人は算数のように文章を考えていると思った。その後、その人の文章を見て、**長い文章でも計算式が整うような書き方をしていることを理解**した。『この大きな枠とこの大きな枠で、最後この結論になる』というときに、枠のなかで細かな計算をしていても、最後に足し算が合うようになっている。**この気づきがきっかけとなり、型を見るようになった気がする**。」

型に気づくためには、やはり最低限の英語力が必要です。英語を読む、聞くなどができていないとそもそも内容を理解することはできません。そこを起点として、一つひとつの英文の理解の延長線上で理解するのではなく、「1」の数字で表された枠や塊を意識して、それがどのように組み合わされているかを見ています。

これは、先に言及した法務英語を駆使される方にも観察されることです。大枠と個別事例をきちんと区分分けして、パターンを認識しています。英文を理解するときは、この大枠、そして、その大枠の組み合わせのパターンを認識すると、全体像を明確に理解するうえでは非常に有利になります。どこを読めば良いか、どこを聞けば良いか、というのがわかるからです。

このように、ビジネスシーンにおいては、簡単なメールから、高度な交渉の場に至るまで、パターンがあちらこちらに存在します。会議の冒頭で、議長が関係者のねぎらいの言葉を投げかけるのも、どのような場面なのか、どのようなステークホルダーがいるのかを確認してから議論ができるので重要なパターンのひとつです。

また、メールの〆では、相手に起こして欲しいアクションを期日付きで促すと効果的です。相手がアクションを取らなければ、「お伺い」という次なるアクションが取りやすくなります。会議の場合も同様に、当時の議決事項をラップアップして漏れがないかを確認する、次回の会合のアジェンダや日程を確認してから解散する、としたほうがプロジェクトは進めやすくなります。

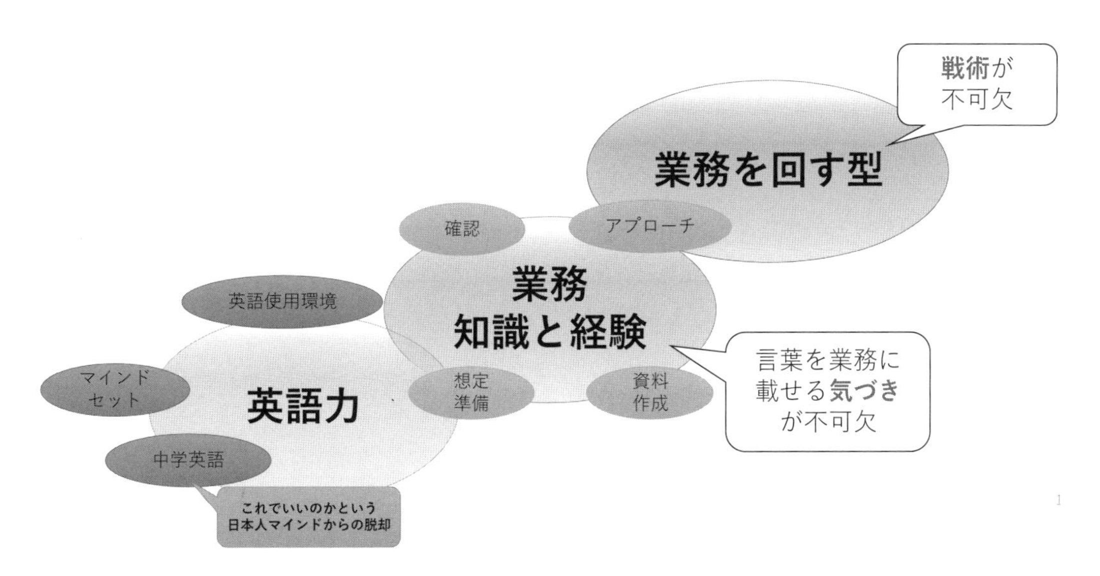

［図表36］シニア段階の英語習得のポイント〈その2〉

パターンは、メール、チャット、配布資料、議事録、契約書、Webなど、ありとあらゆる文章、すなわち書き言葉に表れます。もちろん、立ち話、軽い打ち合わせ、会議、プレゼン、社内向けメッセージ、演説といった話し言葉にもパターンはあります。その証拠に、これらの業務をするとき、私たちはゼロから立ち上げることは少なく、ほとんどの場合、先輩や前任者、会社に残る資料、他社の資料などを参考にして、それを使いながら組み立てているからです。

書き言葉、話し言葉にパターンがあるのであれば、自分たちが文章を読む側、話を聞く側になったときも、全部を読んだり聞いたりする前に、パターンを意識することが重要になります。企業のなかには、世界中に何十万人もの社員がいる企業も存在します。世界中に工場が点在する企業も珍しくありません。話されている言語が異なり、文化・習慣も違うのに、出てくる製品は一定です。それは、製造工程に関するマニュアルにパターンがあり、そのパターンが極めて単純であるため、誰がどこでやっても同じパフォーマンスが得られるようになっているためです。

まとめると、[図表 36] の中央にある円はジュニア段階にやることです。左下の円はシニア段階で強化することです。英語力を一度中学英語にレベルダウンし、英語業務が即時対応できるように鍛え、そのうえで、英語表現を増強します。そして、シニア段階でさらに学びたいのが、右上の円の業務を回す「型」です。書き言葉も話し言葉も、個別のビジネスシーンにおいて、やり取りをくり返すなかで、業務を効率化させるためのパターンを見出し、そのパターンに沿って業務の大枠を推し進めて、細部はケースバイケースで対応するというものです。

ここまで来ると、業務経験を積むたびに、経験値が蓄積され、CEFR B1 と B2 の間にある壁を突破することができます。相手に通じる伝達手段としての中学英語、相手の状況や事情を気遣いつつ、相手をリスペクトする英語表現、相手とのやり取りのなかで生み出されたパターンを認識したうえでの言葉の投げかけ、どれにも「相手」が存在するという意味で、この壁の突破は、英語力だけでなく、相手に通じる人間力を備えて成長に至る段階にあるといえます。

まとめと注意点

シニアの段階では、適応課題が増えて業務内容も複雑化するので、英語力は高ければ高いほど英語業務はやりやすくなるのはたしかです。とはいえ、英語力は急には上がらないものでもあります。ここで、習得のコツを書き出しておきましょう。

習得のコツ①　割り切り、平易な英語を駆使する方法に切り替える。
習得のコツ②　周囲のサポートを得ながら相手の事情に応じて英語表現を覚えていく。
習得のコツ③　業務を回すパターン（型）を見出すことで、効率化を図る。

ジュニアの段階は、Yes or No の単純やり取り、技術的課題が多い時期ですから、翻訳で一字一句間違わないで漏れることなくやり取りすることが大事になりますが、シニアの段階では、適応課題が多くなり、交渉ごとの高度なやり取りが要求されます。そのため、頭を切り替えて、戦術を変えていく必要があります。英語力が低い段階では、中学レベルの英語を大事にして、短いセンテンスを重ねることで複雑な内容を伝達するよう心がけ、やみくもに話をするのではなく、業務のパターンを見出し、そのパターンに英語を乗っける感覚が必要になります。

注意すべきは、相手に伝達するための工夫は言語だけではないということです。真剣な態度を示すために、コミュニケーションを取る相手と日常的な関係構築を図ることが大切になります。

> 「業務として行っている限り、英語ができないから黙っておこうでは話にならない。単に、相手に対して作業の指示を行うに留まるだけでは良い仕事とはならず、相手である海外事業体のメンバーも巻き込んで、**より良い品質のものを、みんなで作っていこうという意識の醸成が必要**である。そのためにも**当事者意識をいかに持ってもらうかが大切**であると考えている。そのためにも、**自分達のメッセージ（例えば、品質を上げたいなど）や想い、熱意をしっかりと伝え、同じ方向を向いて仕事をするために、常に努力と模索を続けている**。これは単に英語や、直接的な業務知識の範疇を超えるものであり、難しいが前向きに取り組んでいる。」

> 「ナショナルスタッフとのコミュニケーションは、文化背景が異なるので、**期日や報告内容について指示すること（誰が、何を、いつまで）は明確である必要がある。自身が言葉にしていないことを期待してはいけない**。」

このように熱意を共有する、伝えたいことは必ず言語化するなどの工夫を重ねている様子が見て取れます。

早く出社して挨拶を心がける、工場で現地の工員と一緒に食事をする、家族を重んじる文化を共有する、人前で叱ることは禁忌とする文化を尊重する、など相手の懐に入り、相手にわかりやすい説明の仕方、物言いを覚えることが重要になります。日本語の話し方、日本のやり方、それをそのまま言語を転換するだけでなく、平易な英語に切り替える、彼らのやり方を踏襲し、そのうえで、こちらの主張を粘り強く伝えていくことが欠かせません。

このような姿勢を取ることで、相手は聞く耳を傾けてくれるようになります。こちらの英語があまり流暢でなくても、相手がこちらの英語をよく理解するようになってくれます。そして、「こういうことですね？」と言ってくれる表現を耳にすることで、一つひとつ、「あ～、こういう場面では、こう言えばいいのか」という発見があり、いつのまにか英語の表現力が身についていきます。

シニアは、英語力がかなり物言う段階ですが、単に英語学習をしても英語業務に対応できないことはご理解いただけたと思います。あくまでも、相手に必要な言葉を投げかけるための表現、相手がわかるような表現、それを学んでいく時期です。

会議の進行役であるならば、相手に発言を促すような言葉、相手のニュアンスをくみ取るために同じことをくり返して発言させるような言葉、管理職であるならば、文化圏によっては相手の事情を共有するために家族への気遣いを示す言葉、指示を明確に伝えるための言葉など、業務の文脈に即した英語を学んでいくことが大事になります。

8 エグゼクティブの成長要因：幅広い知識の英語力×言語を超えたコミュニケーション

ジュニア段階では、限られた相手に対して伝達・確認することが中心のビジネスコミュニケーションでした。シニア段階になると、コミュニケーションを取る相手はジュニア段階よりも増えて、話す内容もYes or Noで回答できるようなものではなく、相手との調整、交渉などを経て物事を決める必要がある適応課題を扱うことが多くなり、ビジネスコミュニケーションは複雑化しました。では、エグゼクティブ段階になると、どのような英語レベルが求められるのでしょうか。

エグゼクティブの段階では、会社の代表者、総意の代弁者として、コミュニケーションを取る相手は一層多様化します。日常的に対話をするのは、役員や管理職といった社内の人たちが中心でしょう。しかし、いわばエグゼクティブ同士の直接対話だけでなく、一般社員や職員全体にメッセージを発するような場面も出てきます。さらには、社内的なコミュニケーションだけでなく、対外的なコミュニケーションも多くなります。会社同士の対話では、合併や買収、政府や役所との交渉など、自社の状況を会社の代表者として対外的に説明し、メッセージを発信することなどが求められます。

- **多様な相手への働きかけ**（従業員、顧客、パートナー、行政）：経営理念・事業目的・関係構築
- 英語力を超えたコミュニケーション能力：**危機管理・異文化対応**（政治、経済、法律、文化、習慣）
- 外交：**教養・哲学に根差した言葉**（人となり、世界観）

［図表 37］エグゼクティブ段階に必要な英語力

要するに、社内・社外を問わず、無数の相手とやり取りを行うことが必要となるのがエグゼクティブ段階です。また、必ずしも共通のビジネス目的を持たない人ともコミュニケーションを取り、関係を構築していく役割を果たすこともあります。

エグゼクティブとなるような方は、技術・開発を経て就任する方も多く、自社の商品やサービスを詳細な部分まで熟知しています。一方で、異業種から就任する方も大勢います。組織が持つ製品やサービスなどの業務に即した専門英語の知識は、たしかにある程度は必要です。しかし、エグゼクティブの場合は、多種多様な人たちに自分たちの立場や状況を伝えるための幅広いコミュニケーション力がより求められることになります。

TOEIC L&Rは、CEFRとの関連ではC1までは対応するスコアが表示されていますが、C2には対応するスコアがありません。アンケート調査で、役職として役員を選択された方々は50名程度と非常に少数なため、データ数は少ないですが、その英語力は［図表38］が示すとおりの分布となりました。

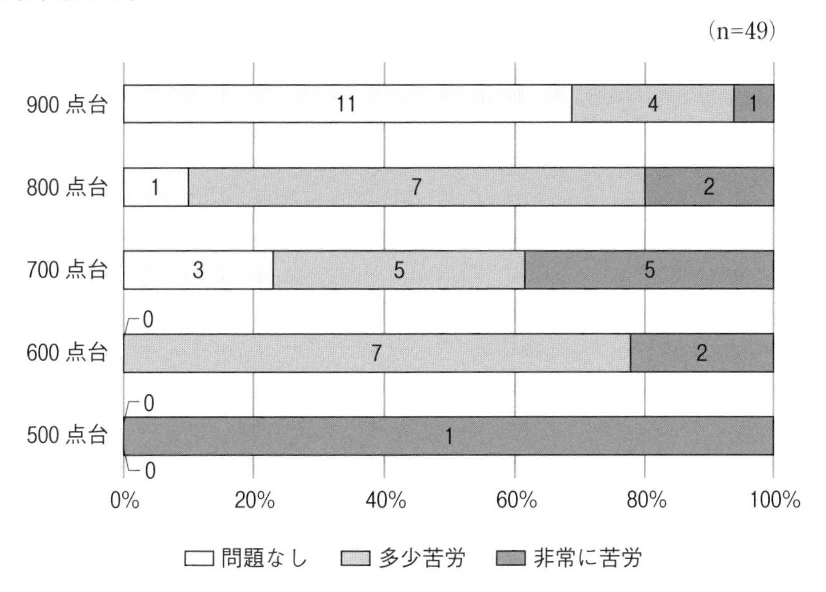

［図表38］役員のTOEIC L&Rスコア別英語業務対応度

英語業務対応について「問題なし」と答えた方は、TOEIC L&Rでいうと、900点台でもっとも多く、次は700点台でした。このように、TOEIC L&Rと英語業務対応度には、スコアが高いほど英語業務は苦労が減る、というある程度の相関は認められますが、その相関はそれほど強いものではないとわかります。

エグゼクティブの段階では、多種多様な相手と心が通じるような複雑な対話をするためには、英語以上のもの、シニア段階以降で求められた「人間力」が必要となります。つまり、英語力だけで、英語業務対応度が決定しているわけではないということになります。とはいえ、インタビュー調査では、次のような意見もありました。

> 「立場が上になると、**英語がわかって当然という目で見られるところが厳しい**。決裁するときに内容の理解を間違えていると大変なことになるので、そこは**プレッシャーになる**。文書での仕事が多いが、交渉をするときはオンライン会議で最終決定を伝えることもあるので、対面での英語使用も入ってくる。」

決裁者として、やはり高度の英語が求められるという指摘です。もちろん、内容によっては通訳者や弁護士が立ち会うことはあるでしょう。しかし、エグゼクティブの方の英語に対する姿勢は人それぞれで、英語の重要性の捉え方は、その方のビジネス環境や、その人自身の持つ英語レベルによってかなり異なっています。また、当然のことながら、エグゼクティブに対応が求められるのは決裁の席だけではありません。

ジュニア段階では業務と関連付けて英語を学ぶこと、シニア段階では相手の事情を考慮しつつ英語を使用することなど、英語は業務を中心とした展開が求められていましたが、エグゼクティブ段階の大きな特徴は、業務を越えた幅広い知識・教養について話す英語力が求められるということでもあります。

> 「代表として参加する場合は、**広い範囲のコミュニケーション**を取らなければいけないのが大変である。提供しているサービスの話だけでなく、経済や国際的な動向に触れながら英語で話をすることはまだまだ難しいと思っている……責任者とのディナーや初日の挨拶では**特に教養が求められる**ため、**英語というよりは幅広い知識を身につけなければいけない**。」

インタビュー調査において、シニアを長く経験された方々は、業務の英語よりも、雑談の英語、スモールトークの英語の重要性を語るようになります。そして、そのような一般的な話題の英語は業務の英語と異なり、事前に準備をすれば何とかなるものではなく、長年かけて構築した幅広い知識や教養が求められるため、一朝一夕の対応では上手くいかないこともわかっています。

【習得のコツ】①異文化理解

ジュニア段階では業務知識、シニア段階では業務を回す型、ということで、ビジネスコミュニケーションを図るうえで、「業務」というたしかな土台がありました。

ところが、エグゼクティブになると、そもそも業務がスタートしていない段階での話し合いがあります。先に、業務に寄せられない場合にコミュニケーションを取る方法として、幅広い知識や教養に根差して対話を進めていることを述べましたが、なぜ、そうなるのでしょうか。コミュニケーションについては、[図表 39] のようなシンプルなモデルで説明されることがあります。

自分が言いたい主張があったとして、その主張は社会風土、企業文化、状況によって生み出されるものです。その主張を相手に伝達する際に使うのが、言語表現です。

ところが、主張として頭の中にあることや心にあることを相手に伝えたいと思っても、実際には、なかなか伝わらないことを私たちは日常的に経験します。子どもの頃、自分の思いは親に通じたでしょうか。恋人や大切な人に思いを言葉で伝えることはできたでしょうか。

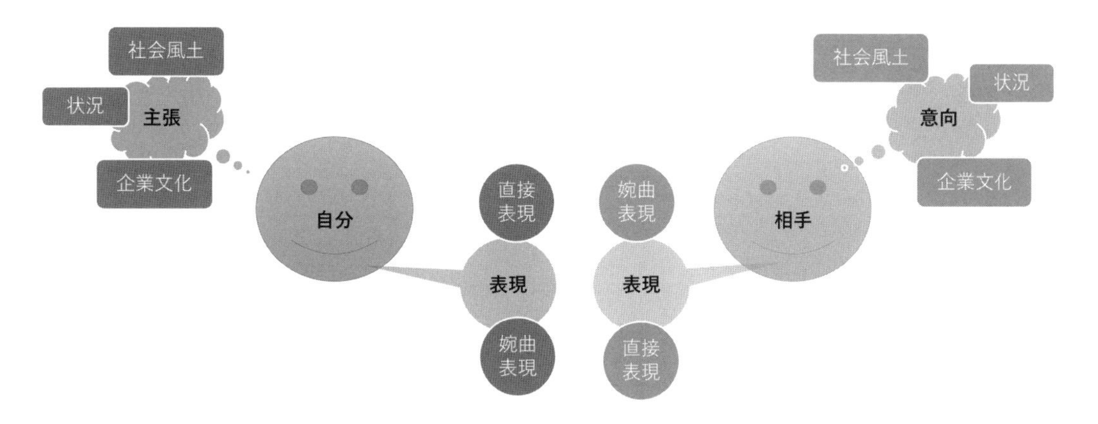

［図表 39］ビジネスコミュニケーションモデル

心に秘めた思いはなかなか相手に伝わらないものです。だからこそ、私たちは言葉の伝え方を工夫したり、身振りや手振り、表情などを使ったり、あるいは、伝えるタイミングを計ったりします。このように工夫するのは、主張や思いを伝える相手にも、自分とは異なる社会風土、企業文化、状況などで醸成された意向があり、その意向を前提として言葉を交わしてくるものだからです。直接的な物言いをしてくる人もいれば、非常に婉曲的に言う人もいるでしょう。

アンケート調査によると、役員の方々は、国際的に活躍できるビジネスパーソン育成のために必要な能力開発や支援の一環として、異文化を理解し、自国のことを語り、他国を理解するスキルを上げています。

> 「**異なる文化背景を理解し、寛容になる**。特許やリスト規制などの取り決め、遵法には留意し、国際摩擦にならないようにする。」

> 「**自分のこと、住んでいる国や所属している団体について日本語できっちり説明できてから**、英語の討論をすることで、一本筋が通った経験が積めると思う。」

> 「国際的に活躍することは言語の問題ではなく、コミュニケーション能力の問題が多く、日本人の多くが、英会話を学ぶことで、自分の性格や内面が変わると勘違いしているように見受けられます。**自分の言いたいことがあって、それを伝える**ツールとしての言語であるにもかかわらず、そのあたりが混在しているため、言語そのものの運用能力を築いていく必要があると思います。」

> 「国際的に活躍できるビジネスパーソンの条件は語学だけとは限らない。**自分の頭で考え、正しい判断をし、それを他人に伝えて、なおかつ回答・解決策を提示**することが重要。」

「**自国の歴史・文化等を客観的に理解**（説明できるように自分のものとして）し、**他国に対しても敬意を払って、他国の歴史・文化等に興味を持って学び、理解すること。**」

「**他国の文化やその背景、常識等を理解し、それを尊重することが重要**。技術職なので『日本の技術No.1』と思い込んでいる日本技術者が海外に行った際の振る舞いが気になることが多い。」

また、インタビュー調査では、以下のような話もありました。

「立場が上がることによって感じている困難は2つあり、1つは、社長やCEOといった、よりハイレベルなポジションの相手に対して、**より丁寧に、リスペクトを表したコミュニケーションをすることに難しさ**を感じている。

もう1つは、海外の従業員やカウンターパートに対して、日本のカルチャーや仕組みを伝えなければいけないケースが増え、**日本独特の慣習などを英語で説明することが難しい**。例えば、日本の意思決定はどうして遅いのか、といったことをよく聞かれるが、今の立場では稟議の仕組みやプロセスについて伝える必要があり、カルチャーを伴う説明に難しさを感じている。そのほか、日本人は会議でなぜ意見を言わないのか、などはよく聞かれる質問である。」

要するに、ひと口に「丁寧でリスペクトフルな対話をする」といっても、何が丁寧で、何がリスペクトフルに相当するのかは、国によって随分と異なります。例えば、個人主義か集団主義か、権力をどのように捉えるか、立場を重視するか、年長者を重視するか、など多様な価値観が存在します。こうした背後にある文化的なものが、意思決定の仕方、議論の仕方、表現方法を決定しています。まずは、対話の相手がどのような社会風土に根ざして物事を考えているかを知らなければなりません。

異なる文化的な背景を持つ相手に、自分のこと、自社のこと、自国のことを理解してもらうためには、様々な文化的な背景や価値観を知っておくことが大事というわけです。

ジュニアの段階では、業務に根差した直接的表現による対話が繰り広げられ、シニアの段階では、業務の相手の状況や事情に応じて直接的な表現だけでなく、婉曲的な表現も交えながらの対話が求められました。エグゼクティブの段階では、相手の根差している社会風土が生み出す文化的な背景やスタイルなどを踏まえた対話が必要というわけです。

また、対話する相手が企業の場合には、独特な企業文化や、その企業がおかれている状況を理解する必要もあります。相手から出てきた言葉の背景にある、ありとあらゆる事柄を考慮しつつ対話をします。インタビュー調査では、次のような話もありました。

> 「エグゼクティブの仕事としては、単に、業務遂行や商談交渉のための英語力や語学力ということだけでなく、特にコロナ禍の厳しい職場環境のなかで、**現地スタッフたちに仕事にどうやりがいをもってもらえるのか、文化や国民性を理解しつつ、相手に共感を示す態度や対応**が必要になると感じている。ワーカーの**モチベーションを上げるような発言をする、場を作る、管理職者に働きかける**などを心がけている。」

文化や国民性、社会情勢、社員の心理面までも考慮した全方位的な対話が求められていることがよくわかります。したがって、エグゼクティブの間では、歴史や地理、地政学、気候風土が生み出した芸術などを含めた幅広い知識や教養といったすべてを指して「異文化理解」という言葉が使われているようです。それを前提として、対話する国や企業、相手の背景について、よくよく学んでおく必要があります。次のように述べている方もいます。

> 「相手の言っていることをヒアリングし、自分の言いたいことを言う、そういうことから『**相手の背景にある事情、考え方、文化、国民性をくみ取ったうえでの対話**』では、**レベルとしての違いはあると思う**。業務をするうえでのやり取りや英語コミュニケーションで相手と意思疎通するには、場数を踏み、経験を積むことが必要。」

異文化理解を踏まえた対話はレベルが違うという指摘です。なお、異文化理解に関しては様々な研究があり、ビジネスがボーダーレス化、グローバル化した現在、ビジネスの現場に応用されているものもあります。第3章の座談会でも少しだけ言及されますが、有名な研究のひとつに「文化と経営の父」とも称されるヘールト・ホフステードの6次元モデルがあります。国別の文化的価値観を6つの観点から数値化して、その違いを可視化したものです。また、ミルトン・ベネットの異文化感受性発達モデルに基づいて開発されたIDI（Intercultural Development Inventory: 異文化感受性発達調査）というものもあり、どの程度、異文化に適応できているかを数値化することができます。本書の範囲を超えますが、気になる方は参考にしていただければと思います。

さて、エグゼクティブの段階では、異文化理解だけで十分でしょうか。アンケート調査やインタビュー調査ではもう少し違った観点からの言及もありました。次の習得のコツに進みましょう。

【習得のコツ】②論理的な思考力

エグゼクティブの段階では、多種多様な背景を持つ人たちとの対話が多くなるとお伝えしてきました。そのために求められたのが、異文化理解です。異文化理解力というのは、言語能力を超えたスキルですが、同じく言語能力を超えたスキルのなかで、続いて言及が多かったのが論理的な思考力です。

アンケート調査では、役員の９割が論理的な思考力の重要性に同意していました。自由回答でも、「論理的思考能力と相手のことを理解するためのコミュニケーション能力向上の支援が必要。言語習得はそのためのツールであると考えている」、「論理的思考力の実践的訓練」との意見が寄せられました。インタビュー調査においては、以下のような言及がありました。

> 「会社の代表者として、**タイムリーにロジカルに英語で主張すること**などの点において、より**トレーニングが必要**だと思っている。」

論理的な思考力については、支援や実践的訓練、トレーニングと述べられているように育成できるものです。異文化はその大枠を把握できたとしても、最終的には、細かな点においてケースバイケースということが起きますが、論理的思考の基本的な構造やプロセスは普遍的なものと言えるでしょう。

まとめと注意点

エグゼクティブ段階が、ジュニア段階とシニア段階と大きく違う点は、共通のビジネス目的を必ずしも有しない人とコミュニケーションを取ることにあります。

ジュニア段階とシニア段階では、起きている事象に対して誤解を解き、お互いの利益となるように目線合わせをしますが、そこは相手の意図や企業状況を正確に理解することで、ほとんどのことがコミュニケーション可能な状態になります。しかし、エグゼクティブ段階では、相手の意図や目的そのものを理解できなくても、コミュニケーションを取っていかなければなりません。

［図表39］でビジネスにおけるコミュニケーションモデルを示しました。また、本章の冒頭でバベルの塔の話をしましたが、エグゼクティブが扱うのは口先に出てくる言葉の理解ではなく、気候風土や文化に根差した独特のビジネス目的や意図を理解して、すり合わせをすることです。

したがって、その仕組み上、言葉だけでコミュニケーションを取ることは難しくなります。本書で扱うコミュニケーションは、どうしても言葉によるものだけを取り上げることになりますが、実際には、相手の表情や身振り・手振りが重要です。言葉は、一部しか相手の考えを表しません。言葉はもちろん大事なのですが、相手をよく観察し、場の雰囲気、おかれている状況など大きな視点で物事を理解することが重要になります。

相手の文化や状況が端的にわかるのが、食事の場面でしょう。相手の好み、食べることに現れる様々な文化、食べる場所を形成する風土や環境、多くの情報が一気に収集できます。そのような場で、スマートに会話を進める会話術は余裕を生み出すために必要です。

9 本章のまとめ

本章では、ビジネスパーソンの英語力について、今ある壁を突破するための要因について話してきました。「英語が通じる」経験を基本とし、相手を理解するためのリスニングを鍛えるのが共通課題であることを指摘しました。

また、英語力か人間力か、という二項対立ではなく、どちらもビジネスキャリアのなかでは重要で、いずれも若いときから磨きをかけておくことがインプット量とアウトプット量の増大につながります。量は質を変えますし、質を変える余裕を生み出します。

本調査から得られたことを多くの方々にお伝えするため、可能な限り応用言語学の専門用語は避け、一般的な言葉を使用しました。加えて、読者の皆様に具体的な状況を思い浮かべていただきたく、アンケート調査の自由記述やインタビュー調査における実際の回答内容を交えながら、考察した結果をお示ししました（なお、データの分析結果にご興味のある方は第2部をご参照ください）。

一方、今回の調査によって、ビジネスコミュニケーションに必要な英語力の実態について、そのすべてを詳らかにできたわけではありません。例えば、所属する企業や部署、個々人の状況によっては、本章で記した内容とは異なる部分もあるかと思われます。

また、今回、十分量のデータ収集が難しかったエグゼクティブ層に関することについては、さらなる調査が必要かもしれません。第3章や終章を中心に言及する、英語力習得の「場」である「言語学習プラットフォーム」に関しては、こういった部分に関する新たな知見なども盛り込みながら構築していきたいと考えております。

第2章

テクノロジーの普及と新たに出現した困難とは

情報技術は文字どおり、日進月歩で進化しています。今回、私たちの研究グループが調査を実施したのは2022年9月であり、本書を執筆中の2023年とは、世界が異なっています。2022年11月にリリースされたChatGPTが世界中で急速に普及したことで、一般の人であっても自然言語を介して、様々な作業を迅速に行うことができるようになりました。その最先端の状況を書籍という形で捉えることには無理があります。

高度なコミュニケーションが求められる立場になったときに付け焼刃の英語学習では間に合いません。一方で、機械翻訳の精度が上がれば英語力は要らなくなると思いがちですが、「2022年調査」の結果から導き出される結論は、どんなにテクノロジーが進化しても、依然として英語力は必要であるということを物語るものでした。

この章では、情報革命でコミュニケーションスタイルに変化があることを指摘したうえで、ビジネスコミュニケーションに影響が大きい、機械翻訳とオンライン会議に焦点を絞り、どのような英語力があると、具体的に何が可能になるのかを見ていきたいと思います。と同時に、テクノロジーが普及するなかで、新たに出現した困難について考えます。

1 コミュニケーションツールの革命は現在進行中

2000年頃に起きた情報革命以降、多種多様な情報が国境を越えて飛び交い、誰しもがアクセスできるようになりました。手紙は、電報、そしてメールへと進化し、電話は、ラジオ、テレビ、カメラ、ビデオ、ステレオなど様々なデバイスを取り込み、どこにでも持ち運び可能なスマートフォンへと進化しました。

30年前、日本からアメリカにファックスを送るのに1,500円くらいのコストが発生しましたが、今はメールの添付で送れば無料です。どこへ行くにも、旅行ガイドブックや地図を購入し、道に迷いながら旅をしたものですが、最近はスマホが一台あれば、eSIMを使うか、現地のSIMを差し込むことで道案内も無料で出てきます。世界のどこにいようが、「はい、○○です」とまるで日本にいるかのように電話で話すこともできます。

この30年の間に起こったコミュニケーションインフラの変革は、情報のポータビリティを格段に向上させ、政府や大企業のみならず、中小企業やNPO法人などのグローバル展開をも可能にしています。また、この変化は局地的な事象としてではなく、様々な国、人種、民族を巻き込んだ、世界的な事象としてみることができます。

このような時代にグローバルな活動が行われると、そこでは大量のコミュニケーションが発生します。人と人のやり取りは、デバイスを通じて、やはり国境を越えて行われます。情報革命の前後では、コミュニケーションのあり様はかなり変化しました。簡潔にまとめると［図表１］のようになります。

	Telegraph	Telephone	Television
送信	文字情報	音声情報	視覚情報
方向性	一方通行	双方向	一方通行
スキル	Reading	Listening Speaking	Listening

	Internet		
送信	電子メール	携帯電話	映像配信
方向性	双方向	双方向	双方向
スキル	Reading Writing	Listening Speaking	Listening Speaking

［図表１］コミュニケーションの方向性についての過去と現在

上段に記した電報（Telegraph）、電話（Telephone）、電視（Television）の時代は、即時でやり取りをすることのできるツールは電話だけで、特別な伝達事項がある人が使う電報や、様々な情報をお茶の間に届けていたテレビは、基本的に一方通行のメディアでした。受け手は、文字を読んだり（Reading）、音声を聞いたり（Listening）することが求められ、受信能力がいかに優れているかが大切なことであったように思います。

下段に記したインターネット（Internet）の時代になると、Ｅメールやチャットが発達し、届けられたメッセージに対して、即時に返事をすることができる双方向性メディアへと進化しました。さらに、YouTuber に象徴されるように映像配信は誰もができる手段となり、映像を見た人がコメントや投げ銭をすることで、その場でレスポンスができるなど、ここでも双方向性が実現しています。要するに、インターネット時代のコミュニケーションでは、受け手は、読んだり（Reading）、聞いたり（Listening）して情報を受信するだけでなく、話したり（Speaking）、書いたり（Writing）して情報を発信することが求められるようになってきたというわけです。

グローバルな活動に参加する人が増えたことを冒頭で触れましたが、メディアやデバイスが双方向性になることで、コミュニケーションで必要とされるスキルも大幅に増えました。国際的な場で取り交わされるコミュニケーションでは、「読む、書く、聞く、話す」の４つのスキルを巧みに操る必要が出てきています。しかも多くの場合、日本語ではありません。

今、インターネット上で流れている情報の過半数は英語であることからもわかるように、実質的に世界共通言語と言えるのは英語です。もちろん地域によっては、中国語やヨーロッパ諸言語が有力なところもありますが、ビジネスシーンでもっとも使用されている言語はやはり英語でしょう。

ところが、国際的なビジネス環境で使用される言語が英語であることは、日本人にとっては不利に働いています。英語と日本語の文法構造を見てみると、主語に続く述部（動詞句）は、英語が「動詞＋目的語・補語」、日本語が「目的語・補語＋動詞」のように完全に対称的です。動詞が最初に来るか、最後に来るかは大きな違いで、日本語を母語とする日本人が、文法構造の対称的な英語を自由に操れるレベルまで習得することは非常に困難とされています。日本語とほぼ同じ言語構造を持つ韓国語やモンゴル語などに比べて、習得に何倍もの労力が必要です。逆に、英語とほぼ同じ言語構造を持つフランス語やドイツ語を母語とする人は、短期間の学習で非常に流暢に話します。

そんな日本人にとっては習得困難な英語ですが、ビジネス上の必要性は高まるばかりです。かつては国際派の人たちだけが英語を使えれば良かったのですが、今や中小規模の企業であっても海外進出を果たして英語を使うことが求められます。また、情報革命によって瞬時に情報が世界を巡ることから、即時レスポンスができるなど、個々人に求められるスキルもかなりレベルが高くなっています。

このような時代の変化、英語使用者の増大という大きな動きがあるにもかかわらず、日本の英語教育はほとんど変化していないという批判にさらされています。

英語とは他分野になりますが、近年、量子コンピュータ、IPS細胞などサイエンスの分野では大きな進展がありました。これらの専門分野は非常に高度化、複雑化が進んでおり、学校教育の範囲内で理解しよう、まして、それらを研究レベルまで引き上げようとすることはかなり困難です。実際には、学校教育の範囲外で、それ相応の学びの機会が必要であり、その分野で活躍するには長い時間を要するであろうことは想像に難くありません。

話を戻します。ここ何年もの間、学校での英語教育にかける時間はさほど伸びていないことを考えると、国際的なビジネス環境で求められる高度なレベルに追いつくためには、それなりの学習時間や訓練が必要になるのは当然のことではないでしょうか。

私たちがグローバルシーンで英語を使って、日本語でも難しいような交渉事をしようと思うならば、しっかりとした英語学習は必要不可欠です。

一方で、英語教育に費やす学習時間がさほど変化しないうちに、情報革命のバックボーンとなっているテクノロジーは大きく進展しています。特に、コミュニケーションを図るツールの進展は目覚ましいものがあり、革命的なツールが登場しています。

なかでも関心度が高いのは、日本語を英語、英語を日本語に瞬時に翻訳してくれる機械翻訳です。これまで、機械翻訳は「使用レベルではない」と言われてきましたが、パソコンと通信が進化し、一般のパソコンでも大量の言語（＝データ）を扱えるようになると、機械翻訳にもそのデータが利用されるようになり、かなり自然な翻訳を出すようになりました。2020年にはドイツのDeepLが日本語対応するようになり、さらに自然な翻訳が瞬時で出てくるようになっています。

そして、2022年11月にChatGPTが登場し、Google翻訳とDeepLを使ってプロンプトを工夫すると、かなり精度の高い翻訳が可能となっています。GrammarlyやDeepL Writeのように文法や不自然な表現を修正してくれるアプリまで登場しています。驚くほど短時間で、精度の高い翻訳ができる、そんな環境が整ってきています。

もうひとつ見逃せない近年の変化は、COVID-19のパンデミックにより、各国でロックダウンが行われ、自宅から仕事をするためのツールが急速に発達したことです。特に、Zoom、Google Meet、Microsoft Teams、Webexなどのビデオ会議アプリの普及は、通勤や出張を大きく減らしました。「2022年調査」では、ビデオ会議アプリの使用割合が機械翻訳と同様に7割を超えています。しかも、ビデオ会議アプリの使用頻度は8割以上と、機械翻訳の2倍を超えており、かなり浸透している様子が見てとれます。

ビデオ会議アプリでは、「電話代わりに使用する」、「従来の対面会議を小刻みに刻んだ頻度の高いミーティングがこまめに開催される」、「今まで会議に参加できなかった人たちが気軽に参加する」、「会議に欠席した人たちが録画を見て確認をする」、「配布資料が完全電子配布となる」、「チャットを使って発言を気軽にすることができるようになる」など、従来はIT化が進んだ分野でしか行われていなかったことが、分野を問わずできるようになり、たちまち世界的に普及しました。

「2022年調査」によれば、回答者の実に63％が、**「ツールや技術を活用することで、活用前と比べて、仕事上での英語コミュニケーションでの困難や苦労が減少したと感じますか」**という質問に対して肯定的に回答しています。逆に、否定的な回答者は13％に留まっています［図表２］。

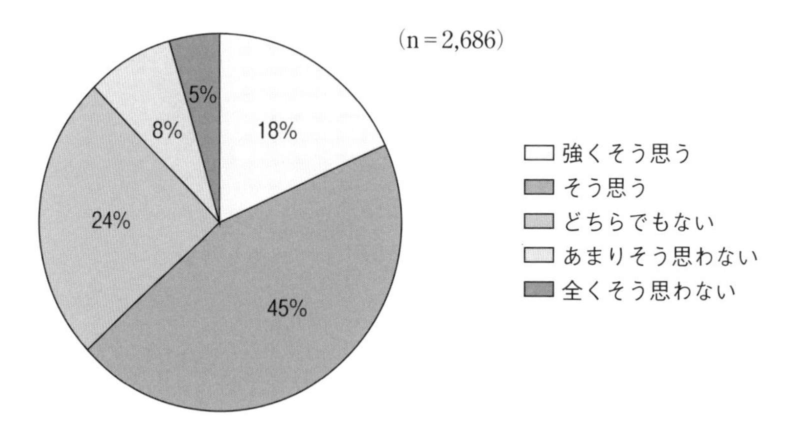

［図表２］テクノロジーによる困難の軽減

私たちの研究グループでは、同様の調査を2006年にも行っていますが、当時は、機械翻訳、ビデオ会議、チャットについては、調査項目さえありませんでした。デジタル技術関係では、電子メールのみでした。約15年の時を経て、コミュニケーションツールの普及に関しては隔世の感があります。

機械翻訳、ビデオ会議アプリが登場して便利になると当然の疑問が浮かんできます。このようなテクノロジーが進んできた現状で、「非常に苦労が多く、時間と根気が必要な英語習得が果たして必要なのか」という疑問です。

テクノロジーとの親和性の高い若い世代は、機械翻訳もビデオ会議アプリもほとんど抵抗なく使用できます。また、大量言語データに基づく機械翻訳は、使う人が増えれば増えるほど、データは更新され、機械学習が進むので、機械翻訳が取り扱える分野、専門領域は確実に増えていきます。ビデオ会議アプリも、COVID-19が始まった2020年と比較すると、資料共有するためのツール、補助的なアプリが相当普及しています。画質や音質の改善をするデバイスも次々と開発されています。結果として、出張が激減したという話を頻繁に耳にします。

機械翻訳とビデオ会議の融合はすでに始まっていますが、今後はさらに加速するでしょう。音声認識の精度が向上すると、音声データから変換された文字情報は瞬時で翻訳することができるようになります。ビジネス会議において、相手が英語で話しているのを、例えば、主音声では英語、副音声では機械翻訳された日本語をボーカロイドが読み上げるといったことも技術的にはすでに可能となっています。ハード面での開発技術が進み、通信速度が向上すると、より自然な翻訳がタイムラグなく出てくるようになるでしょう。実際に、やり取りがほとんど定型文で済む駅の窓口のようなところでは、一瞬で通訳結果を表示する装置が使われ始めました。

そのような時代に突入し、英語を学習する意義はあるのか。「2022年調査」の結果をもとに、また第1章との関連で、どこに注意をすべきかを解説していきたいと思います。

2 機械翻訳は誰がどのくらいの頻度で使っているのか

機械翻訳は英語による業務においてどの程度使用されているのでしょう。アンケート調査では、**「英語を使用する業務において、あなたが翻訳ツールを使用する頻度について5段階（0%、～20%、～50%、～80%、～100%）でお答えください」**という質問をしています。

すると、［図表3］のような結果になりました。

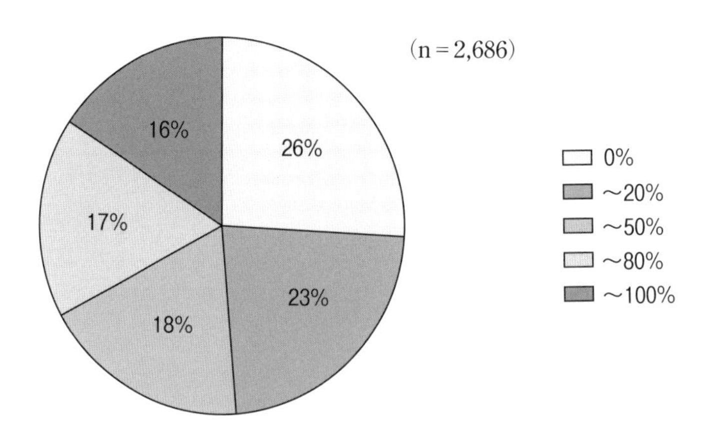

［図表３］ 英語業務における翻訳ツールの使用頻度

使用頻度にはばらつきがあるものの、実に、74％もの回答者が翻訳ツールを使用していました。なかでも、英語業務の8割を超える頻度で機械翻訳を使用していると回答した人が16％に達しています。「機械翻訳は使えない」と言われていたのはもはや過去の話であり、「機械翻訳は英語業務の実務のなかでかなり使われている」というのが実態です。

一方で、使用頻度が2割以下という人が23％、まったく使用していないという人が26％もいるという事実も見逃すことができません。言ってみれば、約半数は未だに英語業務にはさほど使用していないのです。機械翻訳が本当に有効であるならば、この人たちはなぜ積極的に使おうとしないのでしょうか。その理由も興味深いところです。

機械翻訳の使用頻度が2割以下のあまり使っていない人と、2割を超えて使っている人に分けると、現状で半々であることがわかりました。それでは、この機械翻訳を使っている人たちはどのような人たちでしょうか。また、一体どのような用途で使っているのでしょうか。その実態をもう少し掘り下げていきましょう。

【利用について】①英語の実力は関係ない

まず初めに、機械翻訳の使用者層を考えたとき、最初に思いつくのは「英語の実力がない人は機械翻訳を使うが、英語の実力のある人は使っていない」との推測です。英語の実力のある人は、英語を読むのも速いし、英語を書くのも速いわけですから、TOEIC L&Rが800点を超えるような実力者たちはほとんど機械翻訳を使っていないだろうと想像します。ところが、アンケート調査のデータを見ると、実態は違っていました。

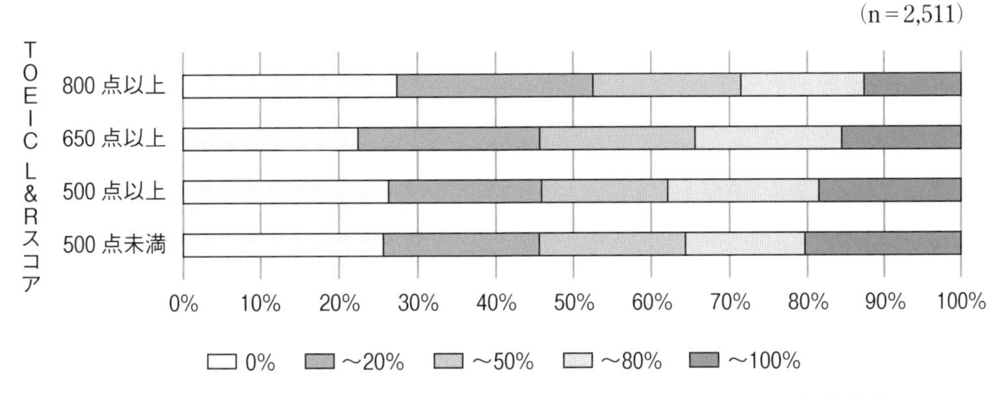

［図表4］翻訳ツールの使用頻度とTOEIC L&Rスコアのクロス集計結果

［図表4］が示すとおり、TOEIC L&Rスコア800点を超えるとなるとかなり英語力があると言えますが、この層で機械翻訳を使っていない人はわずか27%でした。使用頻度を別にすれば実に73%もの人が機械翻訳を使っています。この傾向は、TOEIC L&Rスコア900点超えの人に絞ってもほぼ同じで、それどころか、機械翻訳を使用していない人はわずか16%でした。すなわち、英語が相当得意な人であっても機械翻訳を使用しているのが実態です。

また、使用頻度が「81%～100%」と機械翻訳を頻度高く使用する人たちの割合に注目してみます。TOEIC L&Rスコア800点以上で13%、650点以上で16%、500点以上で19%、500点未満で20%と、スコアが低くなるにつれてその割合が上昇する傾向が観察されますが、スコアのあるなしに関わらず、全体としては16%しか存在していません。

まとめると、英語業務において、機械翻訳をまったく使わない人たちは全体では26%いて、機械翻訳の使用頻度が「81%～100%」の人たちは全体では16%いましたが、この機械翻訳を使うか使わないかは、英語の実力とは基本的には無関係である、ということがわかります。つまり、機械翻訳は英語の実力不足を補う以上の役割を果たしていると考えることができます。

また、使用頻度がかなり高い人たちがまだ少数派であることを考えると、大量データを使うAIが導入されて、より自然な翻訳がされるようになった現在も、まだまだ問題点が残っているとも言えます。この長所と短所の両方をきちんと見極めた使用方法が機械翻訳には必要だということです。

【利用について】②用途は関係ない

日本人の場合、英語は読めるけど、話すとか書くのは苦手という人が多くいます。実際、英語業務に携わるビジネスパーソンがもっとも英語を使用する形態はEメールです。Eメールを毎日のようにやり取りすることで、英語の読み書きについては慣れているという方が多いのではないでしょうか。そうなると、文書や資料などの読み書きには、機械翻訳はそれほど多用されていないことが想像できます。しかし、調査結果は、この予想とは異なるものでした。

アンケート調査では、機械翻訳が使用される用途として、Eメール、文書類、スライド資料類、チャットを想定してデータを取りました。［図表5］が、その集計結果です。

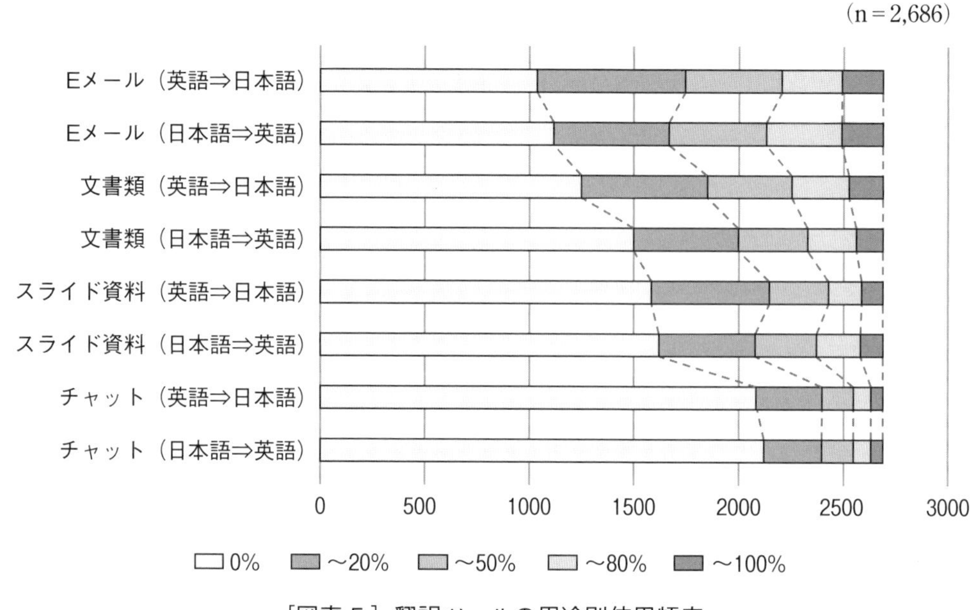

［図表5］翻訳ツールの用途別使用頻度

英語業務に機械翻訳を使う用途としては、Eメールがもっとも多く、次いで、文書類、スライド資料という結果でした。翻訳言語の方向性（英語を日本語、日本語を英語）に大きな差はなく、チャットでは、機械翻訳はあまり使われていませんでした。

英語業務で頻繁に使われるEメールについては、およそ6割のビジネスパーソンが機械翻訳を使っていることになります。一方、文書類の機械翻訳使用者が5割と半々に分かれ、スライド資料の機械翻訳使用者は4割まで下がります。このように、用途によって使用者の割合は多少前後しますが、全体として、機械翻訳は使用者と未使用者がほぼ半々に分かれていると言えるでしょう。したがって、機械翻訳は用途にさほど左右されず、使う人は使うけど、使わない人は使わない、という結果です。

ただし、チャットについては機械翻訳を使う人は2割程度しかいませんでした。これは英語業務のなかでチャットを使用する人がまだ多くないことが根本にあるうえに、チャットではもともと短くて簡単な文章の英語が使われていること、また、やり取りの即時性が強く機械翻訳を介在させるとかえって手間がかかってしまうといったことも要因かもしれません。

機械翻訳の使用者の実態について、ここまでの調査結果をまとめると、**機械翻訳は英語の実力に関係ない、英語業務の用途にも関係ない、翻訳言語の方向性にも差がない**、ということになります。それではどこに「機械翻訳を使う・使わない」の区別があるのでしょうか。もう少し詳しく調査結果を見ていきましょう。

【利用について】③英語業務に苦労するほど使用頻度が高い

機械翻訳に関わるデータのなかで、特徴が表れたのは、英語業務の対応度を見たときでした。アンケート調査では、英語業務の対応状況を、「特に問題なく対応」～「まったく対応できない」の5段階で評価してもらいました。［図表6］が、その集計結果です。機械翻訳の使用頻度が高い回答者を左、使用頻度が低い回答者を右に配置しました。

機械翻訳の使用頻度がもっとも高いのは、英語業務に「いつも苦労」している人で、未使用者は16%しかいませんでした。英語業務を行う必要に迫られる一方で、英語の実力が追いつかないビジネスパーソンが機械翻訳を駆使しながら、必死に業務をこなそうと努力している姿が思い浮かんできます。

逆に、機械翻訳の使用頻度がもっとも低いのは、英語業務に「特に問題なく対応」している人で、次いで「まったく対応できない」人たちでした。前者の英語業務に「特に問題なく対応」できている人は持ち前の英語力を使っているのでしょう。一方、後者の「まったく対応できていない人」というのは、「英語力が原因で、自分ではまったく対応できないため、他の人に回さざるをえない」との選択をマークしていることから、どこかにアウトソースをしているというのが実態です。

英語業務の対応に苦労するほど機械翻訳の使用頻度は高くなる傾向があり、英語業務を自力で行える割合が増えたり、他の人に助けてもらったりする割合が増えるほど機械翻訳の使用頻度は低くなります。このように、英語業務の対応度と機械翻訳の使用頻度には一定の関係があり、英語業務に対応する英語力がない人たちが自力で業務を達成するために機械翻訳を利用していることがわかります。

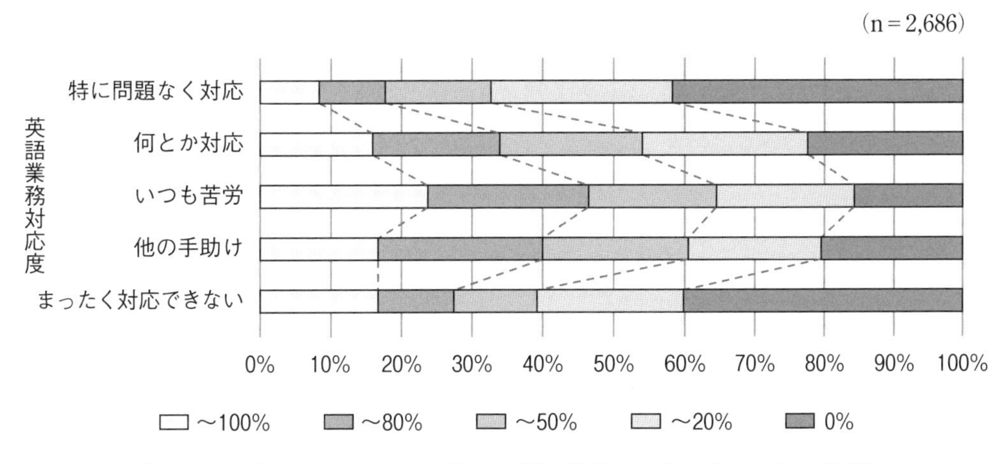

［図表6］翻訳ツールの使用頻度と英語業務対応度のクロス集計結果

それでもなお、疑問に残るのは、英語業務に問題なく対応している人の間でも、約6割の人が機械翻訳を使用しているということです。一体、どのような形で機械翻訳を使用しているのでしょうか。

3 機械翻訳はどのように使われているのか

アンケート調査では、テクノロジーの活用で「英語コミュニケーションでの困難や苦労が減少したかどうか［図表２］」について回答してくれた人たちに対して、そのように考える理由についても聞いています。全体の６割の方が自由記述による回答をしてくださっており、テクノロジーがもたらす英語コミュニケーション上の変化に対して関心が高いことがわかりました。なかでも、圧倒的に言及が多かったのが機械翻訳についてです。

ここでは、様々な翻訳ツールの活用によって**「困難や苦労が減少したと感じる理由」**の上位５つ、**「困難や苦労が減少したと思わない理由」**の上位３つについて、それぞれ順に紹介していきたいと思います。これらの回答を読み解くことで、ビジネスパーソンがどのように機械翻訳を利用しているかが見えてきます。

まずは、翻訳ツールの活用においてメリットを感じる理由（上位５つ）について、［図表７］にまとめました。

困難や苦労が減少したと感じる理由	回答者（人）	割合（%）	TOEIC L&R 平均スコア（点）
1. 翻訳ツールの利便性	257	24.7	698
2. 翻訳ツールが英作文のヒントに	218	21.0	779
3. 翻訳ツールによる時間削減	204	19.6	730
4. 翻訳ツールで理解度が向上	136	13.1	737
5. 翻訳ツールで大意把握	81	7.8	749

相対的に低得点

［図表７］翻訳ツールを活用することで困難や苦労が減少した理由

ツールを活用することで困難や苦労が減少したと感じる理由の第１位は、「利便性」でした。自由記述では「業務効率化」、「苦労・ストレス軽減」、「単語や熟語の意味を調べるのに便利」というワードが頻出しており、これらを「利便性」として分類しています。具体的な回答例としては、以下のようなものがありました。

> 「翻訳機能を使用することで、母国語で文章を読むことができるため**効率的**である。」

> 「翻訳ソフトを使ってメール、その他のコミュニケーション、資料作りの**苦労が減少**した。」

> 「わからない単語などがあった場合にGoogle翻訳を使い、**意味を理解**している。」

これと類似するのは、第3位の「時間削減」です。これに分類されるのは、自由記述で「英文理解・作成の時短化」、「辞書を引く必要がない」が頻出する回答です。回答例は、以下のとおりです。

「機械翻訳を使うことで文書の重要度の判断が早くなった。その結果、**重要度の低い文書に使う時間を減らせた**。」

「機械翻訳を活用することで、国外関係者からのメールやチャットの**内容把握が短時間で行え、返事をするまでの時間が短縮**した。」

「翻訳ソフト、翻訳サイトを利用することで、英語文章の読み書きにおいて、**辞書等を引くことに割かれる時間が減少**した。」

機械翻訳を使うことによって、忙しい業務のなかで効率的に作業を進められるようになるなど、英語という外国語のハードルを押し下げてくれる心理的効果が強く出ているようです。また、機械翻訳にかけることで、重要な文書を見つけ出すことや内容把握をすることができ、時短にもつながっているようです。知らない単語が出てくるたびに辞書を引くという作業もなくなります。簡単に言えば、機械翻訳を使うと「楽になる」ということでしょう。

たとえTOEIC L&Rスコアが800点を超える高得点者であっても、母語と比較すれば読むスピードも、書くスピードも落ちるわけですから、楽ができるのであれば機械翻訳を使うというのも理解できます。ただし、TOEIC L&Rスコアの平均点を見てみると、「利便性」と回答した人たちがもっとも低くて698点、「時間削減」が次に低い730点であることにも注意しなければなりません。逆に言えば、平均スコアがそれより高い人たちが挙げた理由を見ていくと、機械翻訳には独特の使い方があることがうかがえます。

第2位の「英作文のヒントに」を見ていきます。これに含まれるのは、自由記述で「自分で作った英文の確認」、「ダブルチェック」、「正しい意図」、「ニュアンス」というワードが頻出する回答です。回答例としては、以下のようなものがありました。

「自力で英語の文章を書き、**その文章が意味の通るものになっているかの確認**にツールを使用しているため**ダブルチェック**が容易になった。」

「自分が作成した英文メールをバックトランスレーションで日本語に翻訳してみて、**自分が伝えたいことが表現されているかどうかを確認**している。翻訳の精度があがっていて、適正な調整ができるようになり、コミュニケーションの齟齬が減って、メールの無駄なやり取りが減ったと思う。」

> 「Google 翻訳は必ず使い、**自分の読み、書きに間違いがないか確認**すると、ニュアンスの違いがわかったり、ベストな文章に修正できるので、ミスコミュニケーション防止に役立つ。」

これは機械翻訳を使う目的が、翻訳そのものではないことを示唆しています。回答例が示しているとおり、テクノロジーにメリットを感じているビジネスパーソンは、機械翻訳を使う前に自分で英文を読んだり、書いたりしている様子が見えてきます。原文の英語や、日本語で書いた文章をそのまま機械翻訳にかけるのではなく、実際には、まずは自分で英語を読んだり、英語で書いてみたりして、そのうえで機械翻訳を使用し、自分の英作文が意図された内容になっているのかを確認するという手順で利用しています。

自分の英文理解や英作文を確認する目的は、ミスコミュニケーションの防止になります。自由記述からは、英語の上級者とて所詮英語は外国語であり、ニュアンスや意図を正確に読み書きできるわけではない、という前提で英語に対して慎重に向き合っている様子がうかがえます。このような慎重な姿勢が、英語の実力者でさえも機械翻訳を日本語⇒英語、英語⇒日本語の双方向で使用するという実態を生み出していると推察されます。

機械翻訳の用途も、Eメールから文書類、スライド資料など多岐にわたります。そのことからも、英語を使う場面ではどのような用途であれ、ミスコミュニケーション防止を意識している様子が浮き彫りになります。

続いて、第4位の「理解度が向上」を見ていきましょう。これには、自由記述で「正しく理解」、「微妙なニュアンスの理解」、「専門用語の理解」、「自分の理解の確認」が頻出する回答が含まれます。回答例は、以下のとおりです。

> 「機械翻訳ツールを活用することで、メールや仕様書などの英文を翻訳し、自分自身でそれらを読み解釈したときの**誤認識を減らす**ことができている。」

> 「翻訳ツールがあることで、**ニュアンスや意味がうまく取れなかった英文を理解**できた。」

> 「翻訳ツールを使うと、**難しい表現や専門外の専門用語を翻訳する際に助かる**。」

> 「翻訳ツールを活用することで、**微妙な言い回しに対する理解**があっているか確認することができる。」

これらの方々は、「英作文のヒント」として使用している層とは異なり、単なる確認というより、専門用語の高度な内容や、細部の理解の補助として機械翻訳を使っているようです。また、「英作文のヒント」のカテゴリーに当てはまる回答者のTOEIC L&R平均スコアが779点であったのに対して、「理解度が向上」の回答者は737点でした。

この「理解度が向上」するための重要な点は、自分自身でそれらを読み、解釈したときに、「ニュアンスや意味がうまく取れなかった英文」、「難しい表現や専門外の英文」と、全部を機械翻訳にかけるというよりも、自身の英語力や業務知識をベースとしたうえで、どうしてもわからない部分をピンポイントで補完するツールとして利用している様子がうかがえます。

最後に、第5位の「大意把握」を見ていきます。これには、自由記述で「大量の文書の概要把握」、「全体像の把握」というワードが頻出する回答が含まれます。回答例としては、以下のようなものがありました。

> 「**大枠をスピーディーに理解**できるようになった。」

> 「大量の文章を読む必要がある場合にはやはり日本語のほうが早いので、**論文などの大量の文章は機械翻訳**で、日本語でざっと読んで内容をつかんでから、必要な部分を原文で精読することで効率が上がった。」

> 「DeepL等を使用することで、**長い文章の主旨を把握**したうえで、英文を精読することで、理解が早まったと思います。」

「理解度の向上」が英文の細部の理解を補完していたのに対して、精読する前段階の「大意把握」に機械翻訳を利用している事例です。日本語に比べて、ざっと読む力が劣る英語ですから、きちんと読むべき箇所を見定めるなど、緩急をつけた読解に役立っているようです。

「大意把握」のカテゴリーにあてはまる回答者のTOEIC L&R平均スコアが749点と「英作文のヒント」に次いで高めであることから、英語の実力が一定以上ある人の独特の使い方と見ることができるでしょう。

実際、本社が海外にある外資系の会社では、このような目的で利用している方は多くいるようです。本社から、次々と送られてくる文書のなかから重要かどうかを判断するために、とりあえず機械翻訳にかけて母語である日本語にしてざっと把握し、重要と判断したときは、じっくり読むという使い方です。

また、インタビュー調査では、業務マニュアルなど社内文書については、機械翻訳に一気にかけてそのまま回覧するという話もありました。社内業務に関しては、共通した業務知識が前提となるので、正確な翻訳が出てくるまで待つよりも、機械翻訳で瞬時に翻訳してタイムリーに共有したほうが良いということでしょう。なお、次のような指摘もありました。

> 「**業務の専門性から、機械翻訳の使用に適していない**。使用したとしても、結局は、細部に渡る部分まで原文を読む必要があるため、機械翻訳は使っていない。細かい言葉の言い

回しにも気を配る必要があるため、**大意を把握する目的で機械翻訳を使うことも、業務の効率化につながりにくい。**」

専門分野によっては、このような機械翻訳の使い方が業務の効率化につながらない、適していない場合もあることに注意が必要です。専門性が高い分野ほど、どの語がどのように訳されるかが定まっている、いわゆる定訳がある場合が多く、日常語を使用する機械翻訳の訳出が不適切になってしまうことがあります。

【使わない理由】①英語力が足りず、使いこなせない

機械翻訳を肯定的に捉える一方で、私たちは、機械翻訳をほとんど使っていない人たちがいたことも忘れてはいけません。翻訳ツールの活用が困難や苦労を減少させたと捉えていない人についての自由記述から、その理由についても詳しく見ていくことにします。

ツールの活用が困難や苦労を減少させたと捉えていない人たちは、アンケート回答者全体の13%、どちらでもない人が24%でしたが、その約6割の人が何らかの回答を寄せてくれました。[図表8] に、上位3位までの理由をまとめてみました。

困難や苦労が減少したと感じない理由	回答者（人）	割合（%）	TOEIC L&R 平均スコア（点）
1. 翻訳ツール等を使ったことがない・使わない・使用頻度低い	301	52.2	742
2. 翻訳ツールが完全ではないため使えない	126	21.8	776
3. 変化を感じない	32	5.5	719

[図表8] 翻訳ツールを活用することで困難や苦労が減少したと感じない理由

自由記述に回答した人の52%が、そもそも機械翻訳を「使ったことがない」など「利用頻度の低さ」について言及しています。具体的には、「辞書で足りる」、「確認程度にしか使わない」、「英語業務が少ない」というワードが頻出する回答がこれに含まれます。回答例としては、以下のようなものがありました。

「翻訳ツールを用いて訳しても、自分の語学レベル以上に**訳が合っているかどうかはわからない**から。」

「英語の辞書は使うが、**翻訳ツールはほぼ使わない**から。」

「機械翻訳は最終確認のために使う場合が多く、**基本は自分の力で行う**から。」

前提として、機械翻訳を使っていない人が26%ほどいました。英語業務が少ない人をとりあえず脇におけば、その理由としては、「機械翻訳の良し悪しの判定ができるほど英語力がない」というものと、「自力で英語を使うことができる層が機械翻訳の性能についてさほど重要視していない」というものが挙げられます。

また、このカテゴリーにあてはまる回答者のTOEIC L&R平均スコアは742点と決して低くはありません。機械翻訳は、あくまでも自分の英語のレベル、すなわち、理解できる範囲内のみで使うという慎重な見方で、テクノロジーにメリットを感じている回答者と類似した意見ということになります。

第2位の「完全ではないために使えない」というのも同じ意見でしょう。これは「ニュアンスが違う」、「業務の専門性に対応できない」、「ノンネイティブ間のやり取りに対応できない」というワードが頻出する自由記述の回答です。回答例としては、以下のようなものがありました。

> 「結局のところ、これらのツールを使っても**正しい英訳や和訳はできない**うえ、**正しいニュアンスも表現できない**というのが現状だから。また、ノンネイティブが使う正しくない英語の場合、人間であれば『こういうことを言いたいんだろうな』とわかるものの、ツールにはそれが認識できない。」

> 「専門的な知識や業務背景が理解できていないと的確な回答が得られないため。**この領域はまだAIなどの技術的進歩が追いついていない**と感じるため。」

> 「ツールを使って詳細に翻訳（英語から日本語）するよりも、トピックやツリー全体の**議論の流れや結論を把握するほうが重要**なため。」

これらの指摘は、機械翻訳の特性を理解するうえで非常に重要です。AIを利用した翻訳は、かなり自然な訳文を出力することから、一瞬、よくできているように見えますが、実は、業務の背景やそれまでの相手とのやり取りの内容、相手の事情などは考慮せずに訳出しています。相手の英語に文法的な誤りなどが多い場合、その英語を、人間のようにその人の癖に合わせて理解するということまではまだできません。当該の文章の意図することをピタリと表現しているとは限らないということになります。

第1章では、ジュニア段階ではステークホルダーの数が限られており、かなり具体的な技術的課題についてコミュニケーションしているが、シニア段階以降は、ステークホルダーが増え、コミュニケーションの相手や企業の事情、異文化事情などを考慮する必要があることを指摘しました。

機械翻訳は文章化されたものの範囲内で翻訳しているだけですから、背景となる事情を踏まえた文章の場合には、微妙なずれを生じさせる可能性が出てきます。そうなると、これらの背景や事情は人間の側できちんと考慮し、判断しなければなりません。そこが、機械翻訳には任せられない部分であり、相手の状況を考慮するといった高度で複雑な場面ではあまり役立たないということが起きると予想されます。

実際、英語会議において、定型の説明や質疑などの単純な役割を果たしている人よりも、複雑な役割を果たす人たちのほうが、「機械翻訳は使わない」と述べる割合が高くなってることを示すデータもあります。

【使わない理由】②翻訳のレベルに不安がある

機械翻訳は「全体の流れや事情を考慮しているわけではない」と考えると、機械翻訳に丸投げした文章を使って良い相手と、使う際は注意が必要な相手がいることに気づきます。

身内である社内ではどうにかなっても、社外の相手に使用するとなると慎重さが求められます。機械翻訳を使うことで、社外にいるパートナーや顧客の真意を理解し損ねたり、伝え方が不十分でミスコミュニケーションが起きたりしては大問題です。

実際、英語業務の相手が社内だけという人の機械翻訳の使用頻度は、英語業務の相手が社外の人たちというグループに比べて、高いというデータがあります［図表９］。

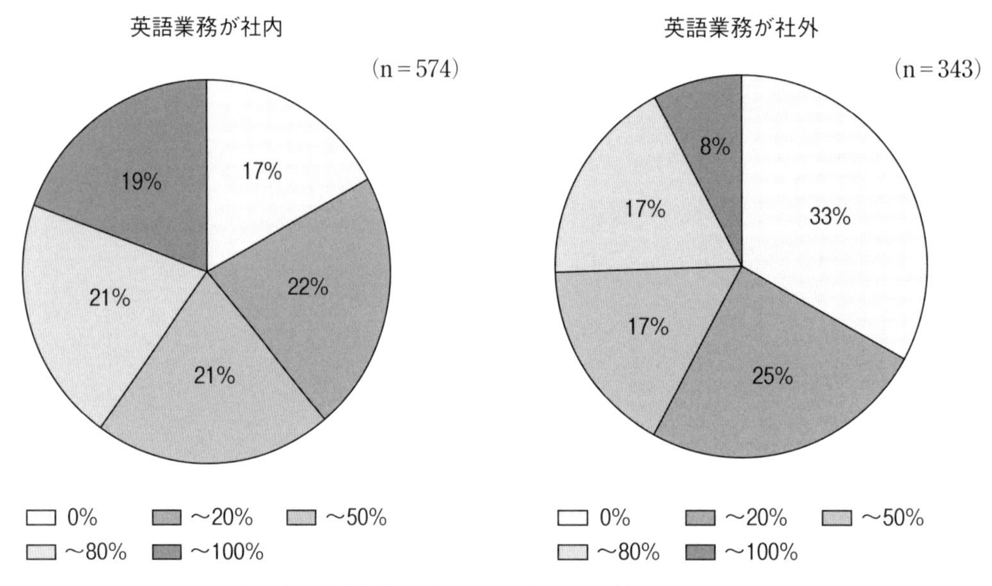

［図表９］社内、社外別の機械翻訳使用頻度

［図表９］のグラフにおいて、機械翻訳の使用頻度「0%」という人は、社内は17%ですが、社外は33%にまで増えます。正式な文書や資料、ビジネスコミュニケーションにおいては、正確さが求められるため、機械翻訳の結果だけに頼ることはリスクが高く、避ける傾向にあると読み取れます。インタビュー調査では、次のような翻訳体制が敷かれているとの話がありました。

「資料はすべて英語で作っているが、日本語しかわからない人のために、ある有料の機械翻訳ソフトを使って日本語にしている。完璧な翻訳ではないが、**日本人であれば『てにをは』が多少おかしくても理解できる**ため、英語を日本語にするほうが便利だと思っている。自分が作った英語はネイティブが見たら文法などの指摘が入ると思う。R&Dでは、学会発表資料やウェブサイトに掲載する内容など**公式に公開する資料を作成する際は、プロに翻訳・確認を依頼**するが、**社内の文書に関しては細かな文法などそこまで厳密に気にする必要はない**と思う。」

この回答者の会社では、社内文書では厳密さを求めないので機械翻訳を利用しているが、社外文書については翻訳のプロによる確認を行っている、ということでした。

また、社外に対する英語業務において「51%～100%」の割合で機械翻訳を使用している人は25%います。伝え方が不十分なことによってミスコミュニケーションが生じる可能性を視野にいれつつ、機械翻訳を使用することが大事になります。

まとめ

ここまで、機械翻訳に関して、自由記述として寄せられた回答を中心に見てきましたが、そこでわかったことをまとめると、以下のようになります。

	機械翻訳が使いやすい	機械翻訳を使う際は注意が必要
英文読解	・大量の英文の中で読むべきポイントの洗い出しや、大意把握 ・どうしても理解できない細かな表現の理解の補完	・背景知識、文脈理解、専門知識を前提とした内容 ・不正確な英語の理解 ・高度に専門的な内容 ・社外に対する文書
英作文	・自分の英作文がどのようなニュアンスで伝わるかの確認	

［図表10］機械翻訳使用可否の一覧

機械翻訳は、これらの「使いやすい」、「使う際は注意が必要」をきちんと踏まえることで、業務の効率化、時短につながる強力なツールとなります。

テクノロジーに関する自由記述のなかには、「情報漏洩の危険性から、機械翻訳の使用が会社レベルで禁止されている」との回答も散見されました。そのような事情から、会社によっては独自のデータを構築してAIに読み込ませ、オリジナルの機械翻訳を開発して使用しているところもあります。今後、このようなシステムが安価で手軽に使えるようになると、急速に普及し、機械翻訳の使用実態はまた塗り替えられることになるでしょう。

ただし、そのような将来的な進展が見られたとしても、英文を読むか読まないか、文書を出すか出さないか、といった最終判断は人間がすることになります。このような判断ができる程度の英語力は必須である、というところは是非おさえておきたいポイントです。

4 コロナ禍による会議形態の変化、オンライン会議の普及

ここからは、コロナ禍で急速に普及したオンライン会議に話題を移しましょう。ビデオ会議、会議アプリ、ウェブ会議、会議システム、テレビ会議など、さまざまな呼び名がありますが、ここではZoom、Google Meet、Microsoft Teams、Webexなどのツールを使った会議を「オンライン会議」と統一して呼んで話を進めたいと思います。一方、オンライン会議に対して、直接対話がリアルに行われる会議を「対面会議」と呼ぶことにします。

国内外を結ぶ会議形態としては電話会議、テレビ会議であるテレカン（テレカンファレンス）が多くの企業で古くから導入されていました。インターネットの普及とともにオンライン会議システムが普及し、2010年前半からブロードバンドが発達すると、徐々に現在のような「オンライン会議」が行われるようになり、COVID-19のパンデミックが起きると、リモートワークをサポートするツールとともに急速に浸透しました。

［図表11］は、「コロナ以前と比べてコロナ以降のコミュニケーション形態の頻度変化」についての調査結果より、オンライン会議と対面会議を抜粋したものです。

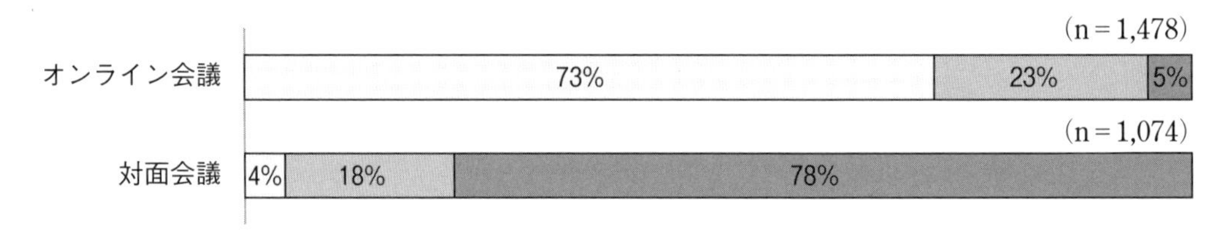

［図表11］コロナ禍による会議形態の変化

7割以上の方が「対面会議が減り（78%）」、「オンライン会議が増えた（73%）」と回答しているのが実態です。インタビュー調査でも、そのことを裏付ける多くの証言を得ることができました。

> 「コロナ禍以前に導入されたものの、当時はメールでのやり取りがメイン。コロナ禍で**オンライン業務へのシフトが促進**されたことで、全世代の社員のオンラインリテラシーが上がり、同時に**海外とのミーティングが気軽にできる**ようになった。」

「変わらない」との回答も一定数ありますが、それはIT分野や外資、海外拠点との会議を従来から行っていた人たちがいる実態を反映したものでしょう。

機械翻訳については74%が「使用している」とのことでしたが、オンライン会議の利用状況

についてはどうでしょうか。英語を使用する業務において、オンライン会議のアプリを使用する頻度について尋ねたところ、[図表12]のような結果となりました。

オンライン会議のアプリを使用していないと回答した人は全体の26%で、使用頻度が5割を超えると回答した人の合計は全体の49%とほぼ半数に達しました。さらに、「81%～100%」の使用頻度を示す人が33%ともっとも多いことから、オンライン会議は機械翻訳以上にかなり一般的に利用されている様子がうかがえます。

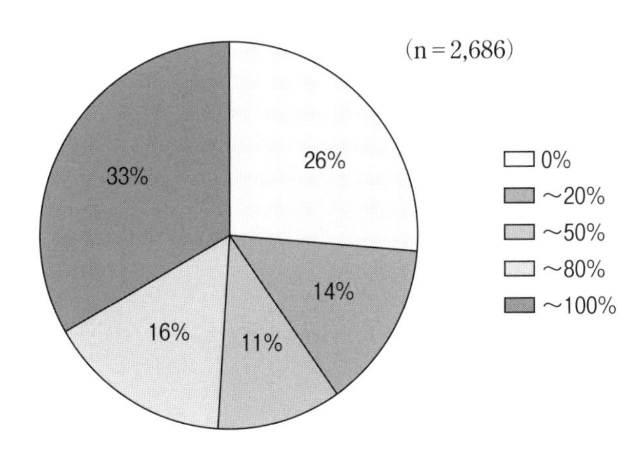

[図表12] オンライン会議ツールの使用頻度

インタビュー調査でも、ほとんどの企業において、日常的にオンライン会議が行われていました。これは、コロナ禍で海外への出入国が禁止されていた影響も大きかったようです。具体的には、次のような声が寄せられました。

> 「以前は、月に半分は出張する生活が続いていた。コロナ禍によって、2年半ほどまったく出張ができない期間が続いたが、**意外とオンラインだけでも仕事は成立する**と感じた……個人的には**対面とオンラインを比較した場合、業務の中身が大きく変わったとは思っていない。**」

> 「以前は、海外現地に行き、交渉していたこともあったが、**コロナ禍により、対面での交渉は、ほぼすべてオンラインに切り替わった。現在は、対面形式が少し戻りつつあるが、オンラインでの会議が多い。**」

コミュニケーション形態としてオンライン会議が標準となりつつある一方で、オンライン会議と対面会議では、共通点と相違点があることも明らかになりました。

アンケート調査では、**「対面会議とオンライン会議を比較した場合、会議形態によって重要度に違いを感じますか」**という質問を、会議の前後や会議中の合計13項目の事項について聞いています。選択肢は、「会議形態による差異はない（差異なし）」、「オンライン会議のほうが（やや）重要と感じる（オンライン重要）」、「対面会議のほうが（やや）重要と感じる（対面重要）」としました。

13項目の平均をとると、この質問の回答者の5.5割程度が「差異なし」、2.5割程度が「オンライン重要」、1.5割程度が「対面重要」となりました。それぞれについて、回答割合が多かった上位3項目を挙げてみると［図表13］のような結果となり、オンライン会議と対面会議の共通点と相違点が見えてきました。

（n＝921）

差異なし		オンライン重要		対面重要	
有用な議事録作成	65%	声量トーンスピード	40%	服装や身だしなみ	58%
ラップアップ	64%	端的な説明	27%	アイスブレイク	25%
コンセンサス	64%	不明点都度確認 理解しやすい資料作成	27%	文化理解・人間関係	16%

［図表13］オンライン会議と対面会議の差異と重要な点

「差異なし」の上位3項目は、会議内容をまとめて整理し（ラップアップ）、同意をとりつけ（コンセンサス）、議決事項を議事録に収める（議事録作成）という、いわば会議の根幹部分にかかわるものですから、オンライン会議と対面会議のいずれにおいても「差異がない」との結果には納得です。

一方、オンライン会議は、デバイスを通して行うことから、聞こえ方や伝え方など理解度にかかわるものが「重要」なものとして並んでいます。特に、通信速度が確保できない国の人がオンライン会議に参加すると、通信量を減らすために「画面オフ」にすることが多々あります。相手の表情が見えないなか、音声言語のみで相手に伝えるためには、声量やトーン（声質）などはとても重要です。また、通信機器や回線速度の状況によっては、微妙なタイムラグが生じるようなことも考慮したうえで、話すスピードにも注意が必要でしょう。

一般に、人気YouTuberは、画質や音質にこだわると言われます。オンライン会議も同様で、大きな画面や高性能なスピーカーを導入すると臨場感が増大するという事実もあります。また、長々と話をせずに「端的な説明」を心がけ、「不明な点は常に確認」といったことが重要視されていることから、基本事項を正確に伝え、相互に確認し合うことに重きを置いている様子も見えてきます。さらには、「理解しやすい資料作成」も重視されています。オンライン会議では資料を画面共有することがよくあります。また、相手の理解を促すために事前に資料を配布して、一定の情報を共有してからオンライン会議に臨むことがあります。

これらの項目から共通して見えてくることは、オンライン会議では、相互の理解度を補うアクションや工夫といったものが求められるということです。

では、対面会議についてはどうでしょう。会議の中身そのものよりも、相手への配慮に関連した項目が並んでいます。基本的なマナーである「服装や身だしなみ」をはじめ、場の雰囲気づくりのための「アイスブレイク」トーク、会議以前の「人間関係の構築や異文化理解」が重要視されています。

このように、オンライン会議と対面会議では、「議決する」という共通機能はありますが、重要視する点で違いが生じていることからわかるように、会議が果たす役割の違いや、得意・不得意があるのは明らかです。

例えば、海外出張しての対面会議では、現地に赴くのでその仕事に集中できるし、現地の時間でミーティングを行うことができますが、オンライン会議の場合は、日常業務のなかに、現地との時差を考慮しつつミーティングを設定するので時間調整が難しくなります。海外出張と違って移動を伴わないのでかなり気軽に、かつ、小まめに打ち合わせができるというメリットもあります。また、出張という限られた期間に会議を詰め込む必要もありません。こうしたスケジュール管理上だけでも、オンライン会議と対面会議では大きく違うことがわかります。

「2022年調査」では、オンライン会議のアプリの使用頻度、会議で果たす役割、会議における困難度を調べています。

ここでは、オンライン会議アプリを英語業務において、「81%～100%」と高頻度で使用している人たちの回答だけを集計してみました。回答者の3割程度が「オンラン会議になると困難」とした項目についてまとめると、[図表14]のような結果になりました。

(n＝517)

	司会進行	定型説明・質問応答	質問応答のみ
喜怒哀楽	レ	レ	レ
カットイン	レ	レ	レ
集中力持続	レ	レ	レ
信頼を得る	レ	レ	レ
課題解決目的	レ		
交渉目的	レ		

(レ点は困難割合が3割程度ある項目)

[図表14] 会議で果たす役割別オンライン会議の困難

まず、オンライン会議では、どのような役割を果たすにしても、「喜怒哀楽を伝える」、「カットインして発言の機会を逃さない」という心理面での難しさがあるようです。さらには、「集中力を持続させる」、「相手の信頼を得る」ことがオンライン会議に共通して難しいようです。

司会進行役にとっては、「課題に対する解決策や対応策を提案する」ことや、会議の目的として「交渉」が困難として加わります。このように、相手方の事情や動向を踏まえたうえで、会議内で提案や議論を行う場合、オンライン会議のほうがそのやり取りが難しくなっている様子がわかります。会議での役割が定型説明や質問への応答のみの方についてこれらの項目にチェックがないのは、そのような役割の方が、課題解決や交渉の場で重要な役割を担うことが少ないためであると推察できますので、ある意味当然の結果かと思われます。

とはいえ、アンケート調査だけでは細かな様子まではわかりませんので、インタビュー調査の結果から、細部を見ていくことにしましょう。

インタビュー調査では、オンライン会議について多角的に語ってもらいました。そこから得られた**オンライン会議の特性**を３つの観点からまとめていきたいと思います。

【オンライン会議の特性】①非言語的情報が限定される

私たちが人とコミュニケーションを取るとき、言語だけに頼っている訳ではありません。相手の表情を初めとした非言語的な情報を手がかかりとしていることが多々あります。

インタビュー調査では、オンライン会議において、この非言語的情報が損なわれることによって困難が生じる様子が語られています。まずは、相手の反応や表情です。

> 「オンラインの難しい点としては、**相手の反応が見えにくい**ことやスモールトーク・雑談の部分である。オンライン業務が始まった当初は、カメラをオフにしていたことが多かったが、**最近はカメラをオンにすることが多くなり、表情は見やすくなった**。」

> 「**オンライン会議は表情が見えないため、意思疎通がかなり難しく、聞き取りにくい**ように思う。対面で会議を行っていた時は、相手の声（音声）だけではなく、表情や仕草等も含め、全体を捉えながら理解していたと思われる。」

「カメラをオンにする」とありますが、実際には、インターネット回線が脆弱な国や地域の場合、通信負荷を軽減するために「カメラをオフにする」ことは少なくないようです。ただし、将来的には、通信と機器の発達で修正されていく可能性は高いと思われます。

なお、情報が限定される場面は会議中だけではありません。これは通信機器の発達では修正されない問題なので、ある意味、オンライン会議の大きな欠点と捉えられます。そして、それは会議内から会議外まで影響が及ぶものでもあります。多少長い引用になりますが、非常に参考になることが話されていますので、紹介したいと思います。

> 「オンライン会議は容易に開催できる一方、難しい面があると感じる。もっとも影響の大きい部分として、対面会議では当たり前のように存在した、**相手のリアクションを感じ取**

りながら得る様々な情報が、オンライン会議では落ちてしまうところである。
　また、対面会議では、絵や図面（回路図、構成図など）を多用することで、英語力を補うことができたが、**オンライン会議では、図面などを、対面会議と同じレベル感で効果的に活用することができない**。結果として、**ほぼ声一本で会議を進行することもあり、実に難しい状況**となっている。」

　この方は、会議内での資料共有の問題を挙げています。図面や写真、ホワイトボードに描くことなどは、時として言語よりもはるかに情報量が多いことがあります。もちろん、オンライン会議でも、画面共有や電子ファイル配信などの機能はありますが、対面会議のように全員が同時に同じものを見ているわけではありません。それぞれが話を聞きながら、確認できるときに情報をざっと見ています。資料が配布されたとしても、それを映し出すデバイスがなければ、その場で確認することはできません。
　また、相手のリアクションが見えないことも、情報が損なわれる要因のひとつに挙げています。これは表情だけに限りません。手足などの動きを含めての話でしょう。

「久しぶりに行った出張では、こちらのコミットメントに対する**温度感を、ジェスチャーやトーン**などで伝え、全員に伝わっていることを確実にすることができた。相手も対面で良かったと言っていたが、日本人のコミュニケーションはオンラインだと相手にわかりにくいのだろう。例えば、**日本人の場合、合議制なので、会議中であっても、個別に簡単な打ち合わせをする**。このような独特なやり方を理解している人が相手側にいる場合は、日本人のやり方を説明してくれることもある。」

　冒頭部分で「温度感、ジェスチャー、トーン」という言葉が出てきていますが、これらも非言語情報です。発言の熱量をオンラインにのせるのは難しいことです。ジェスチャーやトーンをどれほど工夫しても、受け取る側の画面が小さかったり、音量を絞り込んでいたりなどしていれば、発言者の思っている熱量では伝わらなくなってしまいます。
　もうひとつ、注目したいのが、「会議中であっても、個別に簡単な打ち合わせをする」という部分です。会議中、上司や他部署の同僚に相談や確認をしながら回答することは多々あるでしょう。オンライン会議の場合、自社側が一か所に集まる方法もあるとはいえ、それぞれがリモートで参加しているケースのほうが一般的であり、そのような手段を取ることはできません。会議が紛糾するとあちこちでディスカッションが始まってしまうようなことはよくありますが、オンライン会議では同時多発的な会話は不可能です。別な方も、「対面の場合は、説明の言葉に詰まれば、周りに聞くことができ、周りも合いの手が入れやすく、フォローが簡単である」と述べています。
　さらに、情報が限定されるのは、会議内だけでもありません。会議外での情報が限定されてしまう事例もあります。次の方の話をぜひ読んでいただきたいと思います。

「対面とオンラインの違いについて、例えば、国際会議では、各国は発言要領を事前に準備し、発言の順番が来てから準備した内容に基づいて話すので、複数人が一斉に話すことはあまりない。その点においては、対面でもオンラインでも困難に違いはない。**会食などでは、状況は異なる。**

また、オンラインの場合、例えば、**相手側が貧乏ゆすりをしている、こちらの発言に対してイライラしている、といった発言以外の周辺情報が入手しづらい。業務全般をオンラインに代替させることはできるかもしれないが、こちらが把握したい内容のクオリティーが下がる**ことがある。例えば、現地での交渉では、会議外の立ち話などで貴重な情報を得ることができる。実際、アメリカに行った際に、**相手側とすれ違ったときや会議後に相手側で話されていることを聞くことができ**たので、こちらの対応をスピーディーに検討することができた。

また、対面の会議で、**ある国が話しているときに周りが反対するような態度をとっている様子がわかるといったことなどは重要**である。その場の温度感をもって次の発言要領を作ることができる。国際会議などは対面が良いと思う。**対面であると名前を覚えやすく、名刺交換もできる。また、お付きの人の有無、国際機関の建物の位置関係、建物の古さ、飾りものなどから得る情報もある。対面の意義は、面談にかかるすべてのプロセスから重要な情報を得ることができることである。**」

この方の話では、「面談にかかるすべてのプロセスから重要な情報を得ることができる」とまとめられています。会議場と周辺の建物の位置や歴史などの把握に始まり、会議前の名刺交換と相手のメンバーの確認、会議中の相手の反応、会議後の廊下での話し合い、会食の場面での交流、これらのプロセス一つひとつに大きな情報が隠されており、それらすべてを踏まえることでスピーディーに、かつ的確な対応が可能となるということでしょう。

また、「業務全般をオンラインに代替させることはできるかもしれないが、こちらが把握したい内容のクオリティーが下がる」という洞察は、オンライン会議の特性をまとめるものです。オンライン会議は、言語以外の情報がかなり削がれやすく、その分だけ判断材料が減るという大きな欠点があることを示唆しています。

【オンライン会議の特性】②話が広がりにくい

2つめの特性として取り上げたいのは、ひとつめの特性との関連も手伝って、話が広がりにくいという点です。

「**オンライン会議では雑談がなく目的に沿う話しかしないため、話が膨らまない**……オンラインの良い点は、理由はよくわからないが、対面では長引く大きな案件の価格交渉が短時間で終わるようになったことである。**話が広がらないという点は悪い面だろう。**対面では雑談が多かったが、**オンラインではビジネスの話のみになっている。雑談をするなかで、**

> **波長が合うといろいろな情報を提供してくれることがあった**。また、雑談によって相手をよく理解できることや、案件について相手が情報を少し漏らしてしまうこともあった。オンラインではストレートにビジネスの話のみになったので、集中できているとも言える。オンライン化によって雑談がなくなった影響については、今のところよくわからない。」

この方は、対面会議では雑談があり、そこから話が広がることがあったが、オンライン会議の場合は、話がビジネスに特化しているため、集中できて短時間で終わるメリットがある一方で、これを「悪い面」としても捉えています。ただし、雑談がないことによる影響については、まだ測りかねているとも言っています。同様の話は、他の方からも聞いています。

> 「オンライン会議が難しい理由として、対面会議よりもカットインがしづらいといった心理的要因の影響も大きいと考えている。カットインするにしても、ミュートを解除するという一手間が必要なため、**コミュニケーションを活性化しづらい環境**がある。**オンライン会議という会議の形態が、互いの理解を阻害しているケースも多いように思う**。」

> 「オンライン会議では複数人が言葉を重ねることができず、リアクションもわからないので、**どんどん進行していく感じ**である。また、**オンライン会議では本音を聞き出すことが難しい**。一方、情報交換やプレゼンは、対面でもオンラインでも変わらないと思う。」

「目的に沿う話しかしない」、「ビジネスの話のみ」、「コミュニケーションを活性化しづらい」、「どんどん進行していく」——言葉は違いますが、すべてに共通しているのは、ビジネス目的に即して一直線に話が進み、カットインしようとしてもパソコン操作が必要ですし、言葉を重ねることができないため、心理的なハードルが余計に上がり、話が広がらないまま会議が終了してしまうといったことに懸念を感じているようです。

会議前後の周辺情報を拾う機会もないため、本音を聞くこともできず、理解が不十分な状態が続きます。先述したとおり、情報が限定されるといったこともありますので、結果として、話が広がらない、深まらないということが起きているようです。

こうしたオンライン会議の実情を踏まえたうえで、社内向けではありますが、次のような対策を施しているとの話もありました。

> 「ネットワーキングの面では、オンラインよりは対面のほうが効果は高い。今のチームでは、**対面での雑談の代わりに、オンライン上で雑談をする時間を敢えて設けている**。自分の部下や上司と、週に1回30分話す機会を設けて、最近の話などをしている。個々のミーティングについては準備して臨むが、**雑談については敢えて何も準備をしない**ようにしている。**雑談は、週末にしたことなど仕事と関係のない話をする時間であり、話が相談などになる場合は、業務の時間に話すようにしている**。週・月1回の全体会議でも、例えば1

時間のうち20分くらいの時間を使って、少人数のグループでネットワーキングをしている。

研修チームだからこのような試みをしているのかもしれないが、**対面での雑談が失われていることは全社的にも危惧されている**ので、代替となるような機会を提供するように心がけているのだと思う。オンライン雑談は、やらないよりはやったほうが良いと思う。完全なオンライン状況下で今のチームに異動してきたが、**雑談の時間が設けられていたので心理的な安全性**につながった。対面での立ち話には到底かなわないが、リモートの利点と天秤にかけて、今のオンライン雑談の取り組みになっている。」

対面会議の際の雑談がないことの危険性を全社的に把握し、完全に業務とは関係ない雑談の場を設けているという、試行的な取り組みについて言及しています。この方は「心理的な安全性」という効果がすでに出ていることを話してくれました。

先に取り上げた方の話のなかには、「オンライン化によって雑談がなくなった影響については、今のところよくわからない」とありましたが、現状では、試行錯誤の面があるということがうかがえます。

【オンライン会議の特性】③初めてのことが難しい

オンライン会議の特性として、情報が限定されたり削がれたりする、その結果、話が広がらない、ということを見てきました。3つ目の特性は、その帰結とも言えるものです。それは、「初めてのことが難しい」ということです。インタビュー調査でも、多くの方が言及されていたことなので、とても印象に残っています。

「在宅勤務、テレワークなど、コロナの影響を個人的にはかなり受けたと思う。入出国が制限されていたこともあり、コロナ禍の最中は一切顔を合わせず、電話、メール、オンライン会議のみでやり取りをしてきた。**一度も顔を合わせたことがない取引先と価格交渉などをしなければならず、それらは決して容易ではなかった**。取引する相手として、インドのなかでも自社系（子会社）のインド人と、現地法人の取引先の（日系ではない）インド人があるが、特に日本の企業文化をわかっていないインド人とオンラインのみで交渉することは、face to faceの経験がないなかでは大変だった。互いに探り合いながらの交渉であったと思う。現地のインド人はより直接的な交渉を挑んでくることもあり、**一度会ったことがある場合とそうでない場合とでは大きな違いがあると思う**。」

「対面会議よりもオンライン会議に課題を感じることが多いが、相手との人間関係ができていて、価値判断基準がわかっている相手であれば支障はない。**相手を知らない場合は、リアクションが読みにくく、心理的な壁を感じることはある。ディスカッションをして、新しい施策を検討したり交渉をしたりする場合は、オンラインではやりづらさを感じる。**

対面だと相槌を入れたりすることもでき、ディスカッションを通した納得感が生まれやすい。」

「**オンラインでは初対面の人との関係構築は難しい**が、既存の人間関係については、特段悪化したなどの変化はない。出張に行くと、一緒に食事やお茶をする機会があり、人間関係構築の意味で重要な役割を担っていると思うが、**オンライン業務では人間関係を築く時間そのものが減っている**。また、**オンライン会議で海外の人からスモールトークが始まると、話題そのものがわからないときがある。事前準備ができないために対応に困る場合がある**。対面で話しているとわからないことが雰囲気で伝わるので、スモールトークでも自然なフォローアップができていた。」

「**オンラインの場合、初対面の人と交渉を始めることはなかなか難しい**。自分自身は、すでに過去の駐在や海外出張時に会ったことがある人が多く、交渉におけるオンラインの困難をそれほど感じないが、特に、人脈が少ない若い世代や、**新規に交渉を始める部署の担当者は、オンラインにおける交渉で、かなりの困難を感じている模様**。会社全体としては、オンラインによるやり取りの普及によって、海外人材の育成について、デメリットも多いのではと思う。」

「今後ももとの業務形態に戻すことはなく、オンライン会議と海外出張のハイブリッドでの業務になるであろう。**初対面の相手に対しては、現地に出向いて対面で話すことになると思う**。以前から関係が続いている会社については、オンラインでの対応が可能だろう。」

これらの回答は、3年にわたるコロナ禍で、多くのビジネスパーソンがオンライン会議を経験し、その体験談として語ってくれたものです。

オンラインでは、初対面、新規交渉、新しい施策など、初めての人との関係構築は難しく、逆に言えば、関係構築がないままで新しく取引や交渉をするのは難しいということでもあるのでしょう。これは実体験としてだけでなく、管理職にある立場の方が部署内の様子を語る文脈でも出てきています。

アンケート調査の結果として、オンライン会議で難しさを感じるのは、「喜怒哀楽、カットイン、集中力の持続、信頼を得る、課題解決目的、交渉目的」が上位にくることを示しましたが、インタビュー調査で得られた証言からは、このアンケート結果の具体的な中身がわかったのではないでしょうか。

まとめると、オンライン会議の特性として、インターネットやパソコン機器の制約から受け取る情報が限定されてしまうという点があります。特に、対面会議の前後では当たり前に行われる、挨拶や会食の機会を通じて得られる、相手の人柄などに関する情報を入手できないなかでは、人間関係の構築も上手くいきません。人間関係が深まらなければ、話が広がっていくこともありません。

オンライン会議の3つの特性は相互に関係づけられており、会議自体を表面上進行できたとしても、様々な困難が生じているというのが実情と言えそうです。

5 オンライン会議をどのように活用しているか

インタビューを受けてくださった方々は、対面会議とオンライン会議の共通点と相違点を体験から感じ取っています。そして、オンライン会議に、対面会議とは異なる役割を見出して活用している様子が見えてきました。

そこで、ここからは、そのオンライン会議の使い方について見ていきます。

単純な内容の説明と確認のために使う

対面会議とオンライン会議は棲み分けたほうが良いと話している方々の意見を紹介します。

> 「コロナ以降はオンライン会議が当たり前になり、会議の回数も増えた。オンライン会議が簡単にできるようになったので、メールよりは会議によるコミュニケーションのほうが各案件のゴールに早く到達するため、オンライン会議の回数が増えているのだろう。また、コロナ前の出張時はひとつのテーマに2時間くらい費やしていたが、**オンライン会議では、1案件に割く時間が短く、1時間で2〜3のトピックを扱う**ようになった……**複雑な交渉など、こちら側に有利に持っていきたいケースや、話し合いの前の探り合いをするケースについては、対面のほうが良い**が、単純な情報交換はZoom会議でも良いと思う。」

> 「定期的にオンライン会議をしていた上司にあたる外国人が最近日本に来て、対面でディスカッションをした際に、**対面とオンラインの違い**を感じた。対面会議では、お互いの理解がとても早かった。「目は口程に物を言う」のように、自分の説明に対してわからないような顔をしていたら、ホワイトボードを使って説明するという対応ができたので、オンラインで2〜3時間かかるところが40分で終わったような感覚であった。また、当該上司は、オンラインより対面のほうが柔らかい感じがした。**人間関係の構築においては、対面のほうが早い**と思う。対面会議後にも上司とオンライン会議をしているが、様子は以前と変わらず、対面よりも時間がかかる。形式にもよるが、対面の場合は、説明の言葉に詰まれば、周りに聞くことができ、周りも合いの手が入れやすく、フォローが簡単である。**オンライン会議はプレゼンテーションのような一方通行、対面はディスカッションや会話のような形になるというイメージを持っている**。」

オンライン会議は手軽に、しかも頻度高く開催することができる利便性があります。どちらかというと、双方向のコミュニケーションを取るというよりも、一方通行のコミュニケーションが向いているようです。

オンライン会議で重要視されるものとして、「端的な説明」と「不明点都度確認」が上位に来ることに触れました。複雑な議論をするというよりも、小さなトピックに絞り込んで説明、プレゼンして相手に伝達するという使い方のほうが向いていると言えるでしょう。次のように話される方がいました。

> 「インドのサプライヤーとのやり取りは、国民性や文化性もあり、メールをしても返ってくることは少なく、やはり**電話やテレビ会議など、直接的なコミュニケーションが必要**な場合が多い。あるいは、3つ質問してもひとつしか返ってこないことも多い。したがってそうした必然性がコミュニケーションの量を増やしたように思う。**確認事項のレベルであれば努めて直接電話**するようにしている。テレビ会議を設定するほどではなく、**テレビ会議は週1回程度定期的に行っている**。」

> 「海外とのやり取りは、コロナ禍以前はメールが多かったが、コロナ禍以降はテクノロジーやツールが整備されたため、主にはチャットを使用している。チャットの身近さ、直接連絡の取りやすさを実感している。チャットでのやり取りをきっかけに、**より理解を深める段階になれば、オンライン会議に移行してコミュニケーションを取る**といった流れを取っている。テキストのやり取りから、すぐに会議に移行できることは業務遂行にとって有用である。」

オンライン会議は、メール、チャット、電話での往復を経て、情報が蓄積してきたときに、本格会議の一歩手前のツールとして使われている様子が見えてきます。相手の顔を見ながら、端的に説明をして、不明な点をその場で確認するのには非常に有効ということです。

チャットはメールよりも即時性が強い動的言語に近いものです。アンケート調査によると、6割を超える人たちが使用率0%でしたので、まだまだ普及していません。「チャットはテンポよく反応しなければいけない、またチャットならではの気軽な言い回しが求められたので、はじめは英語でやり取りすることは難しかった」とインタビューで話す方もいて、利用できるまでに一定のハードルがあります。しかし、メールよりも即時性が高く、手軽に使用できることから今後ますます普及していくメディアのひとつでしょう。

文字起こし機能を使った情報収集

オンライン会議は、手軽に開催できるだけでなく、そのメリットとして記録性に優れているということが挙げられます。レコーディングができますし、音声認識の技術革新により、マイクを通した話し言葉は次々と文字に起こすことができます。文字として起こすことができれば、今度は機械翻訳技術の発達により、瞬時で翻訳することも可能になります。活用事例としては、次のような話がありました。

> 「現在は1対1のオンライン面談が多い。**レコーディングが可能なオンライン面談については、その場で文字起こしも同時に行われるが、発音が悪くなければスピーディーに正確に書き起こされる**。一方、対面では書き起こしができないので、事前に多くの情報を読み込んで対応するという従来型のやり方が必要になる……特に大勢が参加している国際会議では、後で何を言っていたかを思い出せないため、文字起こしが有効である。**文字起こしの情報をもとに、参加者が何を述べていたかを確認する**。これらのツールはとても大切で、**今の精度に鑑みると、近い未来には文字起こしから機械翻訳になると思う。日本語で書いてあれば、頭に入るスピードがまったく異なる**。精度が高いサマリーを作るツールが出てくれば、それも有用であると思う……現在は、大量に集まる情報を目的に合わせて処理することに付加価値があると思う。今後は情報を処理したうえでどう洗練させていくか、付加価値の部分の仕事になっていく過程で、デジタルツールがより使われると思う。」

この方は、こうしたデジタル技術の進展による計り知れない利便性を考えると、情報漏洩などのリスクを回避する形で導入されていくべきであると話していました。

手軽な参加による人材育成

第1章の成長要因、第3章の座談会では、多種多様な英語に触れる実体験の重要性が語られています。オンライン会議は、どこからも参加することが容易であるという利便性を生かして、英語に触れる体験の場を生み出し、人材育成が行われるツールとしても活用できるでしょう。

> 「コロナ以前の研修はほとんど対面で行われていた。**コロナ以降は研修やセミナーをオンラインで数多くやるようになった**。そのひとつが、日本だけでなく**海外拠点からも参加する多国籍のメンバーが受講者**であるセミナー。日本人と外国人を交えた対面での研修経験がないので比較はできないが、オンライン研修については、利用者からポジティブなフィードバックが多かった。移動時間や経費がいらないなどのロジスティクスの利便性や、働くお父さん・お母さんが参加しやすくなったという利点もある。仕事にかかわるミーティングをオンラインで実施する機会がかなり増えたため、研修もオンラインで行い、**オンラインでのコミュニケーションスキルを学ぶほうが実利性は高かった……オンラインだから研修効果が下がることはない**と思う……研修から2か月空けてフォローアップセッションを行う取り組みをした。2か月の間に**日本人と外国人がペアで行う宿題を課した結果、絆が強くなった様子**が見られた。」

大学教育の現場でも、フィリピンのオンライン英会話を活用する事例が増えています。企業の現場でも、出張することなしにオンライン参加できると、日本では必ずしも簡単には確保できないダイバーシティ環境ができます。

この方は、研修が主な業務内容でしたが、オンライン研修でも立派に成果を上げられることを強調されていました。もちろん、オンライン会議そのものを人材育成に使えるという指摘もありました。

> 「オンライン会議のポジティブな面は、会議の参加を通して**場慣れの経験を簡単に積むことができ、**その経験を生かして、実際の海外出張が随分と楽になることだと思う。」

会議アプリの使用頻度が「81% ～ 100%」の方々の実に2割が、英語の会議で果たす役割は「参加のみ」です。もちろん上司が会議の様子を見るということもあると思いますが、人材育成の観点から、その様子を若手に見せる場として活用している事例はあるのではないでしょうか。

オンライン会議の特性と、オンライン会議ならではの使い方について見てきました。その使い方や、広く一般に普及している様子を見ると、今後さらに独特な使用方法が誕生していくことを予感させる調査結果でした。

次からは、コミュニケーションの観点から、オンライン会議のコミュニケーションについて見ていきたいと思います。

6 オンライン会議のコミュニケーション、その実態

オンライン会議の周辺事情や、オンライン会議で起きている状況から離れて、オンライン会議で行われるビジネスコミュニケーションに焦点を当てたいと思います。

本章－4節では、会議で果たしている「司会進行」、「定型説明・質問応答」、「質問応答のみ」という役割別に、どのような会議目的、会議場面、心理的要因に困難を感じているかを示しました［図表14］。

ここでは、会議にかかわるスキル別の困難を見たいと思います。［図表15］は、会議アプリの使用頻度が「81% ～ 100%」の高頻度使用者に限定し、オンライン会議に困難を3割程度感じているスキルを「レレ」、やり取りされている内容の理解に関連するスキルのうち、オンライン会議に困難を2割程度感じているスキルを「レ」で表記し、会議で果たしている役割別に示したものです。

オンライン会議においては、会議で果たす役割には関係なく、まず、細かなニュアンスまで正確に聞き取って伝えることに3割程度の人が困難を感じている様子がわかります。細かなニュアンスのレベルでやり取りすることは対面会議においても難しいですが、3割程度の人がオンライン会議のほうを一層困難としている点には着目したいと思います。

(n＝517)

	司会進行	定型説明・質問応答	質問応答のみ
ニュアンス理解	レレ	レレ	レレ
ニュアンス伝達	レレ	レレ	レレ
報告を聞き取る	レ	レ	レ
不明点確認	レ	レ	レ
細部説明理解	レ	レ	レ

（レ点は困難割合が3割程度ある項目）

［図表15］会議で果たす役割別オンライン会議の困難

また、「報告を聞き取る」、「不明点を確認する」、「細部の説明を理解する」という会議では大前提となるような基本的なことについて、2割程度の人がオンライン会議において困難を感じているというのは、決して見逃すことのできない結果ではないでしょうか。

オンライン会議では、入念な資料が準備されたり、端的な説明がされたりするなどして、会議は短い時間で終わる傾向があるようですが、このデータから、オンライン会議に参加している人のなかには、会議で果たしている役割とは関係なく、その場で議論されている内容を正確に理解することに困難を感じている人が一定数いるということを踏まえておくことが大切です。

次は、オンライン会議の高頻度使用者に限定せず、対象を広げて全回答者の結果を見ていきます。すると、「会議の形態にかかわらず困難を感じている（常に困難）」、「オンライン会議で困難を感じている（オンライン困難）」、「困難を感じてない（困難なし）」の割合は、［図表16］のようになりました。

(n＝921)

	困難なし	オンライン困難	常に困難
ニュアンス理解	7.1%	26.1%	32.9%
ニュアンス伝達	6.0%	26.3%	33.8%
報告を聞き取る	16.9%	21.4%	18.9%
不明点確認	16.9%	19.0%	20.6%
細部説明理解	10.5%	19.1%	32.4%

［図表16］会議の特定スキルに関する困難度合い

ニュアンスについて困難を感じていないという人は、ニュアンスの理解に関してはわずか7.1%、伝達に関してはさらに低い6.0%しかいません。要は、ニュアンスの理解や伝達で「問題ない」レベルというのは相当にハードルが高いことがわかります。

アンケート調査では、英語のコミュニケーション形態について、コロナ禍の前後でどのような頻度変化があったかを尋ねています。すると、結果は以下のようになりました［図表17］。

(n＝2,686)

英語業務形態	減った	やや減った	変わらない	やや増えた	増えた	合計
会議【オンライン】	54	15	333	318	758	1478
プレゼンテーション【オンライン】	16	8	157	165	410	756
オンラインチャット	14	12	396	225	273	920
交渉【オンライン】	13	8	115	101	230	467
Eメール	96	46	1400	313	237	2092
プレゼンテーション資料	43	28	804	154	109	1138
報告書	36	17	692	73	59	877
ビジネスレター	45	33	537	82	54	751
企画書	13	12	299	37	31	392
仕様書	29	16	562	51	36	694
操作マニュアル	26	18	505	55	29	633
論文	13	12	305	25	19	374
カタログ	11	5	214	20	13	263
広告文	11	5	98	12	11	137
（聞く・話す）その他	23	3	203	12	8	249
ファックス	25	2	58	4	2	91
（読む・書く）その他	40	19	173	12	8	252
電話（音声のみ）	152	74	557	106	91	980
パーティー等のイベント	302	41	61	5	3	412
交渉【対面】	318	80	126	13	9	546
プレゼンテーション【対面】	433	85	110	11	16	655
会議【対面】	718	117	192	18	29	1074

［図表17］コロナ禍前後におけるコミュニケーションの形態別頻度増減一覧

このデータを見ると、コロナ前後で変わったのは、対面会議とオンラン会議の回数ですが、大多数の英語使用形態は変化がありませんでした。ただし、会議以外の形態に着目すると、Eメールとチャットが増えています。

オンライン会議の場合、細かなニュアンスがわからないと、上手くカットインして質疑することが難しい状況です。わからないところが残った場合、会議の終了後に、メールやチャットで先方に問い合わせている、ということが起きているのでしょう。

これは、事実、本章－4節で様々な事例を引用して示したとおり、インタビュー調査で、実際に電話やチャットに関する事例が多く出てきています。

だからこそ、会議では、相手がわかる端的な説明が重要事項となり、それを補助する会議資料の作成が会議の成否を握るということになるのではないでしょうか。可能であれば、重要事項で指摘のあった、その場で質疑して事実確認をするのが理想的であると言えます。

ポイントとなるのは、会議で細部を理解して、その場で質疑さえできる英語力がどの程度必要なのか、ということになります。このような層は一体どのくらいの英語力を有しているのかに興味が惹かれます。他のアンケート調査項目についてももう少し調べてみましょう。

先ほどの会議における困難な項目について、①聞く、②話す、③やり取り、④心理に項目を再分類し、これらについて、1）対面会議とオンライン会議の形態にかかわらず難しいとは思わない（困難なし）、2）オンライン会議の形態のほうが（やや）難しいと思う（オンライン困難）、3）対面会議とオンライン会議の形態にかかわらず難しい（常に困難）、以上の3群に分けて、そのTOEIC L&Rスコアの各グループにおける平均点を導き出してみました。その結果、以下のようにはっきりと分かれる結果となりました［図表18］。

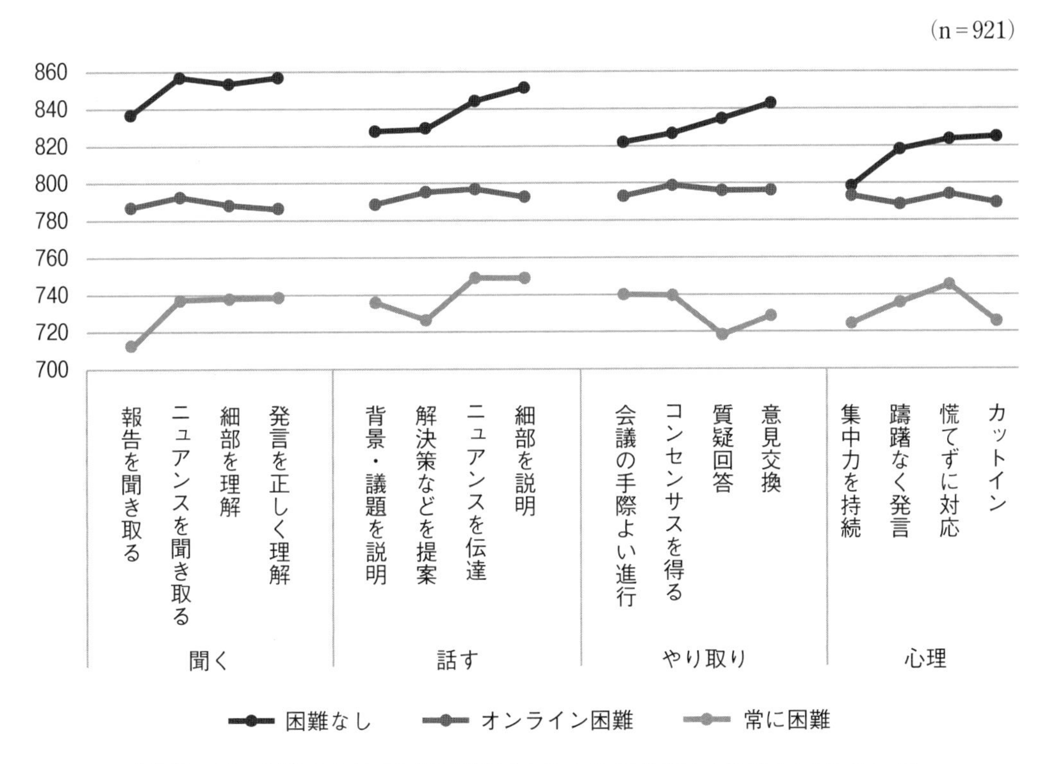

［図表18］会議で生じる困難を軽減するために必要なTOEIC L&Rスコア

「困難なし」と捉えるグループの聞く、話す、やり取りについては、「オンライン困難」と捉えるグループよりもTOEIC L&R平均スコアで30点～70点も差をつけていることがわかりました。「オンライン困難」と捉える人たちについて、各項目のTOEIC L&R平均スコアの範囲はおよそ790点～800点と高得点と言えますが、そのレベルでも、相手の顔が見えにくくて言語力がものを言うオンライン会議の場合は、英語力の差が出てしまい、細部が聞き取れないということが起きていることがわかります。

傾向として、話すことよりも聞くことのほうが求められるスコアが高く、心理面では「困難なし」、「オンライン困難」では他の困難項目と比べてあまり差がついていません。

このアンケート調査における回答者のTOEIC L&R平均スコアは727点と非常に高いレベルですが、オンライン会議において、ひととおり理解してやり取りするには、少なくとも800点近い英語力が求められる可能性があり、細部やニュアンスまでおさえたやり取りとなると、それ以上の英語力が必要となりそうです。スコアが800点に満たない状態で、英語以外の手段が削ぎ落とされやすいオンライン会議に出席する場合は困難が生じ、また、スコアが700点程度になると、会議の形態に関係なく困難に直面する可能性が示唆されます。

会議では、的確な資料を用意して会議に臨み、音声に配慮しながら端的な説明をすることが大事です。しかし、相手の情報を的確に聞き取り、細部まで理解する、あるいは、理解できなかったとしてもその場で質疑しながら事実確認をする、となると、英語力がかなり効いてきます。この段階でTOEIC L&Rが800点を超える実力がないと、様々な困難が生じ始めるということが言えそうです。

まとめ

早々と海外に進出し、国外に拠点を築いてきた企業では、早くからテレカンが行われていましたが、その後、インターネット技術、機器の発達・進化により、オンライン会議が使われるようになりました。そしてCOVID-19の出現が、この変化を加速させました。ZoomやGoogle Meet、Microsoft Teams、Webexなどのオンライン会議ツールが飛躍的に普及し、この新しい環境に迅速に適応する必要が出てきました。オンライン会議は、一時の流行というよりも、機械翻訳以上に定着しつつあるビジネスツールです。

この節では、まず、オンライン会議と対面会議の共通点と相違点を見たうえで、インタビュー調査で得られた数々の話からオンライン会議の特性を見てきました。

オンライン会議では、1）会議の内外で得られるはずの情報が限定されてしまう、2）ビジネス目的に向かって効率よく話が進む一方で話が広がらない、3）信頼関係を新たに築く、新たな交渉や施策をスタートさせるなど初めてのことが困難になるなど、どちらかというとネガティブな特徴がありました。しかし、オンライン会議は、対面会議と棲み分けをして、比較的単純なやり取りで済む議題に集中させる、記録性を生かして効率的に情報を収集する、会議開催や参加の手軽さを生かして人材育成を行う機会とする、など非常に可能性のあるツールであることも見てきました。

オンライン会議のコミュニケーションの特徴として、ニュアンスや細部の理解や伝達が難しいため、それを補うための工夫が必要となります。そのために、メールやチャットなどで都度確認するといったことが行われていることを示しました。また、これらの困難を軽減するために、より高度な英語力、TOEIC L&Rのスコアに置き換えれば800点を超える英語力が必要になる可能性も示してきました。

次の節では、本章のタイトルに立ち返り、「テクノロジーの普及と新たに出現した困難とは」という疑問について、第1章で示した英語の成長要因とも絡めて、これまでの議論を整理したいと思います。

7 新しいテクノロジーの普及と英語成長要因との関連性

「テクノロジーの普及と新たに出現した困難とは」という本章のタイトルに対する答えは、端的に言えば、「英語の実力がなければツールを使いこなすのは難しい」ということであり、対応策としては、冒頭ですでに示したとおり、「業務で使う英語については、時間をかけてコツコツと英語力を磨いておくべきである」ということです。

本章では、テクノロジーのなかでもとりわけ影響が大きく、アンケート調査でも関心の度合いが強かった機械翻訳とオンライン会議に焦点を当てて見てきました。これらの新たなツールは、便利だからそのまま利用するというものではなく、その特性を正確に捉えて使用しなければならいないことを指摘しました。英語業務において、機械翻訳とオンライン会議を使いこなすためには、高度な英語力が必要とされるということです。

専門性の高い、複雑な内容、社外に出す公式なドキュメントについては機械翻訳がまだまだ使用できる段階にはなく、現段階では、大量の英語情報を効率的に扱うための便利なツール、理解できない内容や正確さを確認するための補助的なツールです。

オンライン会議は、人間関係が構築され、ある程度お互いに事情を知り合っている段階で、プレゼンや単純な情報交換、確認しながら理解度を深めるためには非常に便利ですが、複雑なやり取りには不向きです。

要するに、テクノロジーは、複雑な内容について取り扱うことは難しく、単純なやり取りに向いている、とまとめることができます。

ジュニアのビジネスコミュニケーション

第1章で、英語の成長要因を論じる際にも、この「単純なやり取り」、「複雑な内容」が話題となりました。ジュニアの段階では、ステークホルダーの数が少なく、単純なやり取りの繰り返しで業務が成立しました。新規のことを立ち上げるというよりも、すでに関係が構築されているものや開始されている業務の一部を担うというのがジュニアの段階です。

そのため、高度な英語力がなくても、単純で定型的なやり取りを往復させることで業務を遂行することができます。実は、このジュニアの段階で使用する英語は、テクノロジーとの親和性が高く、その業務内容は簡単に機械翻訳やオンライン会議に乗りやすいと言えます。機械翻訳が日進月歩の現在、テクノロジーは、ある意味、機械翻訳や周辺のツールを組み合わせることで、ジュニア段階での英語業務はこなせてしまうところまで進化しました。

このジュニアの段階のコミュニケーションの様子を図で表すと、以下のようになります［図表19］。

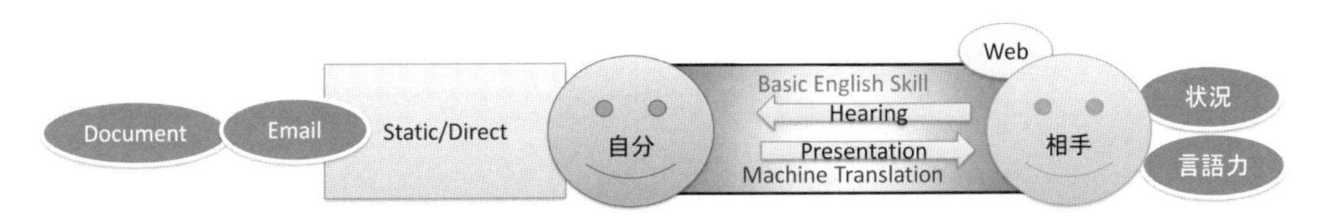

［図表19］ジュニア段階のビジネスコミュニケーション

ジュニアのビジネスコミュニケーションは、主に部署内の人間を相手とするシーンにおいて考えられます。具体的には、プレゼンテーション、Eメールのやり取り、ドキュメントの共有など、即時性が求められる場面が少ないものが中心となります。そのため、このレベルでの英語は、静的（Static）で直接的（Direct）なものとなっており、機械翻訳（Machine translation）のようなテクノロジーがもっとも効果を発揮すると言っても過言ではありません。実際に求められる英語の能力は、CEFRのAレベル程度でも十分かもしれません。

ここでは、会議を例に考えてみましょう。このレベルの会議では、議論や交渉が中心となることは少なく、決定事項の伝達が主となります。そのため、Webベースのオンライン会議でも、表情や熱量を直接感じることが難しいというデメリットは少ないと言えます。

実際、オンライン会議の利便性を考えれば、むしろ利点のほうが多いとも考えられます。コミュニケーションがスムーズに行われるための秘訣は、相手の業務状況や言語能力を正確に把握することにあると言えます。

そのうえで、相手の発話がクリアであるか、訛りがあるかなどをしっかりと捉えることが大切となります。ビジネスパーソンが抱える「聞こえない」という課題の多くは、基本的な英語力の不足に起因していることが多いため、CEFR A1 ～ B1の基本的な英語力（Basic English skill）はしっかり身に付けておきたい段階です。

シニアのビジネスコミュニケーション

次のシニアの段階になると、英語業務で果たすべき役割は急激に増大します。コミュニケーションを取る相手は多くなり、Yes or Noで済む技術的な課題よりも、複雑で調整が必要な適応課題が多くなります。定型的な説明だけでなく、相手の意図や事情を汲み取りながらのコミュニケーションが求められます。

ジュニアでは、準備に時間をかけることができる英語が使われますが、シニアの段階では、即時性の強いやり取りが中心になります。図で表すと、以下のようになります［図表20］。

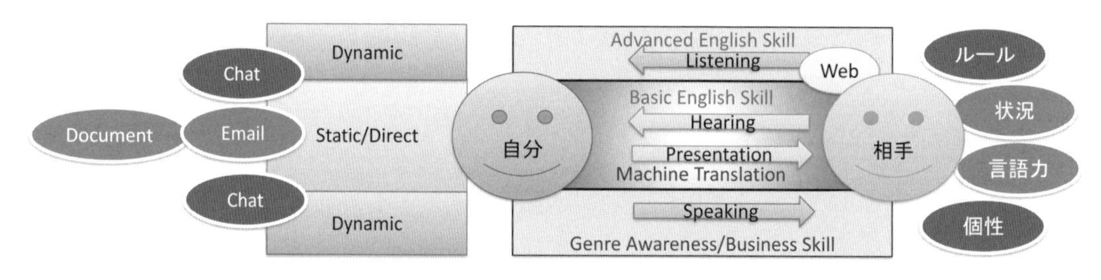

［図表20］シニアの段階のビジネスコミュニケーション

シニアの段階でのビジネスコミュニケーションは、社外や取引先の人間との関係性を中心に考えられます。この際、相手とのパワーバランスは必ずしも自身が有利であるとは限らず、場面によっては下位となることも想定されます。

このレベルでの英語は、前のレベルよりも動的（Dynamic）であり、瞬時の、あるいは自発的な対応が必要とされることが増えてきます。そのため、相手側とのコミュニケーションを円滑に進めるためには、高度な英語力が求められます。特に、スピーキングの際には、担当業務の知識や経験をもとにした相手とのコミュニケーションを重ねるなかで形成され、自然と身につくパターン（型、ジャンル。詳しくは付章を参照）が不可欠となります。

さらに、このレベルのコミュニケーションには、協議や交渉の要素が増えてきます。このため、単なるWebベースのコミュニケーションだけでは、多くの問題を解決するのは難しく、その不足を補うために、リアルタイムのチャットツールの活用などが考えられます。

また、相手の業務状況や言語力を理解するだけでなく、企業や業務固有のルール、さらには相手の個性をしっかりと捉えることが重要となってきます。これらの要素を掌握し、適切にコミュニケーションを行うことで初めて社外との相互理解を築くことができるのです。もちろん、これらの要素をすべて網羅している状態であれば、Webベースのコミュニケーションでも十分に対応可能です。しかしそうでない場合には、対面でのやり取りが必要となることもあるでしょう。

「聞こえない」という問題が生じる原因は、動的なコミュニケーションが求められるなかでの反応速度の不足にあることが多いと考えられます。議論の流れに沿った即時性のある、かつ非常に高度な英語力が求められます。CEFR B2～C2という上級レベルの英語力（Advanced English skill）がないと、会議などにおいてはコミュニケーションが困難になることが示唆されます。

エグゼクティブのビジネスコミュニケーション

最後に、エグゼクティブ段階での英語業務について見ていきます。このレベルでは、人間関係を構築するためのコミュニケーションが一層求められることになります。図で表すと、以下のようになります［図表21］。

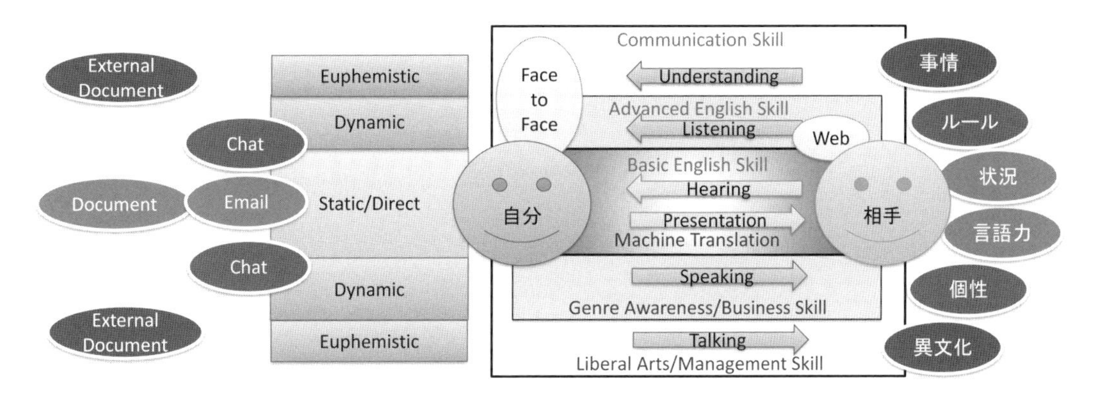

［図表21］エグゼクティブの段階のビジネスコミュニケーション

エグゼクティブの段階のビジネスコミュニケーションは、経営層などの上位レイヤーでのやり取りを中心に考えられます。このレベルでの英語は、単なる明瞭さや直接性だけでなく、婉曲的な表現が多く取り入れられるため、言葉そのものの意味だけでなく、その背後に潜むニュアンスや言外の意味を捉える能力が不可欠となります。

単に「言葉が聞き取れた」というレベルを超えて、相手側の特別な事情や背景を斟酌することが求められます。そのため、相手の表情や言葉のニュアンス、さらには声の音色までをも読み取る必要があり、Webベースのコミュニケーションだけでは不十分となることが多くなります。実際、このレベルでは、対面でのやり取りがもっとも効果的とされています。

そのうえで、リスニング力が足りなくて「聞こえない」というよりも、「相手の意図を正確に読み取ることができない」という高度な課題が浮かび上がってきます。英語力そのものよりも、相手の文化や宗教事情などを踏まえたうえで、幅広い教養（Liberal Arts）や知識をもとにしたコミュニケーションが求められます。これには、ビジネスミーティングだけでなく、非公式な会食や雑談の場面でのスキルも含まれます。

文書のやり取りにおいても、大部分が外部向けとなるため、それが外部の目に触れても問題ないような、かつ、ステークホルダーの思惑を反映した内容であることが必要です。そのため、これもまた、相手側の文化や事情への深い理解が不可欠です。

ビジネスコミュニケーションにおいて、英語力がもっとも影響を及ぼすのはBレベルまでで、Cレベルになると、英語力よりも他のコミュニケーション能力が重要となってきます。極端に言えば、幅広い知識や教養、そして相手の背景や事情を正確に読み取る能力があれば、英語力がそれほど高くなくても、ビジネス目的を果たすことができるでしょう。

8 本章のまとめ

最後に、第1章でも触れましたが、ここでもう一度、この新たな困難とは何か、確認しておきたいと思います。

私たちがビジネスの現場での様々なシーンを考慮すると、ジュニアの段階で英語にかかわる業務が容易であると感じ、その結果として英語の学習を放棄してしまうのは、長い目で見ると非常に危険であることが理解できます。

テクノロジーはたしかに利便性が高く、私たちのビジネスコミュニケーションをより迅速に、よりスムーズに、そしてより効率的に進めるための強力なサポートツールとしての役割を果たしています。特に、ジュニアの段階では大いに活用することができます。

しかし、それに甘えてしまうと、CEFR B1～B2に立ちはだかる壁を乗り越えることはできなくなります。過度なテクノロジーへの依存こそが新たな困難を呼び込むことになります。テクノロジーの導入や利用にあたっては、それぞれのテクノロジーの持つ特性や長所、そして短所を正確に把握し、それを最大限に活用する知恵を持つことが求められているのです。楽な方法を求めるのではなく、日常の英語業務のなかで英語を学び続けるという姿勢が、結果的にはシニア段階やエグゼクティブ段階で生きてくるはずです。

第3章　座談会

「ビジネスにおける英語コミュニケーション：その現状と成長の糸口」について

—2023年6月25日（日） IIBCにて—

左から、槌谷氏、宮田氏、寺内氏、中原氏、内藤氏。

［座談会メンバー］

●座長：寺内 一（てらうち はじめ）JACET特別顧問／高千穂大学 学長

●司会：内藤 永（ないとう ひさし）北海学園大学 教授

●話者：※五十音順

槌谷 和義（つちや かずよし）

東海大学工学部 教授。様々な研究開発プロジェクトに携わる。日本で大学院まで進み、イギリスの大学で学位取得。工学系の学生に英語を使った専門研究の指導を行う。

中原 正徳（なかはら まさのり）

シスコシステムズ合同会社勤務。マネジメント業務に従事。日本の大学を卒業、アメリカにてMBA取得後US Cisco Systems Inc. 入社。全国通訳案内士。

宮田 勝正（みやた かつまさ）

ニュータニックス・ジャパン合同会社勤務。マネジメント業務に従事。イギリスの高校、大学、大学院を卒業。イギリス、シンガポールでの海外勤務経験を持つ。

グローバルなビジネスの舞台で活躍するシニア、エグゼクティブの英語コミュニケーションは、どのような特性があり、また挑戦がなされているのでしょうか。本章では、専門家たちの座談会を通じて、ビジネスにおける英語コミュニケーションの現状と、成長の糸口を探求します。日本人の特性や文化、他国のコミュニケーションパターンとの比較、そして実際のビジネスシーンでの経験やベストプラクティスなど、多角的な視点から議論が展開される座談会となりました。

海外から見た日本人の印象は「シャイで真面目＋英語が苦手？」

- 日本人は詳細な資料を作り、型通りの英語を使うイメージ。
- 日本と異なり、物事を決めるのは「会議のなかで」が海外での常識。
- 日本人の真面目さ、勤勉さ、相手を立てる姿は好印象。

寺内　本日は、産学連携共同研究として、私たちが2022年から取り組んできたプロジェクト「ビジネスコミュニケーションのための英語力」をテーマとした座談会を開催いたします。

ここにいらっしゃる皆さんは、今回のプロジェクトにアドバイザーとしてご参加いただいた方々でもあります。日ごろ、英語教育に携わるものとは異なる視点からのご意見を期待してお呼びいたしました。それでは、よろしくお願いします。

内藤　プロジェクトでは、ビジネスコミュニケーションにおける英語力の調査を実施したわけですが、まずは日本人のビジネスパーソンが立っている、その立ち位置についてうかがいます。皆さんは、**グローバル人材としての日本人の特徴**をどのように捉えていらっしゃいますか。

宮田　私は仕事柄、電話会議や海外出張で外国の方と話す機会が多いほうだと思います。よく「君は日本人なのに英語に慣れているし、すごく上手だよね」と言われるのですが、何が違うのか自分ではわからなくて……なので聞いてみたんです。すると、「日本人はもっとシャイだし、形式ばった英語を話す印象がある」と言われました。

中原　私のなかでは、日本人はグローバルなビジネス会議でほとんど質問をしないな、という印象です。その代わり、会議が終わったあとで個別に質問をしている姿はよく見ます。

なぜ会議中に質問をしないのか考えてみたのですが、日本には「恥を避ける」文化があるからなのかなと。大勢の前で自分の話す英語を聞かれたくない、間違った言葉や文法を使っているのを見られたくない。間違うことを恐れ、避けたがる傾向があるように感じます。

日本では、英語の授業で基本の5文型を学びますよね。自分の英語が合っているかどうかは、5文型に当てはめてみればたいていわかりますし、5文型を守っていれば相手にとってもわかりやすい英語なのは確かです。一方で、少し文法に縛られ過ぎているようにも思います。

実際の会話などでは、前後の文脈から予測して理解していることも多く、語順が違っていたり、知らない単語があったりしても、何を言っているかはわかるものです。

内藤　うかがっていると「日本人＝控えめ」というイメージが強いのかなと思うのですが、海外の方からはよい印象で捉えられていると思いますか。

宮田　ビジネスにおいては、「丁寧で失礼がない、協調性もある、相手を立てながら、その場をうまくまとめてくれる」としてけっこう高く評価されていると思いますよ。

ビジネス会議でも、たいていの日本人はきちんと目的を理解して、事前に勉強をしてきたり、資料をつくってきたりしてくるので、仕事ぶりも認められていると感じます。

中原　日本人のつくるプレゼン資料は、まるで「読みもの」のように細かい印象を受けます。なぜか。これは、日本人にとっての会議は「いいですね、問題ないですね」と合意をとるための場であって、会議で話す内容は事前に資料として配り、当日までにしっかりと読み込んでくるのが常識のようになっているからです。

ところが、アメリカなど海外の方のプレゼン資料はとてもシンプルです。それだけ見ても何を言っているのかわからない。でもそれは、何事も会議のなかで決めることを前提につくられているからです。会議のなかで話し合って、何か質問があればそれに答え、結論まで持っていく。会議に出席しているのにひと言も発しないのであれば、いる意味がないし、結論が出たあとで何を言っても、それがどんなに素晴らしいことであってもノイズになってしまう。日本の会議とは根本的に違います。

ですから、意見があるときには会話に飛び込んでいかなくてはなりません。発音とか、文法の間違いなど気にせず、必要なタイミングでしっかりと発言できる力を身につける必要があると感じます。

植谷　プレゼンの資料は「スカスカがいい」という考え方は、イギリスにもあると思います。私はイギリスで教育を受けているので、それを良しとする価値観はわかります。

ですが私は、学生たちにはあえて情報をたくさん載せるよう指導しています。というのも、日本人は、語学ではやはり相当なハンデがあると思っていますので、できるだけ多くの情報を資料にして与えたほうがいいという発想からです。

具体的に「半年後も、その資料を使ってプレゼンできるくらいの情報を入れておくこと」と伝えています。たいていは半年も経てば忘れてしまうものですから。それだけ詳しくつくれば、相手にもしっかり伝わるだろうと考えてのことでもあります。

そして実際、このように指導すると十分な情報を盛り込んだ資料をつくることができる「真面目さ」や「勤勉さ」を備えている点も、日本人の良さだとも思っています。

内藤　さっそくアカデミックな立場からの「日本人の特徴」が出ましたね。

異なる文化的背景を理解してコミュニケーションを図れるか

- インド人のYESは「やってみます」、日本人のYESは「コミットします」。
- 異文化理解の視点から見ると、実は、日本人は自己主張が強い。
- 場にふさわしい英語を使わないと真意は伝わらない。

内藤 日本以外の国の方たちのイメージについてはどうですか。国によって違うものですか。
宮田 例えばヨーロッパや東南アジアの方々は、もともと英語が話せる人が多いという地域事情もあるとは思いますが、初対面から積極的ですし、自己紹介やコミュニケーションの取り方が上手だなという印象です。
中原 日本では「控えめ」であることを美学と捉える向きがありますが、海外では、聞かれたことについての知識がそれほどなかったとしても「I know！（知っている）」と言うことがありますし、ちょっとでもできることであれば「I can！（できる）」と自信満々で答える方もいます。

日本人が「知っている」「できる」というレベルとは全然違います。このような違いの前提にあるのは、おそらく文化ですよね。

例えばインドの方は、ビジネスの場で「これ、できますか」と聞かれれば、きっと多くが「yes」と答えます。日本人は「プロとして達成できるか」という意味で聞かれていると理解したうえで「yes」か「no」を答えますが、彼らの場合は、「no」とは言いづらい文化での「yes」なんです。こうした文化的背景の影響は、海外の方とのやり取りでは色濃く出てきます。
内藤 中原さんは、日本の英語教育を受けてグローバル企業にお勤めになっています。日本的な思考が定着していたのではないかと想像するのですが、ギャップはありませんでしたか。
中原 たしかに大学までは日本ですが、その後、アメリカに留学してビジネスを学んでいますので、ビジネスでのプレゼンテーションのやり方や話の持っていき方などはアメリカ的な文化の影響のほうが強いです。

なので、文字の多い資料とか、パソコンの画面を見ながら話している方を見ると、「そういうのは良くない」という文化で育っているので、むしろそちらのほうに違和感があります。このような場合、たとえどんなに内容が素晴らしくても、残念ながら話を聞いてくれません。「国際的な舞台で通用する人材」という観点から言えば、もったいないと感じます。
内藤 植谷先生は、研究者として国際会議などに招待されることも多いと思います。そのような場では、日本人はどのように見られているのでしょうか。
植谷 日本人というか、日本がどう見られているかと言えば、「技術を持っている国」と思われているのは確かです。これは、我々の先人が技術を論文や発表というかたちで世界に発信してきてくれたことが礎となったうえでの評価でしょう。

あと、これは私が感じていることですが、海外の方と比べると時間に対してかなりきちっとしているという印象です。そういった真面目な側面も評価されていると感じます。

中原　実は今日、面白い本『CQ経営戦略としての異文化適応力』（宮森千嘉子、宮林隆吉／日本能率協会マネジメントセンター）を持ってきました。これまでIQ（Intelligence Quotient＝知能指数）やEQ（Emotional Intelligence Quotient＝心の知能指数）の高い人＝優秀とされてきましたが、グローバル化が進み、様々な国の人たちと仕事をする機会も多くなり、私の勤め先では、新たな概念であるCQ（Cultural Intelligence Quotient＝文化の知能指数）に強い関心を寄せています。

CQとは、簡単に言うと、国や民族によって異なる文化を理解して上手にコミュニケーションを取る能力がどの程度かを表すもので、どんなに英語を流暢に話せても、異文化への理解がなければ相手からは受け入れられないと言っているわけです。

ちなみに、この本のなかで色々な国の文化的規範や慣習を分析しているのですが、日本人についての分析はかなり興味深いものでした。先ほど「日本人はシャイ」という話が出ましたが、文化的数値で見ると、「自己主張」は「けっこう強い」と分析されているのです。要は、英語力に自信がないから発言していないだけで、決してシャイなわけではないのではないかと。逆に言えば、英語が喋れればもっと前に出てくるのかなと、そんな風に思いました。

椬谷　ちょっとわかる気がします。私のなかでは、「日本人はシャイ」というより、「日本人って、逞しい」と思うような出来事を経験しているので。

イギリスに留学していたときのことです。日本から当時50代の偉い先生が、留学先の大学を訪ねてきたことがあったのですが、彼の話す英語がすべて文語調といいますか、いわば論文で書いたまま話されていて、とても驚いてしまったことがあるんですね。

ですが、と同時に、何とかして伝えようとしている、その気持ちの強さみたいなものも感じて、「日本人って案外逞しい」と思ったことを覚えています。

宮田　その先生は、ご自分が書いた論文を丸暗記してでも伝えようとしたわけですね。

でも、その英語は、論文としては適切でも、コミュニケーションの場では一方向性が強いといった可能性があり、おそらく十分には伝わらなかっただろうと推測します。きっとスピーチのあとで質問もあったと思いますが、対応が難しかったのではないでしょうか。

寺内　書き言葉としては正しくても、そのまま話すと難しい単語ばかりが並んでしまって、難解で通じにくい英語になってしまうことはよくあることですからね。

中原　専門家の集まりでは専門用語中心の会話となるので、多少堅苦しい表現であっても言いたいことはなんとなく通じます。ですが、一般的な会話になればなるほど、文化の違いによって通じるもの、通じないものが出てきます。場合によっては、相手のレベルや文化的背景を考慮した表現で言い換えるなど、英語力以外の何か、プラスαの力が必要になってくるわけです。

椬谷　そうですね。当時のその先生のように、論文をそのまま話すようなことはないとしても、日本人の話す英語は真面目すぎて伝わりにくいと感じることはよくあります。

ですから、日本人らしさをわかってくれて、「こういうことを言いたいのだと思いますよ」と言い換えながら伝えてくれる、カウンターパートのような存在がいてくれれば、もっと深いディスカッションも可能となるかもしれませんね。

中原　アメリカだと、たいていの会議にファシリテーターといって「今、あなたが言ったことは、こういう意味で合っていますか」と確認を取りながら言い換えたり、言い直したりしてくれる役回りの人がいるので、ネイティブ以外の方も安心して会議に参加しています。

ですが、たまにファシリテーターを通さず、発言者に向かって直接「はっ？」と聞き返したり、「ごめん、まったくわかんないよ」と言ってきたりする人もいて、そんな風にきつく言われると、日本側の発言者は顔を真っ赤にして何も話せなくなってしまうといったこともありますね。

内藤　宮田さんは、日本人の話す英語を、さらに通訳するようなこともあると思うのですが。

宮田　よくあります。決して間違った英語というわけではありません。ただ、意味としては合っていても、実際のコミュニケーションの場ではあまり使わない表現が多いなど、結果として、相手にとってはわかりづらくなってしまい、こちらの意図が伝わらないことがあります。

学校教育でスピーキングの機会を多く持たず、OJT（On the Job Training）による現場の英語を身につけていない状態でグローバルの場に出た場合、コミュニケーションが成立しないということが起きてしまうのかもしれません。

内藤　なるほど、ビジネスで英語を使う方々は、学校教育で学んできた英語をビジネスの現場で伝わる英語に置き換えていく必要がありそうですね。

留学先での人生最大の危機的状況を英語でサバイブ！～中原氏の転換点～

- ルームメイトとのトラブルがブレイクスルーに。
- 5W1H の何が尋ねられているか、そこだけは聞き取りたい。
- 日本人が英語の発音に苦労するのはトレーニングを受けるチャンスが少ないから。

内藤　グローバルの最前線に立つまでの体験は人によって違うと思いますが、何かしら**転換点（ブレイクスルー）となるような出来事**があったと想像します。いかがでしょうか。

中原　アメリカに留学していたときの話です。アメリカ人で、地元の職業学校で勉強をしていた寮のルームメイトが、ある時、デートでどうしても車を使いたいのだが、免許証を無くしてしまったので借りてきてほしい、と私に頼んできたことがあったんです。人のいい日本人ならやってくれると思ったのでしょうね。私も、お金を払ってくれるのなら、と軽い気持ちで引き受けてしまったのですが……。

その彼が車で出かけたまま2日経っても帰って来ない。もう大騒ぎですよ。内心焦りながらも、まずはレンタカー会社に電話して、つたない英語で必死に状況を伝えましたが、契約上のトラブルですから専門用語が多かったこともあり、海外で生活を始めたばかりの私には、ほとんどわけがわからなかった。このままではダメだと、途中からはすべてのスクリプトを紙に書いて、こういう質問をして、こういう答えが返ってきたら、次はこう返す、と準備をしてのぞみました。

さらに2日経っても帰ってこない。いよいよ学校や警察にも連絡して事情を説明したのですが、「また貸しをしたお前が悪い」と言われ、このまま留学が続けられなくなってしまうのではないかと怖くてたまらなかったことを思い出します。

今思えばですが、この経験が転換点になったと感じています。留学して英語の勉強をするというと、金銭的にも、精神的にも余裕のあることが多いと思います。ですが、私の場合は、このとき人生が変わってしまうほどにギリギリの局面に追い込まれたことで、何とかして相手の言っていることを理解しようと必死にならざるを得なくなり、そのおかげで何を聞かれているのかがわかるようになっていったと思っています。

内藤　自分の留学生活が終わりかねないとなれば、正確に聞き取って状況をつかまないことには相手の質問に答えることすらできない。そこまで追い込まれて、結果として底力が発揮されたわけですね。まさに危機管理のなかで培われたSurvival英語ですね（笑）

中原　こんな経験はしなくていい苦労だとは思いますけれども、そのときに思ったのは、リスニング力の大切さでした。相手の言っていることがわかるか、もしわからないなら「わからない」とちゃんと言えるようにしておくだけでも、会話や交渉は成り立ちますからね。

そもそも留学前はほとんど英語を話せず、英検は2級がやっと、TOEFL（PBT＝Paper Based Testing、スコアレンジ：310～677点）は420点くらい。大学院どころか、どの大学も無理と言われていたような英語力でしたから、まずは、最初にくる単語を聞き逃さないようにしようと意識しました。英語は、前から後ろに行けば行くほど余計な言葉、修飾語とか、補語とかになっていくものなので、最初の言葉にフォーカスしなくてはいけないと、実感としてわかってきたのです。

特に、5W1HのWhat、Which、Where、When、Who、Howを聞き取れないまま会話が進んでしまうと、残りの単語がすべて聞き取れても、その質問には絶対に答えられない。逆に言えば、5W1Hを聞き取ると、続いて何を言われるかが想像できるようになって、少しずつ相手の言っていることがわかるようになっていったように記憶しています。

内藤　英語を聞き取る力を鍛えるためにやって良かったことはありますか。

中原　映画が好きだったので、とにかく耳のトレーニングと思って、ひたすらキャプション（付き）で観ました。その努力が実ったのか、身振りや表情が一切使えない電話はずっと苦手でしたが、ある時、劇的にわかるようになって、耳の力がついたことを実感しました。

余談ですが、英語が聞き取れるようになってからは、発音に対しても敏感になって、もっと上手になりたいと思うようにもなりました。

よく日本人は「L」と「R」の区別ができないと言われますが、これが日本人固有のことかと言うと、すこし違うと思っています。アメリカの大学で英語の教員を目指す人には履習科目として言語障がい者のためのトレーニングプログラムを学ぶクラスがあります。留学生でも受講できたので履修したのですが、痛感したのは「M」、「N」、「P」の発音がことのほか難しいということでした。「M」は唇をいったん合わせてから広げる、「P」は唇ではじく――日本語はあまり口を動かさないようにして話す言語ですから、日本人は苦手だろうなという印象です。

あとは「i」の発音です。日本語には母音の「ア・イ・ウ・エ・オ」があるので、「i」＝「イ」だと思いがちですが、アメリカ英語の場合、「him」の「i」は「イ」と「エ」の間、どちらかと言うと「エ」に近い発音になります。このように、アメリカ人であっても英語の発音を学び、練習する機会があります。つまり、日本人もしっかりとトレーニングをすることで、発音の困難を克服できる可能性が十分あるということです。

内藤　聞こえ方にしても、話し方にしても、グローバルの最前線に立つためには、すべての面で解像度を上げていかないと厳しいということがよくわかりました。

OJTが学び場、生の英語の「音と流れ」を丸ごと習得！～宮田氏の転換点～

- 生の英語に触れる場である仕事の現場が常に学びの場。
- 英語が正しいか正しくないかよりも、ビジネス目的を果たせるかどうか。
- 相手にとって何が大切かを理解しながら対話することが重要。

寺内　宮田さんは帰国子女なので、日本に帰ってきて仕事をするようになって、「あれ？」と気づくこともあったのではないかと思うのですが。

宮田　私の場合、自分の英語が正しいかどうかはいまだによくわかりませんが、ほとんどがOJTで身につけた英語です。基礎を習う前に海外に出てしまったので初めのうちは無我夢中でした。何を言っているかわからないから聞いたまま文字に書き起こしたり、何も話せないから原稿を用意したり。できることをとことんやりました。そうやって試行錯誤しながら学んでいったようなものです。

日本に戻ってきて外資系の会社に勤めるようになってからも、基本的にやっていることは同じなので、私の転換点は、常に現場にあったと言えるかもしれません。

いろんな現場で生の英語に触れて、正しい文法も、正しい語順もわかっていなかったけれど、ネイティブの方が話す英語の「音と流れ」を丸ごと覚えて、それをそのまま使うようにしていました。そうすることで会話はできるようになっていったのだと思います。

内藤　正しい英語というより、使える英語を身につけていった、そんなイメージでしょうか。

宮田　そうですね。ビジネスという環境では、プレゼンにしろ、会議にしろ、何かしらの目的を達成するためにやっているものなので、英語ができる・できないは重要ではありませんでした。もちろん、英語ができればプラスαにはなるとは思いますが。

内藤　大学、ジュニア、シニアと英語レベルが上がっていくわけですけど、それぞれの場に合わせて学びを続けてきたことで進化していった、ということでしょうか。

宮田　それぞれの場で、使う言葉とか、言い回しとか、ニュアンスとかは、すべて違いますからね。学校で使う英語と社会に出て使う英語は違いますし、社内で使う英語と社外のお客様に対して使う英語も違います。あるいは相手がアジア人なのか、アメリカ人なのかによっても、また、ランクや役職によっても異なると思います。

内藤　日本人が学校で覚えた英語だけでは通用しない現実が垣間見えてきますね。

宮田　逆に言えば、私のように日本で英語教育を受けていない人間でも、現場、現場でうまく学びとることができれば、ビジネスで伝わる英語が使えるようになるということでもあると思っています。転換点は、シンガポールの企業で働いたという経験です。

当時、日本の外資系企業で働きながら、もっとグローバルで活躍したい、日本ではないどこかでグローバル人材のマネジメントをやれないかと考えていたときにシンガポールの企業に移ったことがひとつの契機だったと感じています。

シンガポールでは、部下も全員外国の方でまったく日本語に触れることのない環境だったので、英語ができない、しゃべれないのはマイナスでしかない。一方で、英語が話せるだけでは不十分で、それ以上に、いかに相手を理解しているか、どういう話をしたときに興味を示してくるかといったことも含めた、相手に対するリスペクトの気持ちなど、英語力以外の部分が大切となってくるような「場」でもありました。

中原　海外の方との付き合いでは、食文化についての注意が必要ですよね。

たとえば、ベジタリアンなのか、ビーガンなのか。その違いをきちんと理解しておくことが求められます。ビーガンだと聞いたうえでみそ汁が提供される店に連れて行っても、出汁を魚でとっていればその時点でアウトです。「言わなければわからない」と言う人もいますが、そんなことをしてあとでわかったら一瞬で信用を失うことになります。

相手にとって何が大切で譲れないものかをきちんと理解して対応できる人が、当たり前ですが、国際的なビジネス環境では尊敬されます。

内藤　相手の英語を正確に聞き取るだけでなく、その相手に対する気遣いやリスペクトがあって然るべきということですね。

パブでの多様な英語と話題で「耳」を鍛えた！～槌谷氏の転換点～

- 事前に準備できない多様な人との多様な会話でこそ鍛えられる。
- 最前線で活躍する人にはユーモアがある。
- 数年の海外在住だけで英語を完璧に話せるようになるものではない。

内藤　槌谷先生はいかがでしょうか。

槌谷　英語を話すうえで結果的に重要だったと思うことは２つあります。ひとつは、皆さんと同じで「耳の力」、聞き取る力はすごく大事ですね。もうひとつは「経験」です。

私の場合、イギリスに留学する前から英語は得意なほうでしたが、聞いたり、話したりはできなかった。ですから、わからないことがあれば、準備した原稿通りにしゃべって質問していたのですが、その答えを聞き取る能力がなかった。なので、結局わからずじまいということも。それが、ある日突然、あれほど聞き取りにくかった電車のアナウンスがわかるようになって、「ああ、耳の力が付いたのだな」と実感しましたね。

すると今度は、もっと話したいと思うようになってくる。そのときにはネイティブの言い方や言い回しを聞き取れるようになっているので、自分が話すときに使ってみることができるわけです。そうやって使いながら、少しずつ話せるようになっていったように思います。

ただ、イギリスは人種のるつぼですから、色々な国の方がいます。すると、この人の話す英語はわかるけど、この人の英語はわからないというようなこともありました。それで結局、私がどこで英語を学んだかというと、パブ（pub）でした（笑）

中原　英語は、「世界でもっとも話されている言語（2018年、WorldAtlas.com）」の第1位なんですよね。もちろん、世界には中国語（第2位）やスペイン語（第3位）の話者もかなりの数いるとは思いますが、グローバル企業のほとんどが英語を公用語として使っている以上、この先も英語が廃れることはないだろうと思っています。

ただ、それだけ多くの国で話されているということは、同じ英語でも、イギリス英語とアメリカ英語が違うように、インド英語、オーストラリア英語、シンガポール英語など派生した先によってけっこう違うということでもあります。英語は意外と多様な言語でもあるんです。

宮田　それにしても、パブでの英語体験とは。何が一番役に立ちましたか。

槌谷　お酒の力を借りていることもあり、知らないもの同士であっても、互いにおおらかな気持ちでおしゃべりができるという意味で非常にいい場所だったと思っています。

それに、常に知らない相手との会話ですから、事前に準備をすることができません。咄嗟に話が振られることもありますから、今日の話題は何なのか、集中していなければなりません。経済の話かもしれないし、恋愛の話かもしれない。まったく想像していなかったテーマで話をすることもありました。おかげで多様な会話経験を積むことができました。

でも、イギリスに数年いたことだけで自分の英語がパーフェクトになったかというと、そうではありません。仕事柄、日本に帰ってきてからも国際的な舞台で活躍されている方々と英語で話をする機会に恵まれていたこともあり、帰国後も経験値がどんどんと積分されたことで成長し続けることができたと思っています。

また、相手の文化や人となりを理解したうえで、ユーモアを交えて話すことができる人というのが、グローバルの最前線で活躍していると思いました。私自身、つたない英語ながら、冗談を交えて話すことを心掛けています。

内藤　先生には、日本だけでなく、色々な国の教え子がいますよね。国際的なプロジェクトで研究者として活躍している教え子たちは、すでに高い英語力を持っているのでしょうか。

槌谷　いえいえ、必ずしもそうではありません。

ですが、私が海外へ行ったときに、向こうの先生に学生としてではなく、一人の研究者として扱ってもらったように、私も彼らを研究者として見るようにしていますので、英語力が足りていないとしても、あえてそういう場に放り込んで経験させるようにしています。

中原　研究者たるもの、完璧な英語をただしゃべれれば良いというものではありませんからね。英語を使って何をするか、どんな技術を伝えたいのか、そのほうが大事なのは明らかです。

そのうえで、イギリスならwit、アメリカならjokeですが、ユーモアを交えて話すことができるとか、そもそも人を惹きつける魅力があるというのは、最前線で活躍するような人に求められる、とても重要な要素だと思っています。

英語学習におけるテクノロジーの活用

- テクノロジーは、情報セキュリティ面を考慮した活用が必要。
- 英語は伝えるためのツール、新しいテクノロジーを上手く使う。
- 将来的には、学習者に「気づき」を与えるツール開発などが求められる。

内藤　皆さんの多様な経験談から、座学ではなく、現場に飛び込んだことがドラマティックな転換点につながったのだとわかりました。一方で、「場」に飛び込ませないことにはブレイクスルーがないとも言えそうですね。

寺内　では、その「場」というものを教育に組み込んでいくことはできるのか。「留学するしかない」という結論で終わってしまうことのないようにするにはどうすればいいか。

今後、私たちが取り組むべき課題について、具体的にあれこれ考えていきたいと思います。

中原　ここ最近、ChatGPTが話題ですが、企業における使用については、ちょっと心配しています。というのも、情報を制限なく引っ張ってきてしまうことによる正誤の危うさもですが、何よりセキュリティ上の問題が懸念されていますよね。

そもそもGoogle翻訳など無料の翻訳ツールも、入力した時点で情報が外部に出てしまう可能性があり、特許に関わる文書など機密情報については、安易に機械翻訳を使うべきではないとされています。ChatGPTも同様で、現状のしくみでは、情報セキュリティに関する課題が存在しています。

そのうえ引いてきた情報の正誤についての識別は、より難しく高度になってきていると感じます。正しいかどうかわからないままに引用してしまうことも十分あり得ると思います。

椬谷　たしかに、機械翻訳はセキュリティ面で心配なところはあるのですが、英語はあくまでも「伝えるためのツール」なので、学生には上手に活用してくれれば良いと言っています。

中原　研究者としては、新しいテクノロジーを使っていこうと考えるのは自然ですよね。ところが、私のような一般人としては、テクノロジーが進化すればするほど機械ではできないことがあると、しみじみ感じてしまうわけです。

コロナ禍でオンライン会議が広く導入されたことを皮切りに、テクノロジーの活用は、いまやビジネスを進めるための手段としてすっかり浸透していると思います。一方、色々な制限が解かれたと同時に、これまでリモートでやれていたことが、face to faceに戻りつつあります。まだまだ、顔と顔をつきあわせながら、人でないとできないことがあるのだと痛感しています。

植谷　機械ではなく人がやるべきものがあることもわかります。翻訳も、ニュアンスを組んで訳してほしい場合には、プロの翻訳家に頼むほうがよいのかもしれません。

ひと口に翻訳ツールと言っても無料・有料と色々あって、その精度や得意とする分野も異なります。なので、私が機械翻訳を使うときには、プロの翻訳家を探すのと同じように、翻訳された英文が求めているニュアンスに近いことや、言いたいことがきちんと反映されていることなどを重視して選ぶようにしています。

また、DeepLのように精度の高い翻訳ツールであっても、日本語の文章をそのまま機械翻訳で英訳すると、ややこしくて難しい英文になってしまうことがあるので、英語に翻訳しやすい日本語の文章に直すということもやるようにしています。

機械翻訳にも成熟している部分と現状そうでない部分があると思うので、英語学習の場に持ち込むときには議論が必要だろうと考えています。

中原　他にも、ボイスレコグニション（音声認識）や、音声からキャプションする技術（自動キャプション機能）など、様々なテクノロジーが目覚ましい進歩を遂げています。人が話している言葉についても、人が聞くのと同じくらいの精度で聞き取ることもできつつあります。

採点機能付きのカラオケのように、発音の精度に点数を付けて「素晴らしい！ 90点の発音だよ！」などと評価してくれるアプリがあるようですが、さらに技術が進めば、話している内容の正誤まで判断してくれるようになるかもしれないし、自動キャプションの精度が上がれば正しい英語かどうかの判断もしやすくなるかもしれません。そうすれば、話している英語に点数を付けるツールも、できそうじゃないですか。

可能ならば、「この英文、どこがおかしいかわかりますか？」と間違いを指摘させるような問題を量産できたら、けっこう面白くなるのではないでしょうか。

寺内　明らかな文法的な間違いというよりは、ちょっとした違和感に気が付けるかどうかがポイントとなるような問題がいいですね。問題を機械がつくるような動きはすでにあるようですが、質の高い問題をつくるには、まだ少し時間がかかるかもしれません。

中原　開発されるといいなと思うのは、英語で話すと、話した英語の発音や内容が即時に点数で評価され、聞き取りやすく伝わりやすい英語をフィードバックしてくれる、そんなしくみのツール。フィードバックされた英語を確認しながら反復して練習できるようにしたいですね。

もうひとつは、具体的なシチュエーションでの英語の会話やアナウンスを聞いてどこが間違っているかを考えるツール。文法的な知識がなくても、なんとなくでも間違いに気づければOK。答えたあとで正しいやり取りをくり返し聞けるようにすれば、シチュエーションにマッチした会話やフレーズを自然と覚えられるようになると思うのですが、どうでしょう。

生まれたばかりの赤ちゃんが、親やまわりの誰かが話している言語を聞きながら、最初は意味などわからず真似することから始まって、少しずつしゃべれるようになっていくのと同じ要領で英語を習得していくことができる、そういうツールにできれば、文法に縛られがちな日本の英語教育に風穴を開けられるのではないでしょうか。

コミュニケーションにおける人間とAIの違い

- 機械にシチュエーションや状況に応じた英語を学習させることは可能？
- 人間は曖昧さ、自由度のある言葉を使うが、AIはパターンの絞り込みか。
- 心を動かすことができるスピーチは人だからできること。

内藤　単語の並びや文法の正しさについては、AIが精度高く判定できると思いますが、「状況に適応していく」という部分においてはまだ不十分ではないかと思うのですが。

中原　大量のデータから特徴量を自動的に見出すことができるのがディープラーニング（深層学習）というしくみなので、シチュエーションや状況ごとに多くのサンプルが得られれば、AIの精度は徐々に上がっていくはずです。

これはGoogleアシスタントやAlexaなどの音声アシスタントとのやり取りが、登場したばかりのころと比べてスムーズになってきていることからもおわかりいただけると思います。

内藤　ビジネスにおける英語は、場面、場面に適応していくなかで学ぶことが必要というお話もありました。そのあたりもディープラーニングを備えたAIであればカバーできますか。

中原　そうですね。サンプルが多ければケースバイケースでの対応もできるようになっていくと思います。人間の脳は、この人たちが、こういうトピックで話している場合は、これがおそらく正解だろうと、経験をもとに瞬間的に把握しているわけですが、このような処理はおそらくコンピュータもできるようになると思っています。

宮田　（AIには）曖昧さといったものがあまりない気がします。例えば、今、私が話している日本語ですが、文法的に見たら100％正しいわけではないけれども、言いたいことはだいたい伝わっていますよね、これがコミュニケーションにおける自由度だと思うんです。

人間であれば、同じことを話していても、その人のキャラクターによって、リズムや話し方、表現は一人ひとり違います。聞き手は、その違いを個性によるものとわかったうえで、話している内容を理解することができます。同じことを話すにも、十人十色の表現があるわけですから、そういう意味での正しさはひとつではないとも言えますね。

ところがAIでは、Aさんの言い方、Bさんの言い方、Cさんの言い方をパターンに当てはめてブラッシュアップしていくはずなので、どんどんパターンが絞られて、結果、究極の何かが生まれる代わりに個性は失われてしまうといった考え方もあります。

寺内　現実には、AさんとBさん、まるで違うことを言っているようで、実は同じだった、といったことはいくらでもあるわけで、そこが表現の自由度であり、許容度でもありますしね。

宮田　TED（Technology Entertainment Design：様々な分野のスピーカーによる講演会を実施しているNPO団体）トークを見ていて、スピーチがうまいなと思う人は、「英語がわかりやすい」とか、「聞き取りやすい」というのはもちろんあるのですが、槌谷先生が指摘されていたように、ユーモアを交えながら話していたり、表情が豊かだったりすると、話の内容にもぐっと興味が湧いてきます。

要は、私たちが人前で話しているときも、内容や切り口だけでなく、話しているときの間のとり方、リズム、姿勢や身振り、声のトーン、コミュニケーションの取り方など、本当に色々な角度から総合的に評価しているのだと思います。

AIは、たしかに文法的に正しい英語の文章をつくることはできるのでしょう。でも、その原稿をただ読むだけでは「ふーん、で？」で終わってしまう可能性があります。相手の心を動かすようなスピーチをするためには、やはり人間性が欠かせないのだと思います。その人にしかできない表現を身につけていくことができたら、いいですよね。

新たな「言語学習プラットフォーム」構想

- 英語学習には世代に応じたアプローチが必要。
- 展開のパターンやストーリー性の重要性。
- ビジュアル面など、文字以外の視覚情報も活用。

内藤　私たちが取り組んできた共同研究の最終目標として、ビジネスコミュニケーションを成功させる英語力、それを訓練するための「場」の提供を掲げています。具体的には、ビジネスコミュニケーションにおける相手の存在を意識できるような新たな「言語学習プラットフォーム」を構想しています。それについて、皆さまからご意見やアドバイスなどをいただきたいと思います。

中原　まず感じるのは、英語学習には世代に応じて異なるアプローチが求められるのではないかということです。例えば若い世代の方たちは、SNSの使い方を見てもわかるとおり、私たちとはまったく考え方が違います。彼らのほとんどが、「e-mailのアカウントはコミュニケーション目的には使わないので、メッセージはLINEかInstagramに送ってください」とわざわざ言ってくるくらいです。そういう世代にとっては、英語の学習も違ったアプローチで行っているはずです。アプリやソフトを利用するなど、いかに楽しみながら覚えてもらうかがカギとなっていくと思っています。

楽しみながらという意味では、ビジュアルを上手く使っていきたいですよね。音声や文字だけではなく、新たにつくるものは、具体的なシチュエーションを視覚的に見せることができたら良いと思います。

椬谷　ビジュアルをどう生かすか、私たちが普段どうしているか、お話させていただきます。

私たちの大学では、教育はもちろん、研究をかなり大事にしています。新規性・独創性を有するテーマ設定で研究を行い、最後にはかならず発表まで持っていくこととしています。

研究というのは、自己満足ではなく、社会的な還元が要求されます。ですから、例えば論文であれば、その論文を読んだ誰かが記載されているとおりに行えばかならず同じ結果が得られる、そういう情報提供であることが必須。小説などと違って行間を読むようなことは絶対にない。書いてあることがすべてであって、それ以上でも以下でもない。これが重要です。ですから、100%伝わるように書かなければなりません。そこで私たちが重視しているのが「ストーリー」です。

普通、文章を書くときには起承転結を意識して構成しますが、私たちはよりシンプルに「研究背景（Background）」、「研究課題（Motivation）」、「研究目的（Purpose）」という3部構成でつくるようにさせています。

研究背景とは、「世の中にどういう問題があるのか」ということ。要は、まわりがどういう状況なのか、文献などを利用してまず明らかにさせます。次に、研究課題として、「ほかの研究者はどのような方法でその問題を解決しようとしているのか」、比較検討によって自分の研究の立ち位置を把握させます。ここで課題抽出をさせるわけです。そして、抽出した課題克服が研究目的となります。

ストーリーを3部構成でつくることができれば、論文も3段落でおさまるように書けるようになります。これは日本語でも、英語でも同じですが、英語の場合は、相手に伝えることが何より重要なので、セキュリティの問題はあるにしても、機械翻訳を積極的に使うように言っています。

中原　日本では起承転結のほかに序破急と呼ばれる構成パターンもありますね。いずれにせよ、突然、場面が切り替わるような展開を好む傾向があると感じています。

ですが、英語の文章の構成はエッセイが基本とされており、少なくとも英語ネイティブにとっては、その構成がベースとなっていると思われます。何かしらの問題提起で始まり、自らの推測（仮説）を立て、「こう思う理由は3つ。その3つとは……」として1つ目、2つ目、3つ目と順に説明し、最後に結論を提示する。この順番が変わってしまうとたちまち理解できなくなってしまうんですよね。

椬谷　そうだと思います。ですから、口頭発表のプレゼン資料も同じようにつくります。

口頭発表では、プレゼン資料がとても重要だと思っています。なぜならば、発表の場では、内容がわからない状態、あるいはサマリーがない状態、もっというと、バックグラウンドが違う人、経験や環境が違う人が聞くことになりますし、聞き手のその日の体調によっても理解度は変わってきてしまうものだからです。論文同様、流れるようなストーリーが大切と考えていますが、論文では、理解するための時間は無制限にありますが、口頭発表となると、聞き手が理解のために使える時間は限られます。

一方で、口頭での発表のときには、電話応答のように耳からの情報のみならず、実は視覚的な情報を上手く使うことで、話し手にとっては理解の植え付けに、聞き手にとっては理解の向上につながります。というのも、人は五感のうち視覚情報が70％を占めているとも言われているからです。

プレゼン資料における視覚情報について、パワーポイントの１ページのなかで、青は問題提起、緑は先行研究、紫は実験条件、黄はディスカッションにおける課題や問題点、そして赤はページの結言を表すといったように、内容と視覚情報を紐づけるように指導しています。発表者は、静的な環境でそのルールに合わせて情報を入力することでプレゼンテーションの準備が可能となり、他方、視聴者は動的な環境であっても視覚的に情報を取得することができます。

中原　ビジネスでも、オンライン会議とか、プレゼンテーションでは視覚情報があるほうがより相手に伝わりやすくなるのは明らかです。文字だらけの資料は、誰も読みませんからね。

そういう意味で、ビジネスコミュニケーションにおける英語習得のための「場」として、新たな「言語学習プラットフォーム」をつくる場合、ビジュアル要素は絶対に取り入れたほうがいいですね。

発表スライド内の色の意味

最初の問題提起	➡**青色**で記載
先行研究などの引用 または、〜が報告されている（参考文献）	➡**緑色**で記載
実験条件	➡**紫色**で記載
そのページのディスカッションにおける 課題や問題点	➡**黄色**で記載
そのページの結言	➡**赤色**で記載

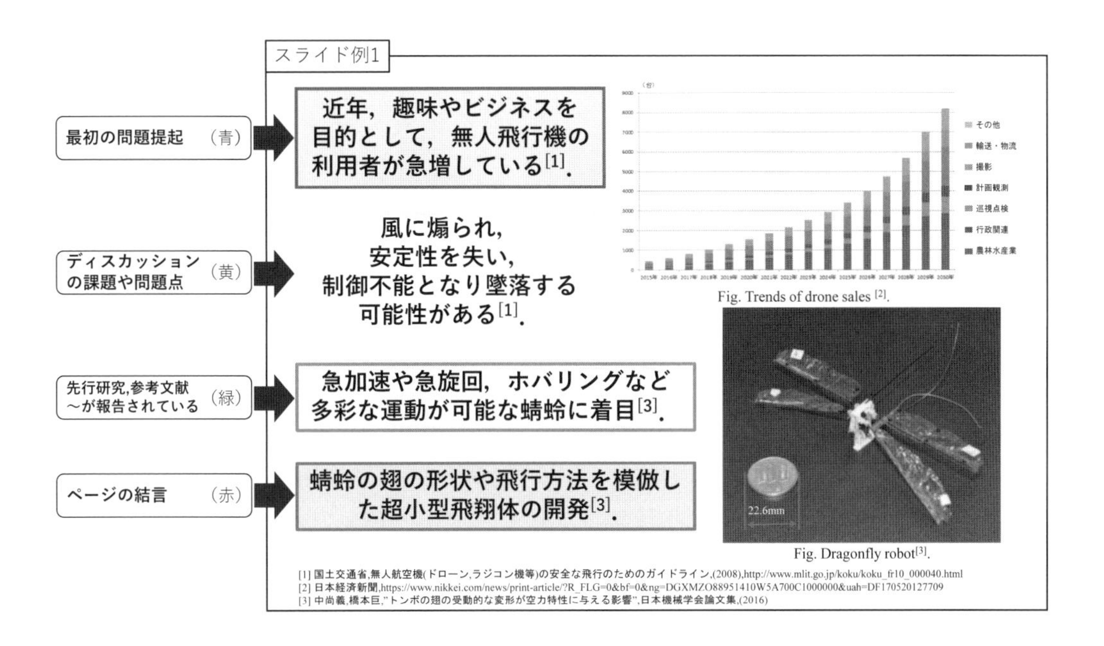

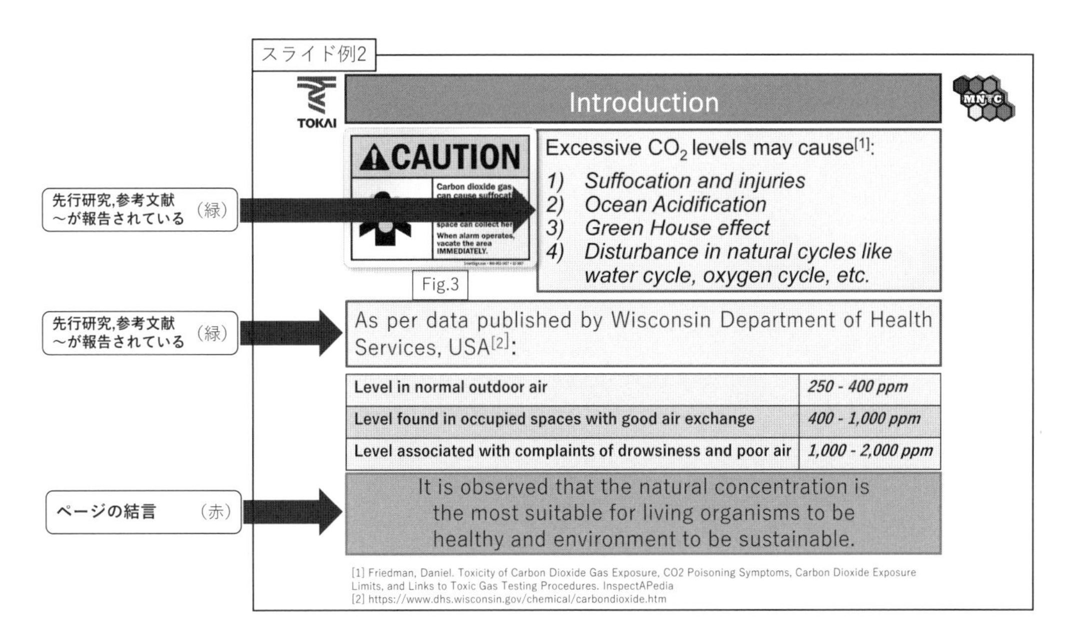

［資料１］研究発表資料における視覚情報の活用（東海大学工学部槌谷研究室提供資料）

動的コミュニケーションと静的コミュニケーション

- 時間をかけられる静的言語と、即時対応が求められる動的言語に分けられる。
- 動的言語は評価を含め、英語教員だけで対応するのは難しい。
- 「場に飛び込む」ことを克服するための新たな「場」が必要。

椙谷　いわば「静的な環境でのコミュニケーション」である論文や報告書は、十分な準備時間をかけて投稿できるので、テクノロジーを使うことで理解度向上を図ることも可能です。

対して、会議や発表は、話し手と聞き手の役割がプレゼンの時と質疑応答の時で、瞬時に入れ変わることになるので頭をフル回転させなければならない、「動的な環境」にさらされます。

静的な環境と動的な環境、その両方が新たなプラットフォームには望まれるかもしれません。

内藤　テクノロジーで解決できない部分について、人の介在も必要となってくるでしょうか。

中原　授業態度や面接の評価は、採点基準をもとに先生や面接官が目の前の対象者の行動や回答を見てチェックしていくため、誰がやっても同じ結果とはなりません。それが、動的なものの難しさだと思います。逆に言えば、それ以外の静的な部分、例えば筆記試験や論文などはアプリなどのツールで採点できると思うので、「静」と「動」は分けて考えたほうがいいかもしれません。

寺内　評価に関しては、英語の先生だけでできるものではないと思っています。日本だけでなく世界には様々なテスト団体が存在します。そうした団体が使っている評価基準なども参考にしながら新たな基準をつくり、プラットフォームに取り入れることで解決できることもあるかもしれませんね。

宮田　ハードルが低いのは、「静」ですよね。決まったフォームに入力していくと、かたちが整えられた文章となって出てくる、このような機能を用意するだけであれば簡単だと思います。重要なのは、出てきた文章が、場面や状況などに対して「適切でない」ことがないよう、しっかりとした専門家集団が管理・認定しているアプリやプラットフォームであるかどうかということです。それが実現できれば、ビジネスでも自信をもって使えるものになると思います。

現状では、どの機械翻訳を使ったとしても必ず人の精査が必要となります。だからこそ、例えばJACETなどの専門家集団が、場面や状況という観点も踏まえた翻訳精度の限界などをチェックしてくれれば、仮に不十分な翻訳結果だとしても、安心して使えるものになるのではないかと思います。

一方で、皆さんの起点（転換点）となった出来事や経験を聞いて、改めて「場」の提供は大事だなとも思いました。今は、テクノロジーも進化して、オンラインでできることも増えていますから、留学が難しいという人たちにも、生きた英語が飛び交う「場」を提供することはできるのではないかと思うのですが、難しいでしょうか。

寺内　「場」を提供することはできても、その「場」に飛び込まなければ意味がありません。どうすれば進んで「場」に入っていくようになるか。その仕掛けまで考えられるといいですね。
宮田　そこは、槌谷先生の話が参考になるのではないでしょうか。研究発表という「場」は、遊びのためにあるのではなく、あくまでも学位取得のためにある。だから、学生たちは必死に取り組むわけですよね。私たちにとっても、プレゼンは趣味ではなく、仕事の一環で行っています。そのような意識をもって「場」に臨み、揉まれることでビジネスコミュニケーションに必要な英語力が磨かれていくのだと思います。
寺内　タスクあってのことで、“プレゼンオタク”なわけじゃない、ということですね。実際、何を紐づけるとやる気になるか、という点もカギとなりそうです。

これからを担う方々へ

- 「英語力の必要性はなくならないと思うので楽しく学びを継続してください。」（中原）
- 「日本人は世界でもっと活躍できるはず。期待しています。」（宮田）
- 「いずれ日本の文化の発信へと発展させてほしいと思っています。」（槌谷）

内藤　では最後に、ひとことずついただいて終わろうと思います。
中原　機械翻訳などのテクノロジーが劇的に進化していくなかで、英語教育の今後について心配されている方もいるかもしれません。
一方、取引のすべてがインターネット経由でできるようになったとしても、人の介在はなくならないと思っています。たしかに、ChatGPTなど便利なツールやアプリを使う機会は増えていくことでしょう。でも、ここぞというときにはface to faceで話すことのできる力が求められると思うので、英語教育の必要性はなくならないだろうというのが持論です。
書き言葉と話し言葉のギャップが大きいと、話したときに「あれ？ こんな人だったのか」とがっかりされてしまいかねません。日ごろから、英語で話す機会を多くもってほしいですね。いかに楽しく会話を続けられるか、交渉したり、説得したりできるかといったところも含めて、力をつけていってほしいと思っています。
宮田　私は、本当に、日本人はもっと世界で活躍できると思っています。
これまで海外に出てもなかなかチャンスを生かしきれず活躍できなかった原因のひとつは、やはり言語の問題が大きかったのだと思いますが、言語については、テクノロジーによって部分的にはハードルが下がってきていると思うので、これからの人たちには、若い時分にどんどん海外に行ってほしい。
近年、グローバルのIT系企業を中心に、続々とインド系のCEOが誕生して話題になっていますが、そういうポジションに日本人が就くようになる時代がもうそこまで来ていると思っています。日本でも、素晴らしい発明、素晴らしいベンチャーは生まれていますし、少しずつですがダイバーシティも意識されるようになってきていますからね、期待しています。
植谷　残念ながら、学問の分野では、けっこうな割合で英語が苦手という方がいるのが現実です。一方で、英語を話せるようになりたいという学生もものすごく多くいます。
　ですから、ビジネスで必要な英語力を習得するための新たなプラットフォームをつくるという取り組みは大事ですよね。英語はコミュニケーションツールとして必要とされているものなので、これまで議論してきたような切り口のプラットフォームが実現すれば、とても強力なツールになると思います。
　今は、英語を対象としていますが、いずれ日本の文化とか、食などについての情報を発信するようなプラットフォームをつくっていくことができれば、日本語を外国人に学んでもらうこともできるようになりますよね。将来的にそのようなものにつながっていくことも期待してしまいます。
内藤　では、最後に寺内先生、閉会のメッセージをお願いします。
寺内　実は、このプロジェクトは、今は日本人を対象にした「言語学習プラットフォーム」をつくっていくということで考えていますが、いずれは韓国や台湾など東アジアの国々にも応用させて、共に動いていくようなプロジェクトにしていくこともできると思っています。
　そのためには、まずは、プラットフォームのひな型をつくることが非常に重要です。今日お集まりの皆さんには引き続き協力していただいて、頑張っていただければと思っています。そしてこのプロジェクトは、今まで蓄積した英語教育関係者の貴重な経験を含めた多様な知見はもちろんのこと、他の分野の専門家のお力を合わせた形で進めていくことがとても大切です。
内藤　様々なバックグラウンドからグローバルな舞台に出て行かれて、最前線で活躍されている方々から、有意義なお話をいただくことができました。これが、単なる座談会にとどまらず、次に向けた新たな「言語学習プラットフォーム」づくりにつながれば、と思っております。本日は、お忙しいなか、ありがとうございました。

第2部

ビジネスコミュニケーションと英語力の実態：分析結果

第4章

アンケート調査内容と単純集計結果

第2部では、第1部で述べた理論や社会的背景を踏まえて、実際に行った調査の結果を紹介します。本調査研究の目的は、先行研究である「2006年調査」および「2013年調査」の調査結果を踏まえたうえで、さらに発展的な研究を試みることにありました。

テクノロジーが進化するとともに、新型コロナウイルス感染症（COVID-19）の世界的な流行を契機として、ビジネスの現場に限らずオンライン会議が一般化してきた状況下において、ビジネスにおける英語コミュニケーション上の問題点と国際的な業務に携わるビジネスパーソンとしての成長要因を解明することを目的に、アンケート調査とインタビュー調査を実施。ここでは、それらの内容と結果について記します。

▶アンケート調査質問票概要

模擬調査等をくり返して確定した調査項目の内容は［図表1］のとおり。アンケートはWeb上で行い、所定のURLを開くと調査目的、調査対象が示され、その後に以下の順で質問が続きます。F1～F9は回答者の属性に関する質問、Q1～Q23が本研究の目的に沿った内容の質問です。そのうちQ17、Q21、Q23は任意の自由記述式質問で、その他は基本として回答必須の選択式となっています。なお、回答内容によっては、表示されない項目も含まれます。

質問	内容
F1～F9	年齢・部署・役職・ご所属企業について
Q1～Q6	あなたの英語使用歴・頻度・相手・形態について
Q7～Q10	あなたの英語力／必要な英語力について
Q11～Q17	英語による会議について
Q18～Q21	英語による業務におけるテクノロジーの活用について
Q22～Q23	英語力以外の能力について

［図表1］アンケート調査票概要

アンケートの依頼は、IIBCが持つリストのなかからビジネスパーソンを選び出してEメールにて行いました。メール内に、アンケート画面にリンクするURLを記して回答への協力を仰ぐ一方で、本アンケート調査は、JACETとTOEIC Programの実施運営団体であるIIBCが、「ビジネスパーソンが有する英語コミュニケーション力の実態と、コロナ禍を契機として加速するデジタル化の影響」を調査することを目的とした共同研究であること、回答は無記名、得られたデータはすべて統計的に処理され、回答者の個人情報保護には十分に配慮するとともに、回答いただいた内容は本調査以外の目的には使用しない旨を明記。また、アンケート回答対象者としては、企業で国際的業務に携わり、業務のなかで英語を使用されている方であることも併せて記しました。なお、全質問32問（F1～9、Q1～23）の回答所要時間は約20分と設定しました。

▶アンケート調査実施概要

アンケート調査は、2022年9月16日に【アンケートご協力のお願い】「ビジネスにおいて求められる英語コミュニケーション力に関するアンケート」という件名の依頼メールを送付することによってスタートし、同年10月2日まで回答を収集しました。

2週間強の期間内に集まった有効回答数は2,686件。そのうち、過去1年以内に受験したTOEIC L&Rのスコアを回答された方が2,511件でした（175名は過去1年以内未受験）。また、対面で行われる会議とオンラインで行われる会議を比較して回答してもらう項目については、回答の信憑性を担保するために、事前の質問で対面とオンライン両方の英語による会議を経験したことがある方々のみに対して表示されるようにしました。結果、この種の質問項目への回答対象者数は921件となりました。以下、具体的質問内容と、単純集計した結果を記しますが、F9については回答者が所属する企業・団体名について聞いており、また回答自体が必須ではないため集計結果からは除外しています。

なお、全32問中3問は任意の自由記述式であるため、まずはそれら3問とF9を除く選択式の28問について記し、その後に3問の自由記述式の項目をまとめて記します。

1 選択式回答項目〈全28問〉

年齢

[主な傾向]

回答者の約6割が30-40代、20代の回答者は約1割にとどまる。

[関連質問：アンケート調査F1]

あなたの年齢をお答えください。（回答は1つ）

年齢	回答者数（単位 人）	割合（単位 %）	TOEIC L&R Totalスコアの平均値（単位 点）
20-24歳	50	1.9	726.1
25-29歳	231	**8.6**	743.2
30-34歳	329	**12.2**	754.2
35-39歳	434	**16.2**	731.5
40-44歳	428	**15.9**	724.0
45-49歳	474	**17.6**	708.5
50-54歳	386	**14.4**	714.7
55-59歳	245	**9.1**	719.2
60-64歳	86	3.2	751.6
65-69歳	19	0.7	761.8
70歳以上	4	0.1	841.7
合計	2,686	100	727.2

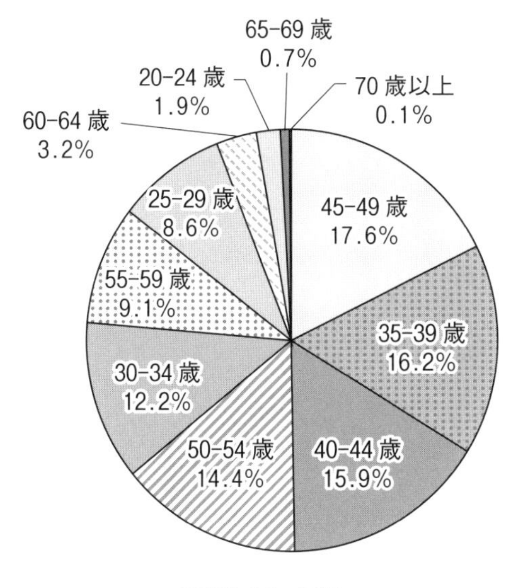

［図表２］ 年齢

[集計結果]

最初の質問であるF1では、回答者の年齢を尋ねた。割合がもっとも多いのは「45-49歳」17.6%（474名）で、次いで「35-39歳」16.2%（434名）、「40-44歳」15.9%（428名）と続く。「30-34歳」12.2%（329名）を加えると30-40代の回答者が6割を超える。50代の回答者は2

割強で、20代の回答者は約1割、60歳以上の回答者は4%であった。

[考察]

回答者の年齢層が30代、40代で全体の約6割を占めていることから、企業の中堅社員が主に回答していることがわかる。表の右端列にTOEIC L&RのTotalスコアの平均値を示したが、20–30代の回答者の平均値が720–750点台であるのに対し、40–50代の回答者の平均値は700–720点台とやや低下する。60歳以上では平均値は750点以上になり、70歳以上になると平均値は841.7点と800点台に到達するものの、そもそもの人数が少ないことには留意する必要がある。

所属部署

[主な傾向]

割合が高い部署は「技術・設計」16.0%、「営業・販売」15.7%だが、突出して多い部署は見られない。

[関連質問：アンケート調査F2]

あなたが現在所属している部署の業務分野についてお答えください。複数の部署に所属されている場合は、英語を使用する頻度がもっとも高い部署（業務分野）をお答えください。

（回答は1つ）

[集計結果]

回答者の所属部署を尋ねたF2で、割合が1割を超える部署は「技術・設計」16.0%（429名）、「営業・販売」15.7%（421名）、「その他」14.9%（399名）、「IT・システム」10.9%（293名）であった。

[考察]

表の右端列、TOEIC L&RのTotalスコアの平均値を見ると、もっとも高いのが「人事・教育」793.6点、次いで「広報」785.5点、「経営企画」775.5点、「商品企画」771.8点、「法務・知財」768.6点であった。「技術・設計」と「製造」では平均点がやや低下し、それぞれ680.4点、627.2点と700点を下回った。

所属部署	回答者数（単位 人）	割合（単位 %）	TOEIC L&R Totalスコアの平均値（単位 点）
経理・財務	144	5.4	733.9
総務	81	3.0	735.5
人事・教育	125	4.7	793.6
経営企画	102	3.8	775.5
広報	19	0.7	785.5
法務・知財	92	3.4	768.6
IT・システム	293	**10.9**	720.1
営業・販売	421	**15.7**	726.8
マーケティング	92	3.4	742.3
製造	104	3.9	627.2
資材・調達・物流	108	4.0	728.4
商品企画	42	1.6	771.8
技術・設計	429	**16.0**	680.4
研究開発	235	**8.7**	739.1
その他	399	**14.9**	744.4
合計	2,686	100	727.2

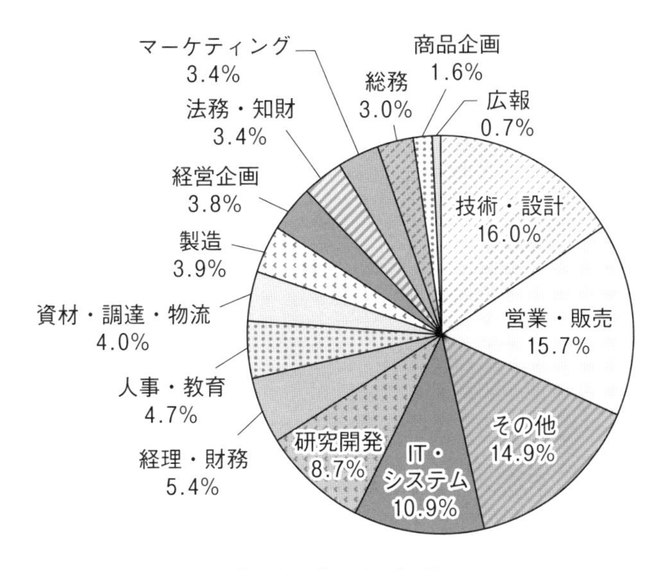

［図表３］所属部署

役職

[主な傾向]

回答者の半数以上は「一般社員（職員）」、4 割が「管理職者（係長・課長・部長）」で、「役員」はわずか 2.0%である。

[関連質問：アンケート調査 F3]

あなたの役職をお答えください。相当職を含みます。もっとも近いものをお選びください。（回答は 1 つ）

役職	回答者数（単位 人）	割合（単位 %）	TOEIC L&R Total スコアの平均値（単位 点）
役員	53	2.0	800.0
部長	176	6.6	776.1
課長	457	**17.0**	729.8
係長	426	**15.9**	720.5
一般社員（職員）	1,507	**56.1**	719.2
その他	67	2.5	743.3
合計	2,686	100	727.2

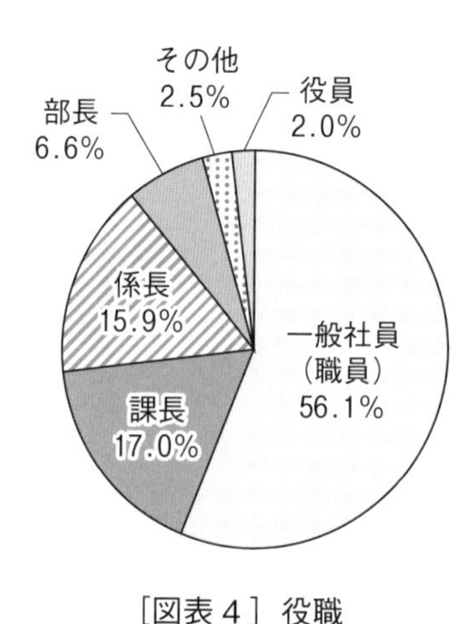

[図表 4] 役職

[集計結果]

回答者の役職を尋ねた F3 では、半数を超える 56.1%（1,507 名）が「一般社員（職員）」と回答、次いで「課長」17.0%（457名）、「係長」15.9%（426名）であった。1割未満は、「部長」6.6%（176名）、「その他」2.5%（67名）、「役員」2.0%（53名）であった。

[考察]

回答者の5割強が「一般社員（職員）」である点は、アンケート全体の回答結果を解釈するうえで留意すべき点である。また、「係長」、「課長」、「部長」といった役職者は約4割いて、「役員」は非常に少ない点も注意したい。表の右端列のTOEIC L&R Totalスコアの平均値では「役員」が800.0点、「部長」の平均値は776.1点であった。一方、「課長」、「係長」、「一般社員（職員）」の平均値は750点未満であり、「部長」以上と「課長」以下とでは平均値の乖離が見られる。

所属企業の上場状況

[主な傾向]

回答者の半数以上は「上場企業」に所属、「非上場企業」は3割強、「政府機関・公益法人等」に所属は約1割である。

[関連質問：アンケート調査F4]

あなたが現在所属している企業についてお答えください。（回答は1つ）

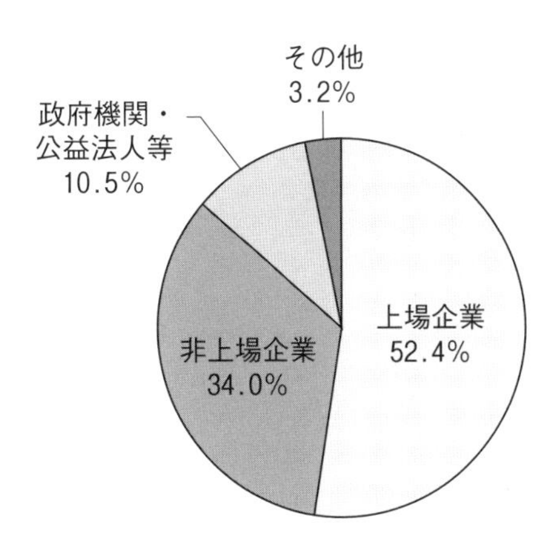

［図表5］所属企業の上場状況

[集計結果]

回答者の所属する企業の上場状況を尋ねたF4では、半数を超える52.4%（1,408名）が「上場企業」に所属していると回答、次いで34.0%（912名）が「非上場企業」に所属、10.5%（281名）が「政府機関・公益法人等」に所属していると回答、3.2%（85名）が「その他」という回答であった。

資本系列

[主な傾向]

日系（民間＋公的機関）企業が８割程度、民間（日系＋外資系）企業が９割程度と大半を占める。公的機関は日系と外資系を合わせても１割程度にとどまる。

[関連質問：アンケート調査 F5]

あなたが現在所属している企業の資本系列についてお答えください。（回答は１つ）

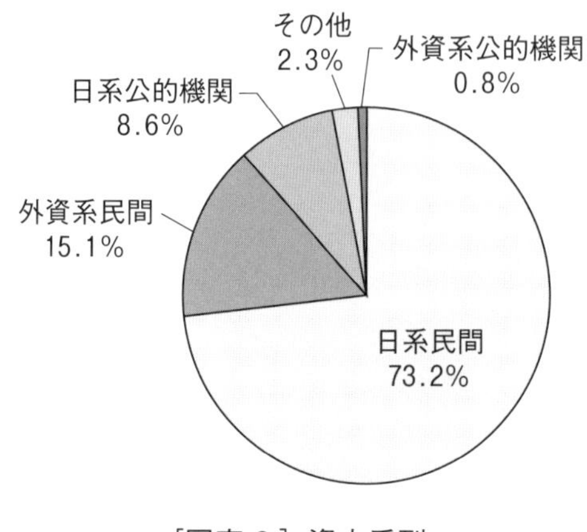

［図表６］資本系列

[集計結果]

回答者の所属企業の資本系列を尋ねた F5 では、73.2%（1,966 名）が「日系民間」、15.1%（406名）が「外資系民間」と回答し、8.6%（232 名）が「日系公的機関」、2.3%（61 名）が「その他」、0.8%（21 名）が「外資系公的機関」と回答している。

公用語

[主な傾向]

回答者の８割以上が、公用語に「日本語」を使用している。

[関連質問：アンケート調査 F6]

あなたが現在所属している企業（外資の場合、日本の現地法人）の公用語（公式文書の言語）についてお答えください。（回答は１つ）

公用語	回答者数（単位 人）	割合（単位%）	TOEIC L&R Totalスコアの平均値（単位 点）
日本語	2,272	84.6	721.3
日英両方	287	10.7	756.3
英語	104	3.9	769.1
特に決まっていない	19	0.7	770.6
その他の言語	4	0.1	743.8
合計	2,686	100	727.2

［図表7］公用語

[集計結果]

回答者の所属企業の公用語を尋ねたF6では、84.6%（2,272名）が「日本語」、10.7%（287名）が「日英両方」と回答、「英語」と回答したのは3.9%（104名）、「特に決まっていない」が0.7%（19名）、「その他の言語」0.1%（4名）であった。

[考察]

表の右端列のTOEIC L&R Totalスコアの平均値は、公用語が「日本語」と回答した人たちの平均値が721.3点ともっとも低い。「英語」と回答した人たちが769.1点で、「日英両方」と回答した人たちの756.3点より高くなっている。

業種

[主な傾向]

「サービス（通信・IT)」が13.6%と最大だが、突出して多い業種は見られない。

[関連質問：アンケート調査F7]

あなたが現在所属している企業の業種についてお答えください。複数に該当する場合は、総売上に占めるウエイトが大きいものを1つお選びください。（回答は1つ）

※「教育」など、下記にない場合は「その他の業種」をお選びください。

業種	回答者数 （単位 人）	割合 （単位 %）	TOEIC L&R Total スコアの平均値 （単位 点）
水産・農林	8	0.3	818.8
鉱業	4	0.1	866.7
建設	84	3.1	733.4
食品	37	1.4	706.3
繊維・紙	22	0.8	641.7
化学	119	4.4	713.7
薬品（製薬）	172	6.4	738.8
石油	15	0.6	850.0
窯業	15	0.6	650.0
鉄鋼	19	0.7	722.4
非鉄金属	16	0.6	666.7
機械	119	4.4	733.9
電機	187	7.0	691.2
造船	6	0.2	679.2
車両（自動車）	182	6.8	636.0
精密機器	115	4.3	712.6
その他製造	108	4.0	732.3
商社	138	5.1	754.0
小売業	63	2.3	732.6
金融（銀行）	78	2.9	745.2
証券・保険	61	2.3	804.3
不動産	25	0.9	695.0
運輸	122	4.5	712.6
電気・ガス（エネルギー）	30	1.1	753.8
マスメディア	34	1.3	796.7
サービス（通信・IT）	365	13.6	728.6
政府機関	116	4.3	741.8
都道府県	33	1.2	764.1
市町村	33	1.2	747.4
公共団体	43	1.6	722.4
民間団体	30	1.1	740.5
その他の業種	287	10.7	764.2
合計	2,686	100	727.2

［図表８］業種

[集計結果]

回答者の業種を尋ねたF7では、13.6%（365名）が「サービス（通信・IT)」と回答しており、もっとも多い。次いで「その他の業種」が10.7%（287名）、「電機」7.0%（187名）、「車両（自動車)」が6.8%（182名）と続くが、突出して多い業種は見られなかった。

[考察]

表の右端列のTOEIC L&R Totalスコアの平均値を見ると、800点を超えていたのは「証券・保険」804.3点、「水産・農林」818.8点、「石油」850.0点、「鉱業」866.7点の4業種、その他はすべて800点未満であった。

国内従業員数

[主な傾向]

国内従業員数が「10,001人以上」の企業に所属している回答者が24.1%と最大である。

[関連質問：アンケート調査F8-1]

あなたが現在所属している企業の従業員数についてお答えください。（回答は1つ）

●従業員数（日本国内）

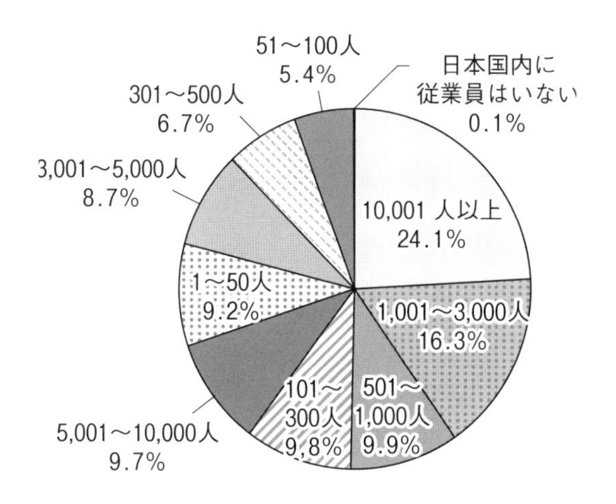

［図表9-1］国内従業員数

[集計結果]

回答者の所属企業の国内従業員数を尋ねたF8-1では、「10,001人以上」が24.1%（647名）で最大であった。そのあとには「1,001～3,000人」16.3%（438名）、「501～1,000人」9.9%（266名）、「101～300人」9.8%（264名）と続いている。

グローバル従業員数

［主な傾向］

グローバル従業員数が「10,001 人以上」の企業に所属している回答者が 38.7%と最大である。

［関連質問：アンケート調査 F8-2］

あなたが現在所属している企業の従業員数についてお答えください。（回答は１つ）

●従業員数（日本含むグローバル全体）

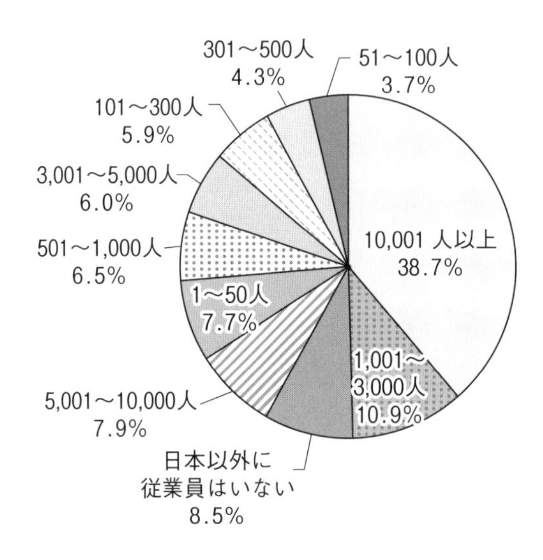

［図表 9-2］ グローバル従業員数

［集計結果］

回答者の所属企業のグローバル従業員数を尋ねた F8-2 では、38.7%（1,040 名）が「10,001 人以上」と回答、次いで 10.9%（292 名）が「1,001 ～ 3,000 人」、8.5%（229 名）が「日本以外に従業員はいない」、7.9%（213 名）が「5,001 ～ 10,000 人」と続いている。

業務における英語使用歴

［主な傾向］

業務における英語使用歴が「5 年未満」の回答者が 46.6%と最大である。

［関連質問：アンケート調査 Q1 ］

あなたの業務における英語使用歴（過去の勤務先や部門を含む通算年数）をお答えください。（回答は１つ）

英語使用歴	回答者数（単位 人）	割合（単位 %）	TOEIC L&R Total スコアの平均値（単位 点）
5年未満	1,252	46.6	691.7
5年以上10年未満	486	18.1	752.6
10年以上15年未満	327	12.2	755.7
15年以上20年未満	204	7.6	757.9
20年以上25年未満	180	6.7	764.9
25年以上30年未満	110	4.1	781.3
30年以上	127	4.7	759.2
合計	2,686	100	727.2

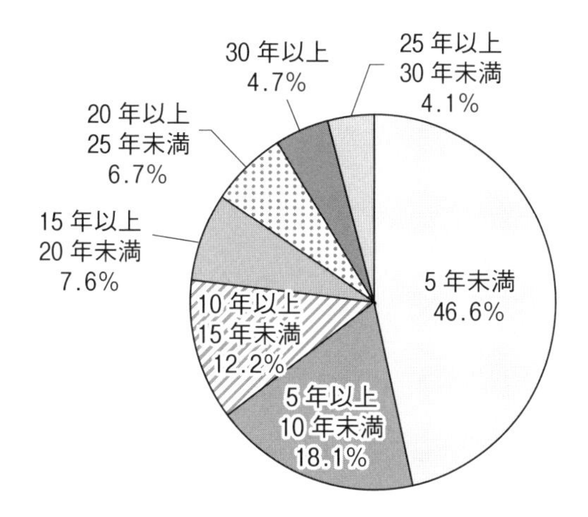

［図表10］ 業務における英語使用歴

[集計結果]

回答者の業務における英語使用歴を尋ねたQ1では、46.6%（1,252名）が「5年未満」と回答し最大であった。次いで「5年以上10年未満」の回答者が18.1%（486名）、以下、英語使用歴が短い順に続く傾向にあり、10年以上英語を使用している人の割合は3割強であった。

[考察]

回答者は、業務における英語使用歴が比較的浅い人が多く、6割以上が10年未満であった。表の右端列のTOEIC L&R Totalスコアの平均値では、英語使用歴が長くなるにつれてスコアが高くなる傾向が見られた。

英語使用業務の割合

[主な傾向]

半数以上の回答者が、英語使用業務の割合は 1 割以下と回答している。

[関連質問：アンケート調査 Q2]

あなたの現在の業務量全体を 100%とした場合、英語を使用する業務は何%くらいですか。おおよその割合でお答えください。（回答は 1 つ）

英語使用業務の割合	回答者数（単位 人）	割合（単位 %）	TOEIC L&R Total スコアの平均値（単位 点）
1 ～ 10%	1,402	**52.2**	691.3
11 ～ 30%	655	**24.4**	739.1
31 ～ 50%	340	12.7	784.9
51 ～ 89%	226	8.4	808.8
90%以上	63	2.3	819.2
合計	2,686	100	727.2

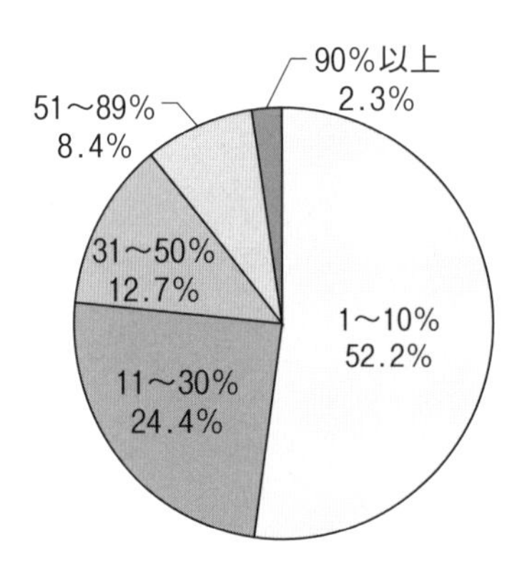

[図表 11] 英語使用業務の割合

[集計結果]

回答者の英語を使用する業務の割合を尋ねた Q2 では、52.2%（1,402 名）が「1 ～ 10%」と回答し最大であった。次いで「11 ～ 30%」が 24.4%（655 名）、「31 ～ 50%」が 12.7%（340 名）、「51 ～ 89%」が 8.4%（226 名）と英語使用業務の割合が高くなるほど回答者の人数は減り、「90%以上」は 2.3%（63 名）とごくわずかであった。

［考察］

半数以上の回答者が英語業務は全体の1割以下と回答しており、英語業務割合が少ない様子がうかがえる。表の右端列 TOEIC L&R Total スコアの平均値からは、英語使用業務割合が多くなるにつれてスコアが高くなる傾向が見られ、51％以上から平均値は800点を超えるが、「1～10％」では700点未満であった。英語業務が多いと英語力は高くなると考えられるが、別の見方をすると、英語力の高い人には英語業務が多くアサインされるため、結果として英語業務割合が多くなっている可能性もある。

相手の言語的バックグラウンド

［主な傾向］

1週間のうち業務で英語を使用する時間の総量を100％とした場合、その相手が英語ネイティブである割合は平均25.2％、英語公用語圏出身である割合は平均13.0％であるのに対し、英語を外国語として使用している相手の割合は平均で6割を超えている。

［関連質問：アンケート調査 Q3］

あなたが現在の業務で英語を使用する相手の言語的バックグラウンドについて

あなたが、典型的な1週間のなかで、英語を使用する時間の総量を100％とした場合の平均的な割合（％）を以下の項目ごとにお答えください。

1. 英語〈英語圏出身者〉：アメリカ、イギリス、オーストラリアなど
2. 英語〈英語公用語圏出身者〉：シンガポール、インド、南アフリカなど
3. 英語・日本語以外の言語
4. 日本語：日本

※合計が100％になるようにご入力ください。

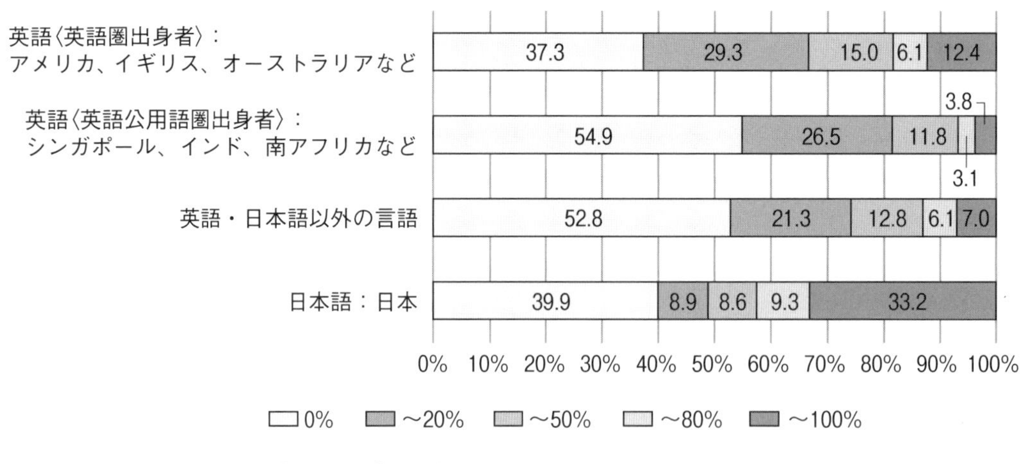

［図表 12］ 相手の言語的バックグラウンド

[集計結果]

「英語〈英語圏出身者〉」については、割合が「0%」と回答した人が 37.3%（1,002 名）で最大であった。次いで「～ 20%」が 29.3%（786 名）、「～ 50%」が 15.0%（402 名）、「～ 100%」が 12.4%（333 名）、「～ 80%」が 6.1%（163 名）であった。「英語〈英語公用語圏出身者〉」については、「0%」が 54.9%（1,474 名）、「～ 20%」が 26.5%（712 名）、「～ 50%」が 11.8%（317 名）、「～ 100%」が 3.8%（101 名）、「～ 80%」が 3.1%（82 名）であった。「英語・日本語以外の言語」では、「0%」が 52.8%（1,419 名）、「～ 20%」が 21.3%（517 名）、「～ 50%」が 12.8%（343 名）、「～ 100%」が 7.0%（189 名）、「～ 80%」が 6.1%（164 名）であった。「日本語」については、「0%」が 39.9%（1,073 名）、「～ 100%」が 33.2%（892 名）、「～ 80%」が 9.3%（250 名）、「～ 20%」が 8.9%（239 名）、「～ 50%」が 8.6%（232 名）であった。

[考察]

相手が「英語〈英語圏出身者〉」、「英語〈英語公用語圏出身者〉」については共に、割合が「0%」と回答した人がもっとも多い。さらに、50%未満であると回答した人は「英語〈英語圏出身者〉」が 81.6%、「英語〈英語公用語圏出身者〉」が 93.2%に上っている。

言語的バックグラウンド別の平均値から見ると、仮に 10 人で会議が行われた場合、ネイティブが 2 ～ 3 人、英語を外国語として使用する人は 6 人程度となる可能性もあり、英語業務の相手は、日本人を含め英語を外国語として使用している人の割合が半数を超えている様子がうかがえる。

業務で英語を使用する相手

[主な傾向]

半数以上の回答者が、社内もしくはグループ会社との業務で英語を使用しており、提携関係に

あるパートナー会社や顧客との業務では約4割が英語を使用している。

[関連質問：アンケート調査Q4]

あなたが現在の業務で英語を使用する相手は、どのような方ですか。あなたが、典型的な1週間のなかで、英語を使用する相手として、ある／なしをお答えください。（各項目〈各行〉で、回答は1つ）

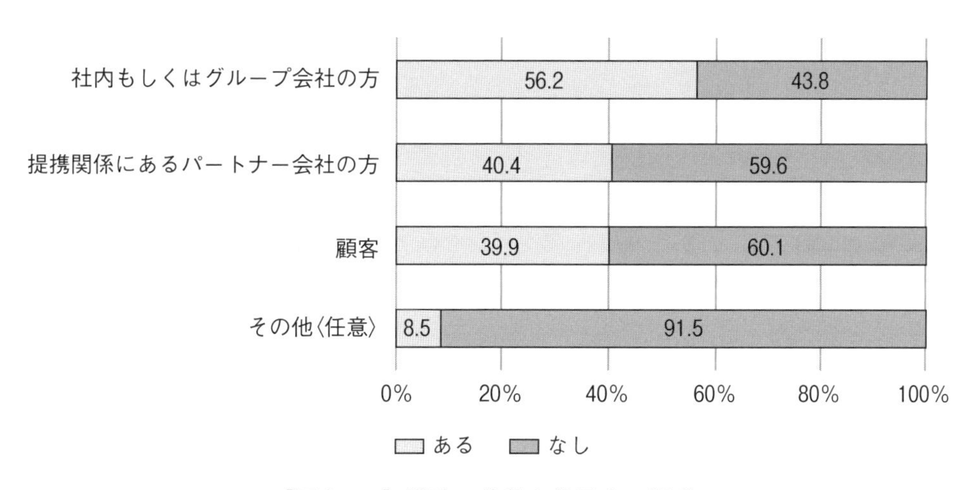

［図表13］業務で英語を使用する相手

[集計結果]

業務の際に英語を使用する相手を尋ねたQ4では、「社内もしくはグループ会社の方」が56.2%（1,510名）と最大であった。次いで「提携関係にあるパートナー会社の方」が40.4%（1,086名）、「顧客」が39.9%（1,072名）であった。

英語の使用形態

[主な傾向]

【聞く・話す】に関連する英語使用形態については、「オンライン会議」を6割弱が使用、「交渉」はオンラインよりも対面が多い。【読む・書く】については、8割弱が「Eメール」を使用。

[関連質問：アンケート調査Q5]

コロナ以前から現在に至るまで、以下に示すコミュニケーション形態のなかで、業務上、英語によって行うことが必要な（必要だった）形態はどれですか。当てはまるすべての項目をお答えください。

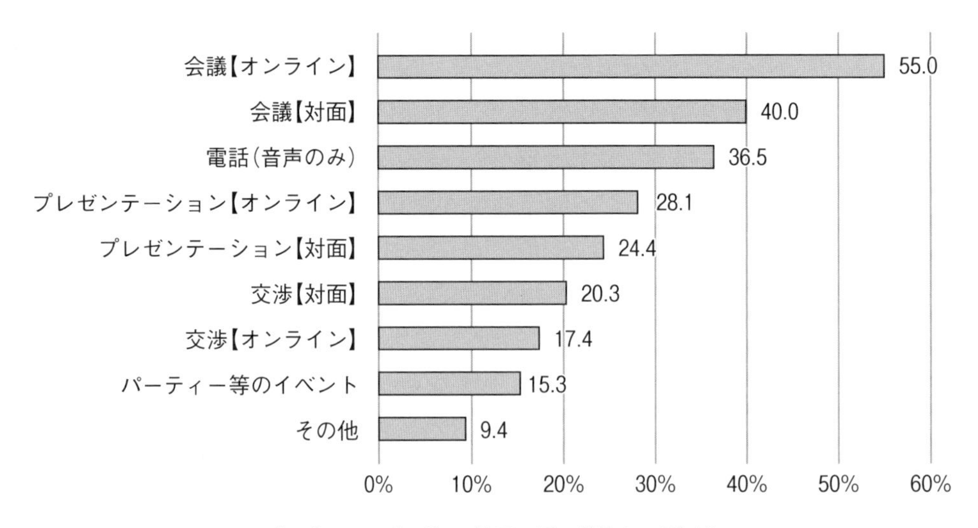

［図表 14-1］ 英語使用形態【聞く・話す】

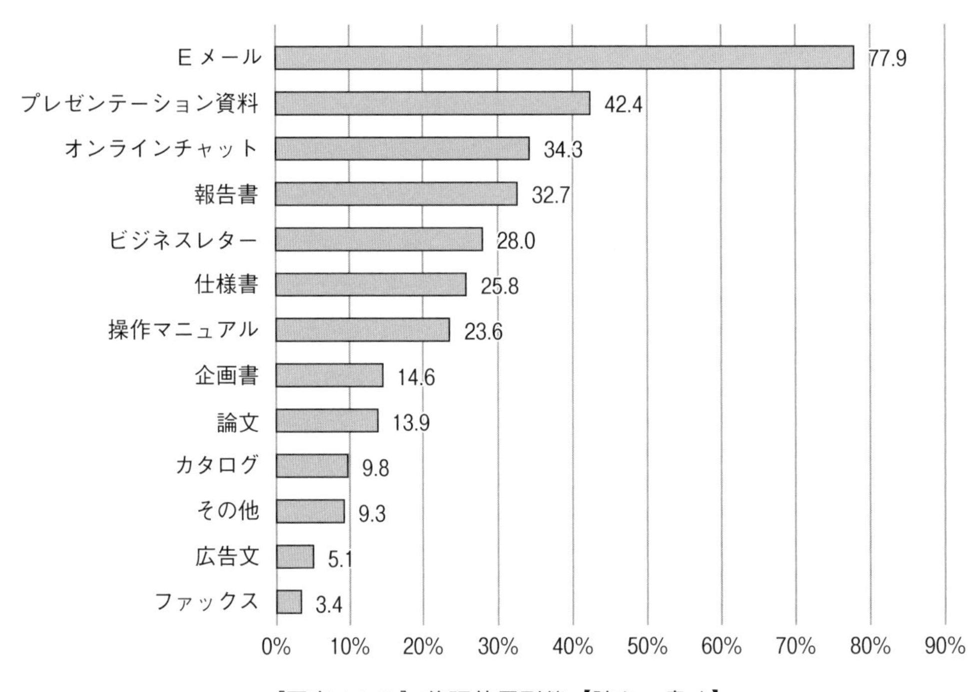

［図表 14-2］ 英語使用形態【読む・書く】

[集計結果]

コロナ以前から現在までの英語で行う業務の形態を尋ねたQ5では、【聞く・話す】分野においては「会議【オンライン】」が55.0%（1,478名）で最大であり半数を超えた。次いで「会議【対面】」は40.0%（1,074名）、「電話（音声のみ）」が36.5%（980名）、「プレゼンテーション【オンライン】」は28.1%（756名）、「プレゼンテーション【対面】」は24.4%（655名）、「交渉【対面】」は20.3％（546名）、「交渉【オンライン】」は17.4％（467名）、「パーティーなどのイベント」は15.3％（412名）、「その他」は9.4％（252名）であった。

【読む・書く】分野においては「Eメール」が77.9％（2,092名）と7割を超え最大であった。次いで「プレゼンテーション資料」が42.4％（1,138名）、「オンラインチャット」が34.3％（920名）、「報告書」が32.7％（877名）、「ビジネスレター」が28.0％（751名）、「仕様書」が25.8％（694名）、「操作マニュアル」が23.6％（633名）、「企画書」が14.6％（392名）、「論文」が13.9％（374名）、「カタログ」が9.8％（263名）、「その他」が9.3％（249名）、「広告文」が5.1％（137名）、「ファックス」が3.4％（91名）であった。

［考察］

オンラインや対面に限らず英語を使用して会議を行っていると回答した人が4～5割に到達した。「プレゼンテーション」は、オンライン・対面共に英語を使用している割合が3割未満であった。「会議」と「プレゼンテーション」はオンラインが対面より多いが、「交渉」はオンラインよりも対面が多くなっている。「Eメール」は7割を超える回答者が使用していたが、「オンラインチャット」は約3割にとどまっており、【読む・書く】という場面でのオンラインコミュニケーションでは、「Eメール」が主流である様子がうかがえる。

英語の使用頻度変化

［主な傾向］

会議やプレゼンテーションのオンライン形態が増加傾向にあるのに対し、対面での会議やプレゼンテーションは減少している。Eメール・電話については対応が分かれる。

［関連質問：アンケート調査Q6］

Q5で選択された業務上の英語によるコミュニケーション形態について、コロナ以前と比べたコロナ以降の頻度の変化に関して、以下の5段階でお答えください。（各項目で、回答は1つ）

［コロナ以降の頻度の変化］

1. 減った　2. やや減った　3. 変わらない　4. やや増えた　5. 増えた

【単位：人（%）】

	減った	やや減った	変わらない	やや増えた	増えた	合計
会議【オンライン】	54(3.7%)	15(1.0%)	333(22.5%)	318(21.5%)	758(51.3%)	1,478(100%)
プレゼンテーション【オンライン】	16(2.1%)	8(1.1%)	157(20.8%)	165(21.8%)	410(54.2%)	756(100%)
オンラインチャット	14(1.5%)	12(1.3%)	396(43.0%)	225(24.5%)	273(29.7%)	920(100%)
交渉【オンライン】	13(2.8%)	8(1.7%)	115(24.6%)	101(21.6%)	230(49.3%)	467(100%)
Eメール	96(4.6%)	46(2.2%)	1,400(66.9%)	313(15.0%)	237(11.3%)	2,092(100%)
プレゼンテーション資料	43(3.8%)	28(2.5%)	804(70.7%)	154(13.5%)	109(9.6%)	1,138(100%)
報告書	36(4.1%)	17(1.9%)	692(78.9%)	73(8.3%)	59(6.7%)	877(100%)
ビジネスレター	45(6.0%)	33(4.4%)	537(71.5%)	82(10.9%)	54(7.2%)	751(100%)
企画書	13(3.3%)	12(3.1%)	299(76.3%)	37(9.4%)	31(7.9%)	392(100%)
仕様書	29(4.2%)	16(2.3%)	562(81.0%)	51(7.3%)	36(5.2%)	694(100%)
操作マニュアル	26(4.1%)	18(2.8%)	505(79.8%)	55(8.7%)	29(4.6%)	633(100%)
論文	13(3.5%)	12(3.2%)	305(81.6%)	25(6.7%)	19(5.1%)	374(100%)
カタログ	11(4.2%)	5(1.9%)	214(81.4%)	20(7.6%)	13(4.9%)	263(100%)
広告文	11(8.0%)	5(3.6%)	98(71.5%)	12(8.8%)	11(8.0%)	137(100%)
(聞く・話す)その他	40(15.9%)	19(7.5%)	173(68.7%)	12(4.8%)	8(3.2%)	252(100%)
ファックス	25(27.5%)	2(2.2%)	58(63.7%)	4(4.4%)	2(2.2%)	91(100%)
(読む・書く)その他	23(9.2%)	3(1.2%)	203(81.5%)	12(4.8%)	8(3.2%)	249(100%)
電話(音声のみ)	152(15.5%)	74(7.6%)	557(56.8%)	106(10.8%)	91(9.3%)	980(100%)
パーティー等のイベント	302(73.3%)	41(10.0%)	61(14.8%)	5(1.2%)	3(0.7%)	412(100%)
交渉【対面】	318(58.2%)	80(14.7%)	126(23.1%)	13(2.4%)	9(1.6%)	546(100%)
プレゼンテーション【対面】	433(66.1%)	85(13.0%)	110(16.8%)	11(1.7%)	16(2.4%)	655(100%)
会議【対面】	718(66.9%)	117(10.9%)	192(17.9%)	18(1.7%)	29(2.7%)	1,074(100%)

［図表 15］英語の使用頻度変化

[集計結果]

Q6では、回答者のコロナ以前からコロナ後にかけての業務での英語使用頻度の変化を尋ねた。「会議【オンライン】」業務を英語で行っている回答者（1,478名）のうち、「増えた」と回答した人は51.3%（758名）で半数を超え、「やや増えた」の21.5%（318名）を加えると7割に達する。「プレゼンテーション【オンライン】」についても、回答者（756名）のうち、「増えた」が54.2%（410名）で半数を超え、「やや増えた」は21.8%（165名）と合わせると7割を超えている。「交渉【オンライン】」も同様である。「オンラインチャット」については、「増えた」と「やや増えた」を合わせると半数以上になっている。

「Eメール」や「プレゼンテーション資料」、「報告書」、「ビジネスレター」、「企画書」、「仕様書」、「操作マニュアル」、「論文」、「カタログ」、「広告文」といったものの作成業務、「ファックス」、「電話（音声のみ）」などは、コロナ以前と以降での頻度が「変わらない」という回答が多数を占めている。「パーティー等のイベント」や対面による「交渉」、「プレゼンテーション」、「会議」は「減った」がもっとも多く、「やや減った」を加えると、その割合は7－8割におよんでいる。

[考察]

コロナ後の業務で英語使用頻度が大きく増加しているのはオンラインによる「会議」、「プレゼンテーション」、「交渉」であり回答者の7割を超えている。一方、対面での「交渉」、「プレゼンテーション」、「会議」や「パーティーなどのイベント」は大きく減少している。ただし、対面での「交渉」に関しては、「変わらない」という回答が23.1%と一定数あり、重要な交渉時においては、コロナ下にあっても対面で行う必要性を意識している人たちがいる様子がうかがえる。

コロナ以前から英語使用頻度が変化していない項目としては、「Eメール」、「プレゼンテーション資料」、「報告書」、「ビジネスレター」、「企画書」、「仕様書」、「操作マニュアル」、「論文」、「カタログ」、「広告文」、「ファックス」といった【読む・書く】分野の項目であり、「電話（音声のみ）」も含めて、特に他者と対面しなくてもできる業務となっている。

「オンラインチャット」の増加や「Eメール」、「電話」の使用頻度が変わっていないのは、オンライン会議等に付随して、関連した情報のやり取りや確認といった用途での使用が推察される。

英語業務への対応度

[主な傾向]

多少の苦労を感じている人たちも含めると、現状英語業務に対応できている回答者が約7割である。

[関連質問：アンケート調査Q7]

ご自身の英語による業務について、現在、平均的にどの程度対応できているかお答えください。
（回答は1つ）

英語業務への対応度	回答者数（単位 人）	割合（単位 %）	TOEIC L&R Total スコアの平均値（単位 点）
特に問題なく対応できている	566	**21.1**	799.8
英語力が原因で、多少苦労することもあるが、何とか対応できている	1,341	**49.9**	754.0
英語力が原因で、いつも非常に苦労しており、そのために大変な労力を必要としている	467	**17.4**	664.2
英語力が原因で、一人ではどうにもならず、他の手助けを得ないといけなくなる	210	7.8	616.5
英語力が原因で、自分ではまったく対応できないため、ほかの人に対応を代わってもらっている	102	3.8	521.8
合計	2,686	100	727.2

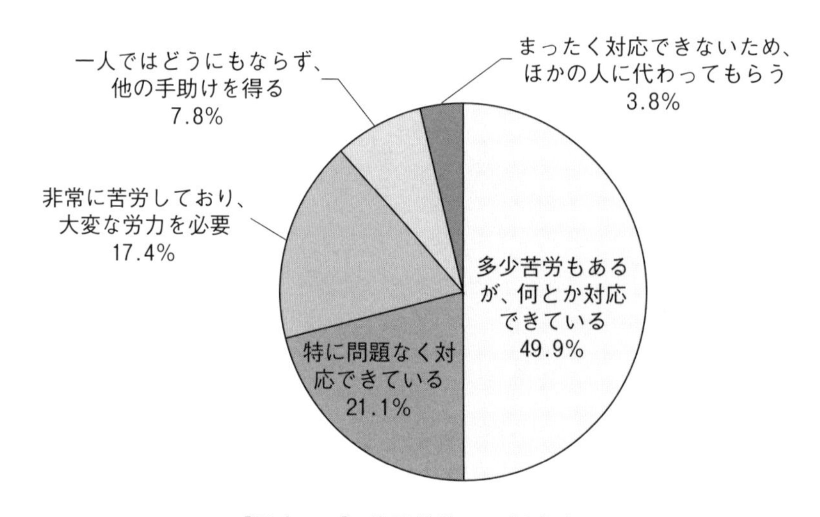

［図表 16］英語業務への対応度

[集計結果]

回答者の英語業務への対応度を尋ねたQ7では、約半数の49.9%（1,341名）が「英語力が原因で、多少苦労することもあるが、何とか対応できている」でもっとも多く、次いで「特に問題なく対応できている」が21.1%（566名）で、この2つで全体の7割を占めている。

［考察］

英語業務を「特に問題なく対応できている」、「多少苦労もあるが、何とか対応できている」回答者は合わせて7割を超えている。回答者全員のTOEIC L&R Totalスコアの平均値が727.2点と比較的高いことを加味すると、納得できる結果と言える。表の右端列のTOEIC L&R Totalスコアの平均値を見ると、「特に問題なく対応できている」人たちの平均はほぼ800点に近い799.8点であり、「英語力が原因で、多少苦労することもあるが、何とか対応できている」は754.0点である。

一方、「英語力が原因で、自分ではまったく対応できないため、ほかの人に対応を代わってもらっている」は521.8点と500点台まで平均値が下がり、英語業務を行う場合、英語力が一定以上なければ業務が難しい様子がうかがわれる。

TOEIC Programを開発したETSによる調査結果として、TOEIC L&R 550点以上でCEFR B1レベル、785点以上がCEFR B2レベルに相当することが公表されている。そのため、英語業務に対応するには、最低でもCEFR B1に近いレベル、一人である程度こなせるようになるにはB2に近いレベル、そして一人で問題なく英語業務に対応するにはそれ以上のレベルが必要となる可能性が、今回の結果からは示唆される。

現在の技能別英語力

［主な傾向］

【読む】ができる度合いがもっとも高く、【話す】ができる度合いがもっとも低い。

［関連質問：アンケート調査Q8］

ご自身の業務における、あなたの現在の英語力について英語の技能別にお尋ねします。できる程度（%）を、以下の5段階でお答えください。（各項目で、回答は1つ）

［あなたが「できる程度」］

1. 20%以下　2. 30～40%　3. 50～60%　4. 70～80%　5. 90%以上

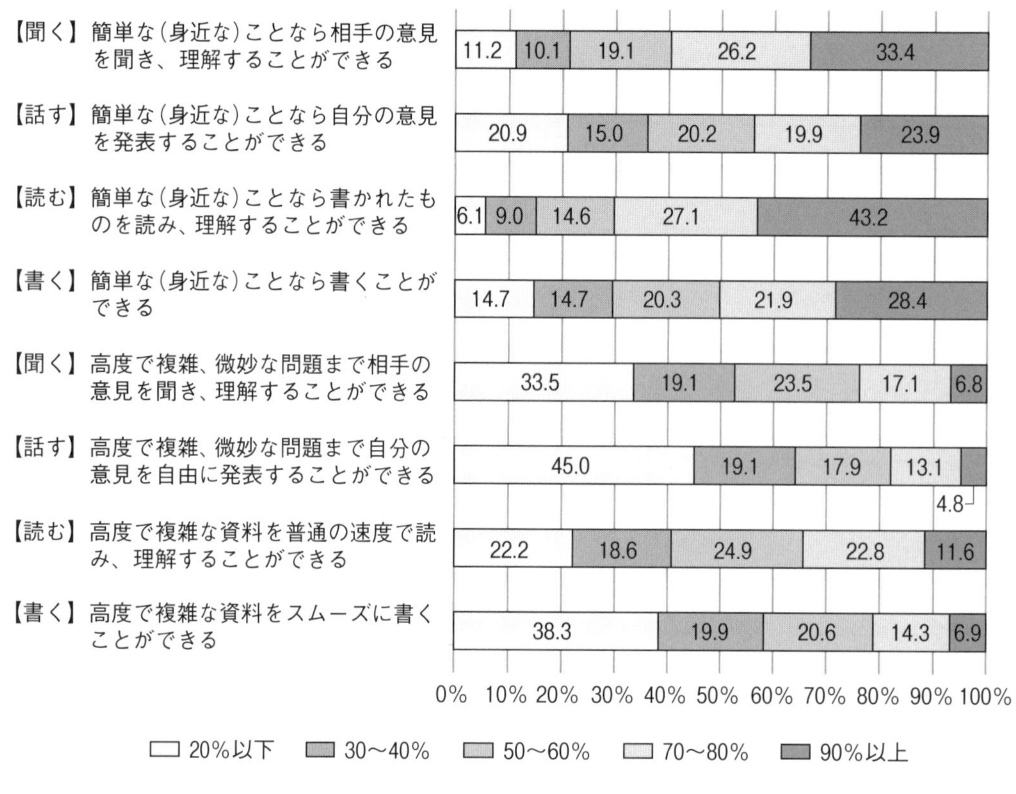

［図表 17］現在の技能別英語力

［集計結果］

簡単な項目では、【聞く】と【書く】で「90％以上」できるが約 3 割、「70％以上」の累計で 5 割強、「50％以上」の累計となると 7 割強であった。【話す】では「90％以上」が 23.9％、「70％以上」の累計で 43.8％、「50％以上」の累計で 64.0％と、【聞く】や【書く】よりできる人の割合が少なくなっていた。それに対し、【読む】は「90％以上」が 43.2％、「70％以上」の累計で 70.3％、「50％以上」の累計で 84.9％と、【聞く】や【書く】よりできる人の割合が多くなっていた。

高度な項目でも、その傾向は同じだが、【聞く】と【書く】で「90％以上」できるが 7％弱、「70％以上」の累計が 2 割強、「50％以上」の累計でも 4 割強であった。これに対し、【話す】では「90％以上」が 4.8％、「70％以上」の累計で 17.9％、「50％以上」は累計 35.8％であったが、【読む】は「90％以上」が 11.6％、「70％以上」の累計で 34.4％、「50％以上」の累計では 59.3％となっていた。

［考察］

4 技能のうち、【話す】については、自身のできる度合いに対する自己評価が低く、簡単な内容であっても苦手意識が高いようである。逆に、【読む】については、高度な内容であっても

50％以上理解できるという回答が6割近くあり、読解についてはできる度合いがある程度高いと自己評価している様子がうかがえる。

CEFRの現在値と目標値

［主な傾向］

自立した言語使用者（CEFR B1およびB2レベル）は7割を超えて存在する。中上級～上級レベル（CEFR B2およびC1レベル）を目指す回答者が7割を超えている。

［関連質問：アンケート調査Q9］

下記のCEFRに準拠した「英語力レベル」の内容をお読みいただき、業務で英語を使用する際の（1）あなたの現在のレベル、（2）あなたがここ数年で到達したい現実的な目標レベルをお答えください。（各項目で、回答は1つ）

［CEFRに準拠した「英語力レベル」］（注）

1. 【CEFRレベル：C2】【TOEIC L&Rスコアの目安：なし】
ほぼすべての話題を容易に理解し、その内容を論理的に再構成して、
ごく細かいニュアンスまで表現できる
2. 【CEFRレベル：C1】【TOEIC L&Rスコアの目安：945点～】
広範で複雑な話題を理解して、目的に合った適切な言葉を使い、
論理的な主張や議論を組み立てることができる
3. 【CEFRレベル：B2】【TOEIC L&Rスコアの目安：785点～】
社会生活での幅広い話題について自然に会話ができ、
明確かつ詳細に自分の意見を表現できる
4. 【CEFRレベル：B1】【TOEIC L&Rスコアの目安：550点～】
社会生活での身近な話題について理解し、自分の意思とその理由を簡単に説明できる
5. 【CEFRレベル：A2】【TOEIC L&Rスコアの目安：225点～】
日常生活での身近なことがらについて、簡単なやりとりができる
6. 【CEFRレベル：A1】【TOEIC L&Rスコアの目安：120点～】
日常生活での基本的な表現を理解し、ごく簡単なやりとりができる

注）出典：NHK（Japan Broadcasting Corporation）『NHKゴガク 英語講座 レベルの目安に』（2022年7月11日取得） なお、実際のアンケート画面では、各英語力レベルのより詳細な説明を別ページで確認できる仕様にした。CEFR各レベルに対応したTOEIC L&Rスコアは、TOEIC Programの開発機関であるETSが行った調査分析結果に基づいている。なお、ETSが行った調査分析は、Listening・Reading別に行っている。上記記載のTOEIC L&RスコアはCEFR各レベルに対応したListening・Readingスコアを、便宜上、合算した数値（Totalスコア）である。

CEFR	CEFR現在値の回答者数（単位 人）と割合	TOEIC L&R Total スコアの平均値（単位 点）
C2	48 (1.8%)	828.3
C1	208 (7.7%)	925.9
B2	999 (37.2%)	839.5
B1	1,080 (40.2%)	668.8
A2	288 (10.7%)	458.3
A1	63 (2.3%)	560.8
合計	2,686（100%）	727.2

CEFR	CEFR目標値の回答者数（単位 人）と割合
C2	493 (18.4%)
C1	1,014 (37.8%)
B2	940 (35.0%)
B1	213 (7.9%)
A2	16 (0.6%)
A1	10 (0.4%)
合計	2,686（100%）

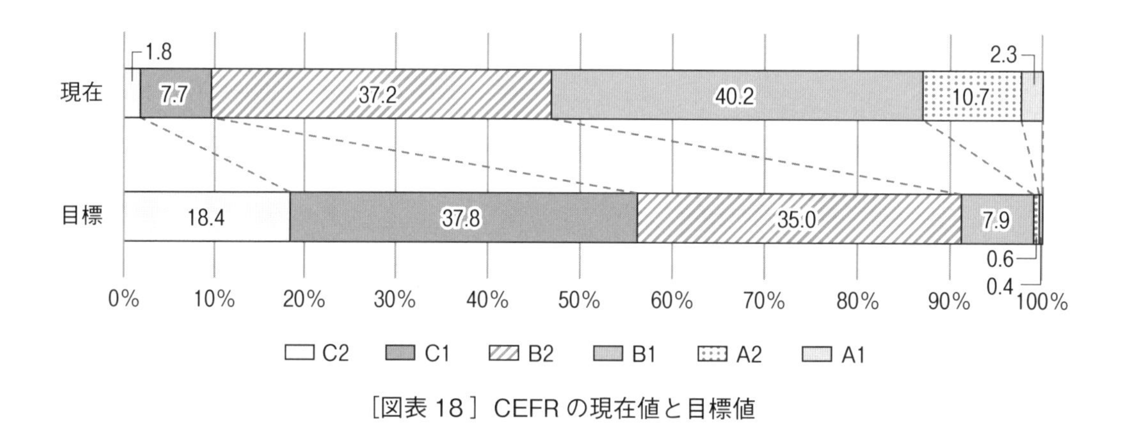

［図表 18］CEFR の現在値と目標値

［集計結果］

CEFRの現在値と数年以内で到達したい目標値を尋ねたQ9では、現在値が「B1」という回答が40.2%（1,080名）でもっとも多く、次いで「B2」が37.2%（999名）であった。CEFRでは、A1とA2レベルを「基礎段階の言語使用者」、B1とB2レベルを「自立した言語使用者」、C1とC2レベルを「熟達した言語使用者」としているが、それを踏まえると、「自立した言語使用者」が7割を超えている。一方、目標値は「C1」がもっとも多く37.8%（1,014名）、次いで「B2」が35.0%（940名）であった。

［考察］

目標値を「C1」、「B2」としている回答者が7割を超えており、現在値と比較すると、現在のレベルのひとつ上を目標としている様子がうかがえた。しかし、現在値が「B1」である回答者が最多で4割を超えているということは、自立した言語使用者とはいえ中級レベルにとどまっており上級レベルではないということである。目標値が「C1」、「B2」が多いことから、中上級または上級レベルに英語力を引き上げたいと考えている回答者が多い様子が見えてくる。

過去1年以内のTOEIC L&Rのスコア

[主な傾向]

TOEIC L&Rのスコア800点以上は3割を超え、500点以上800点未満は約5割であった。一方で、500点未満は1割程度にとどまる。

[関連質問:アンケート調査Q10]

あなたが過去1年以内に受験したTOEIC L&Rのスコアをお答えください。(回答は1つ)

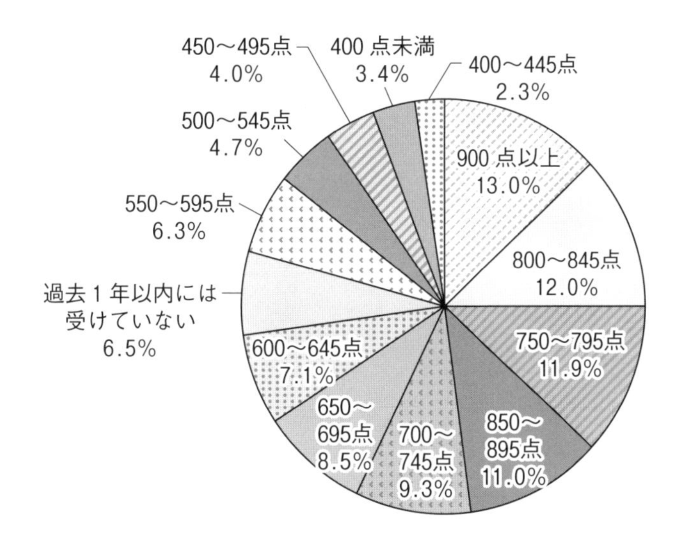

[図表19] 過去1年以内のTOEIC L&Rのスコア

[集計結果]

過去1年以内のTOEIC L&Rのスコアを尋ねたQ10では、「900点以上」という回答が13.0%(348名)と最大であった。次いで、「800〜845点」が12.0%(323名)、「750〜795点」が11.9%(319名)、「850〜895点」が11.0%(296名)、「700〜745点」が9.3%(249名)と続く。

[考察]

過去1年以内のTOEIC L&Rのスコアが800点以上の回答者は36.0%であり、500点以上800点未満の回答者は47.8%であった。一方、500点未満の回答者は9.7%であった。本アンケート調査の回答者の平均値は727.2点であり、2021年度の公開テスト受験者のうち社会人の平均640点、団体特別受験制度受験者のうち社会人の平均533点であることを考えると、ビジネスパーソンのなかでも比較的英語力が高い層が回答していることがわかる。

会議における役割

[主な傾向]

4割を超える回答者が、「何か聞かれたら答える程度」の役割で、英語を使用する会議に参加している。また、会議で担う役割は多岐にわたっている。

[関連質問：アンケート調査 Q11]

あなたが、ここ最近、参加される英語の会議においてあなたが担う役割をすべてお答えください。（いくつでも）

会議役割	回答者数（単位 人）	割合（単位 %）	TOEIC L&R Total スコアの平均値（単位 点）
会議に参加はするが、何か聞かれたら答える程度にとどまる	422	**45.8**	762.0
定型の内容について説明し、その範囲で相手からの質問に答える	381	**41.4**	789.0
会議全体を進行させる（ファシリテーション）	379	**41.2**	817.3
相手との交渉・協議の担当窓口となる	373	**40.5**	810.5
議事録を取る	250	27.1	814.4
会議の場で最終判断をする／結論を出す	196	21.3	810.8
会議に参加するのみで、発言等はほとんどしない	188	20.4	729.3
上司や他の担当窓口に同席し通訳する	182	19.8	840.8
その他	31	3.4	712.5

［図表20］会議における役割

[集計結果]

会議で担っている役割を尋ねたQ11では、回答者921名のうち「会議に参加はするが、何か聞かれたら答える程度にとどまる」が45.8％（422名）で最大であった。次いで「定型の内容について説明し、その範囲で相手からの質問に答える」が41.4％（381名)、「会議全体を進行させる（ファシリテーション)」が41.2％（379名)、「相手との交渉・協議の担当窓口となる」が40.5％（373名）で、上記の項目はすべて4割を超えていた。

また、「会議の場で最終判断をする／結論を出す」は21.3％（196名)、「会議に参加するのみで、発言等はほとんどしない」も20.4％（188名）と2割を超えた。「その他」は3.4％（31名）で、内訳としては「（現在の部署や会社で）英語での会議がない」6名、「英語での会議に参加していない」5名、「内容全体の把握」、「必要に応じて専門用語の解説」、「相手と通訳を介し議論をする」、「通訳者がいるので日本語で話を聞いたり意見を言う」などがあった。

[考察]

「会議に参加はするが、何か聞かれたら答える程度にとどまる」人がもっとも多いが、これは役職者より一般社員の割合が回答者に多いためと思われる。また、ファシリテーションや交渉・協議の担当窓口など、様々な役割を担うことが求められる様子がうかがえる。

表の右端列のTOEIC L&R Totalスコア平均値が高いのは「上司や他の担当窓口に同席し通訳する」で840.8点と800点を超えており、高度な英語力が必要なことがうかがえる。また「会議全体を進行させる（ファシリテーション）」、「議事録を取る」、「会議の場で最終判断をする／結論を出す」、「相手との交渉・協議の担当窓口となる」の項目でも800点を超えており、主体的または瞬時に対応が必要な英語業務でも高い英語力が必要と思われる。

一方、「定型の内容について説明し、その範囲で相手からの質問に答える」、「会議に参加はするが、何か聞かれたら答える程度にとどまる」等、事前に準備が可能な範囲内での発言、または参加するのみであれば700点台でも対応できている可能性がうかがえる。

対面会議とオンライン会議の違い：会議目的別困難度

[主な傾向]

対面会議よりもオンライン会議のほうが目的の達成が難しいと感じている。

[関連質問：アンケート調査Q12]

英語の会議における、会議の目的について、対面会議とオンライン会議を比較した場合、どちらの会議形態のほうが目的の達成が難しいといったような困難の度合いに違いを感じますか。下記選択肢からお答えください。（各項目で、回答は1つ）

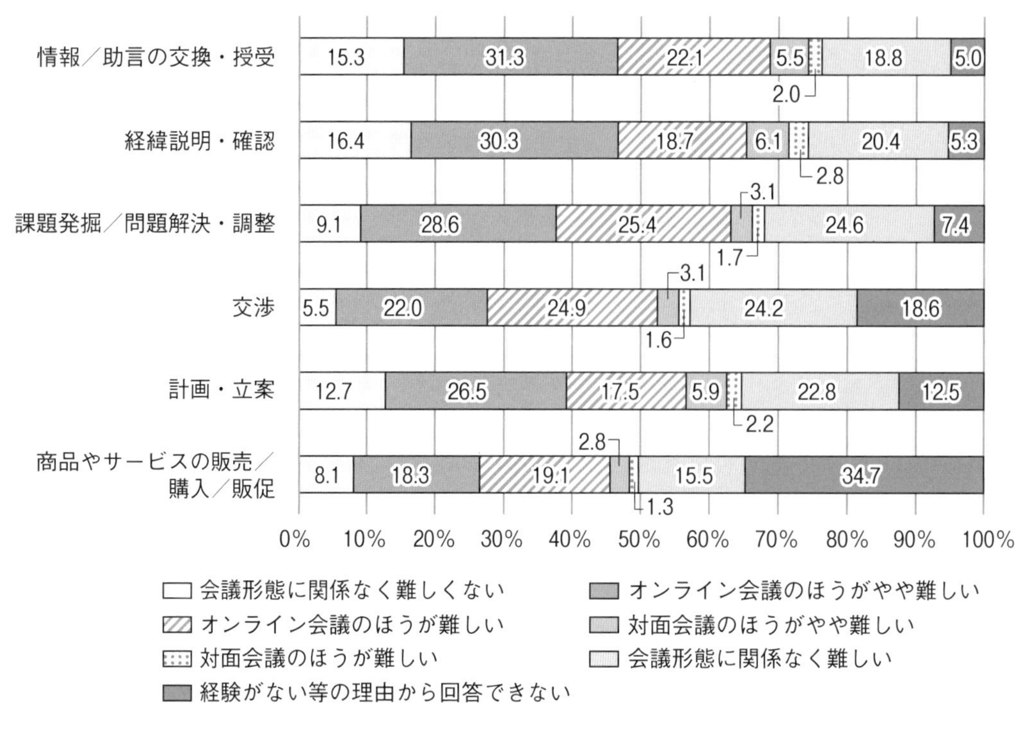

［図表 21］ 会議目的別困難度

[集計結果]

会議の目的別にオンラインと対面の困難度を尋ねたQ12では、今回アンケート内に用意したすべての目的において、「オンラインのほうが難しい」、「オンラインのほうがやや難しい」という回答が対面に比べて多く、両者を合わせると4－5割を占めている。なかでも「課題発掘／問題解決・調整」は両者の合計値が54.0%ともっとも多くなっている。

一方で「会議形態に関係なく難しい」という回答も多く2割前後の数を集めており、特に「課題発掘／問題解決・調整」と「交渉」では全体の4分の1程度が形態に関係なく困難と回答している。また「情報／助言の交換・授受」、「経緯説明・確認」「計画・立案」は「会議形態に関係なく難しくない」という回答が10%以上あった。

[考察]

全体的に、対面会議よりもオンライン会議のほうが困難と認識している様子がうかがえるが、双方向コミュニケーションの要素が多く含まれている「交渉」や「課題発掘／問題解決・調整」を目的とした会議の場合、会議形態に関係なく「難しい」とする人の割合が高く、かつ、「難しくない」とする人の割合が1割を切っており、会議自体の困難さがある様子がうかがえる。

「会議形態に関係なく難しくない」という回答が比較的多かった目的のうち「情報／助言の交換・授受」、「経緯説明・確認」などは双方向というよりは、一方が話し、もう一方は聞き役になることが多いといった会議の特性による可能性があると思われる。

対面会議とオンライン会議の違い：会議場面別困難度

[主な傾向]

資料の準備は比較的容易であるが、オンライン上の会議は総じて難しい。また、やり取りが動的かつ双方向になるとオンライン会議の難しさが一層浮き彫りとなり、会議をまとめ、終了させる場面については、形態に関わらず難しい。

[関連質問：アンケート調査Q13]

英語の会議における、「準備」から「結論を下す」までの様々な場面・シーンについて対面会議とオンライン会議を比較した場合、どちらの会議形態のほうが、スムーズな運営や展開が難しいといったような困難の度合いに違いを感じますか。下記選択肢からお答えください。(各項目で、回答は1つ)

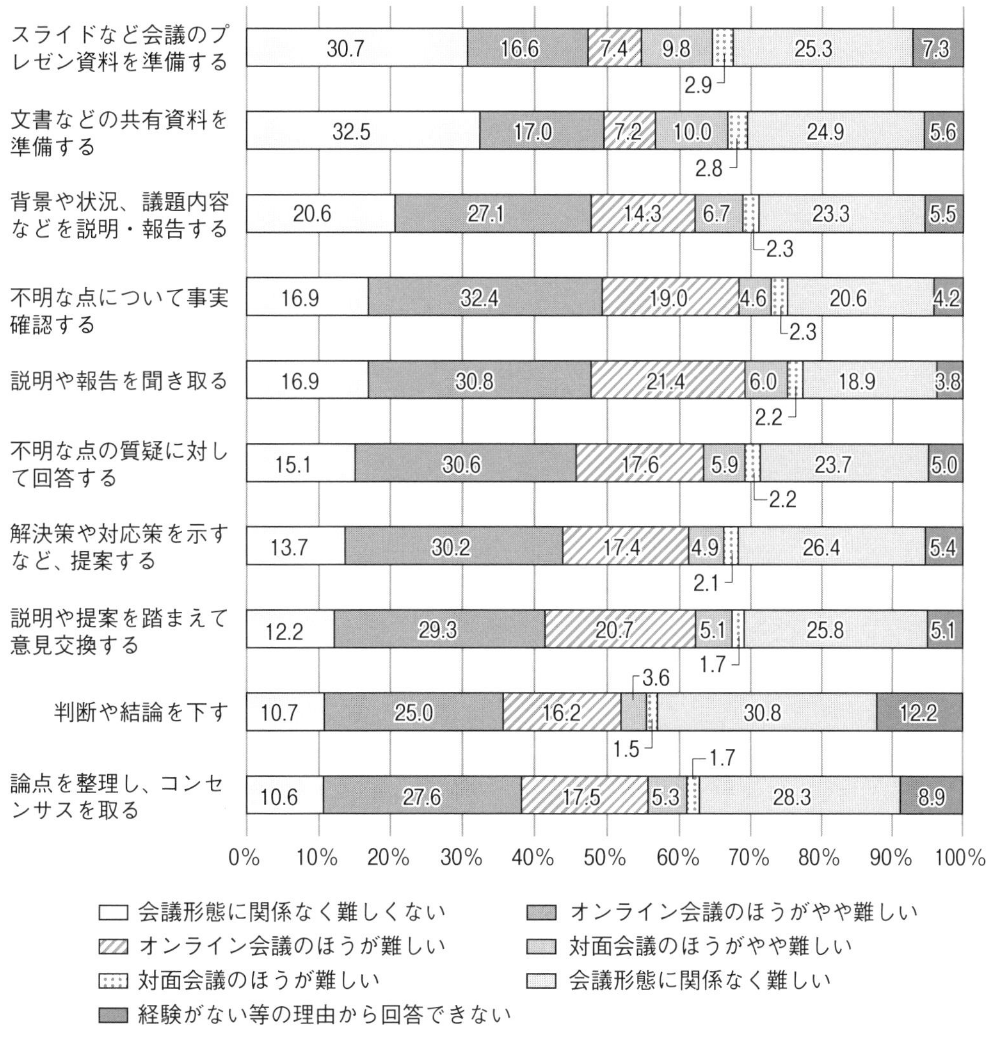

［図表22］会議場面別困難度

[集計結果]

会議の場面別にオンラインと対面の困難度を尋ねたQ13でも、すべての場面で「オンラインのほうが難しい」、「オンラインのほうがやや難しい」の合計値が「対面会議のほうが難しい」、「対面会議のほうがやや難しい」の合計値を大きく上回っている。

しかし「会議形態に関係なく難しくない」や「会議形態に関係なく難しい」という回答もかなり多い。「スライドなど会議のプレゼン資料を準備する」、「文書などの共有資料を準備する」は「会議形態に関係なく難しくない」という回答がもっとも多く、それぞれ30.7％（283名）と32.5％（299名）であったが、「会議形態に関係なく難しい」という回答もそれぞれ25.3％（233名）と24.9％（229名）で2番目に多い回答であった。

他に「会議形態に関係なく難しい」という回答が20％を超えていたのは、「背景や状況、議題内容などを説明・報告する」23.3％（215名）、「不明な点について事実確認する」20.6％（190名）、「不明な点の質疑に対して回答する」23.7％（218名）、「解決策や対応策を示すなど、提案する」26.4％（243名）、「説明や提案を踏まえて意見を交換する」25.8％（238名）、「判断や結論を下す」30.8％（284名）、「論点を整理し、コンセンサスを取る」28.3％（261名）である。

[考察]

事前準備が可能な各種資料の作成は「会議形態に関係なく難しくない」と感じている回答者が3割を超えている。しかし、不明点に関して事実確認をする、質疑応答、意見交換などコミュニケーションが動的かつ双方向になった場合は「オンラインのほうがやや難しい」と感じている回答者が多くなり3割前後に到達する。

一方、すべての項目で約2割から3割程度の回答者が「会議形態に関係なく難しい」と回答しているが、特に「判断や結論を下す」、「論点を整理しコンセンサスを取る」といった会議の内容をまとめ、終了させるようなことについて難しいと回答している人が多いことが示された。

対面会議とオンライン会議の違い：会議力別困難度

[主な傾向]

オンライン会議では、「喜怒哀楽の伝達」、「信頼を得る」、「ニュアンスの伝達や理解」といったことが難しい。「正しい英語で発信する」ことは形態に関わらず難しい。

[関連質問：アンケート調査Q14]

英語の会議における、スピーキング力、リスニング力、会議力や人間関係に関連する項目について対面会議とオンライン会議を比較した場合、どちらの会議形態のほうが実行や実現が難しいといったような困難の度合いに違いを感じますか。下記選択肢からお答えください。（各項目で、回答は1つ）

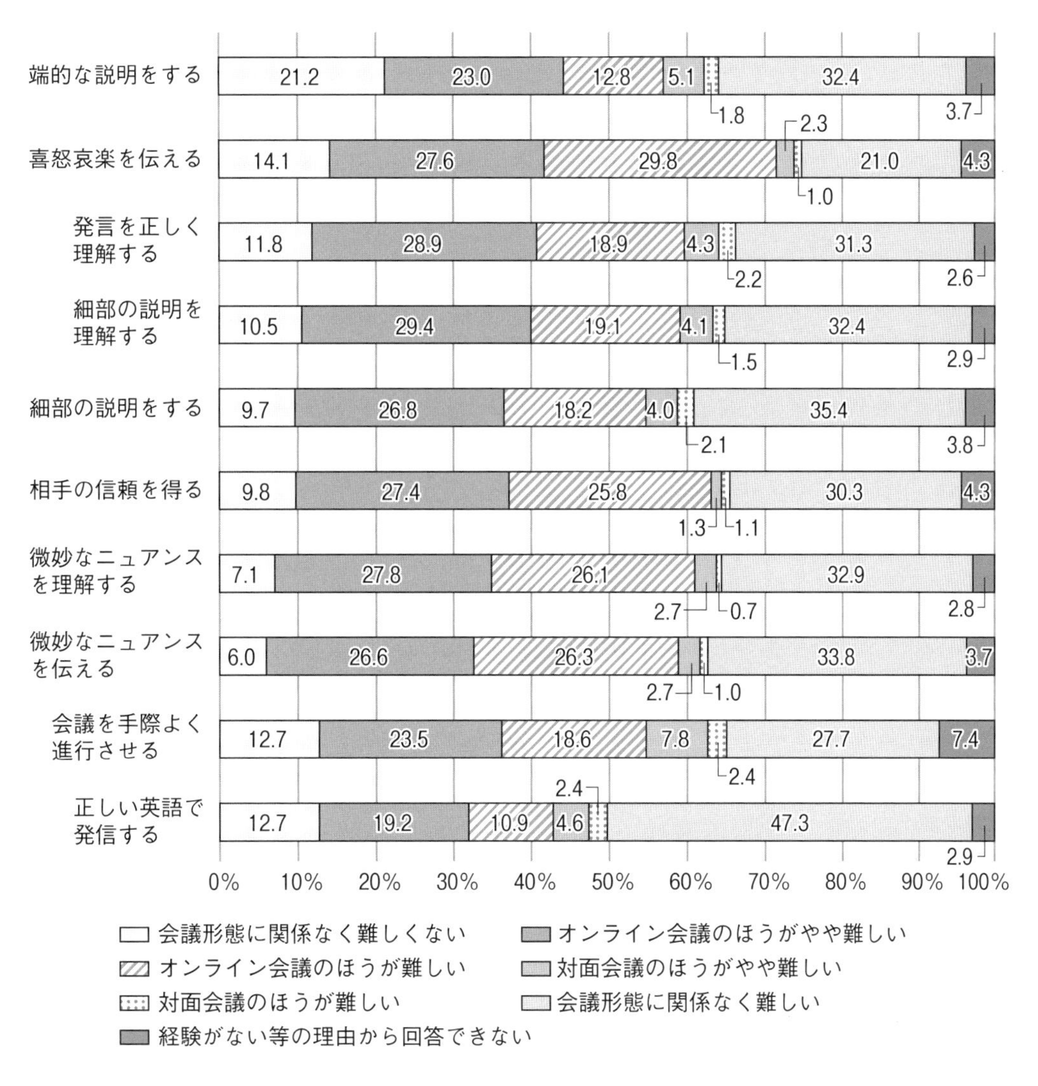

[図表23］会議力別困難度

[集計結果]

会議力や人間関係の項目別に英語会議の困難度を尋ねたQ14でも、すべて「オンラインのほうが難しい」、「オンラインのほうがやや難しい」の合計値が「対面会議のほうが難しい」、「対面会議のほうがやや難しい」の合計値を大きく上回っている。「会議形態に関係なく難しくない」という回答も一定数あるが、「会議形態に関係なく難しい」という回答がもっとも多くなっている項目がほとんどである。

「会議形態に関係なく難しい」より「オンラインのほうが（やや）難しい」という回答が多かったのは「喜怒哀楽を伝える」で、「会議形態に関係なく難しい」21.0%（193名）に対し、「オンラインのほうがやや難しい」は27.6%（254名）、「オンラインのほうが難しい」は29.8%（274名）であった。

他は「会議形態に関係なく難しい」がもっとも多く、「端的な説明をする」は32.4%（298名)、「発言を正しく理解する」31.3%（288名)、「細部の説明を理解する」32.4%（298名)、「細部の説明をする」35.4%（326名)、「相手の信頼を得る」30.3%（279名)、「微妙なニュアンスを理解する」32.9%（303名)、「微妙なニュアンスを伝える」33.8%（311名)、「会議を手際よく進行させる」27.7%（255名)、「正しい英語で発信する」47.3%（436名）であった。

［考察］

Q14の項目は、回答者が「会議形態に関係なく難しい」と感じているものがほとんどであった。また、対面よりオンラインのほうがさらに難しいものであることも示されている。なかでも、「喜怒哀楽を伝える」、「相手の信頼を得る」、「微妙なニュアンス」の理解や伝達といったことが、オンラインでは特に難しいと感じている人が多いようである。

一方で、「正しい英語で発信する」ことは、もっとも「会議形態に関係なく難しい」ことであり、半数近くの回答者が感じているようである。

対面会議とオンライン会議の違い：心理要因別困難度

［主な傾向］

オンラインでは集中力の維持とカットインが難しく、躊躇せず、かつ慌てないで対処することは会議形態にかかわらず困難度が高い。

［関連質問：アンケート調査Q15］

英語の会議における、精神的・心理的要因に関連する項目について対面会議とオンライン会議を比較した場合、どちらの会議形態の方が実行や実現が難しいといったような困難の度合いに違いを感じますか。下記選択肢からお答えください。（各項目で、回答は1つ）

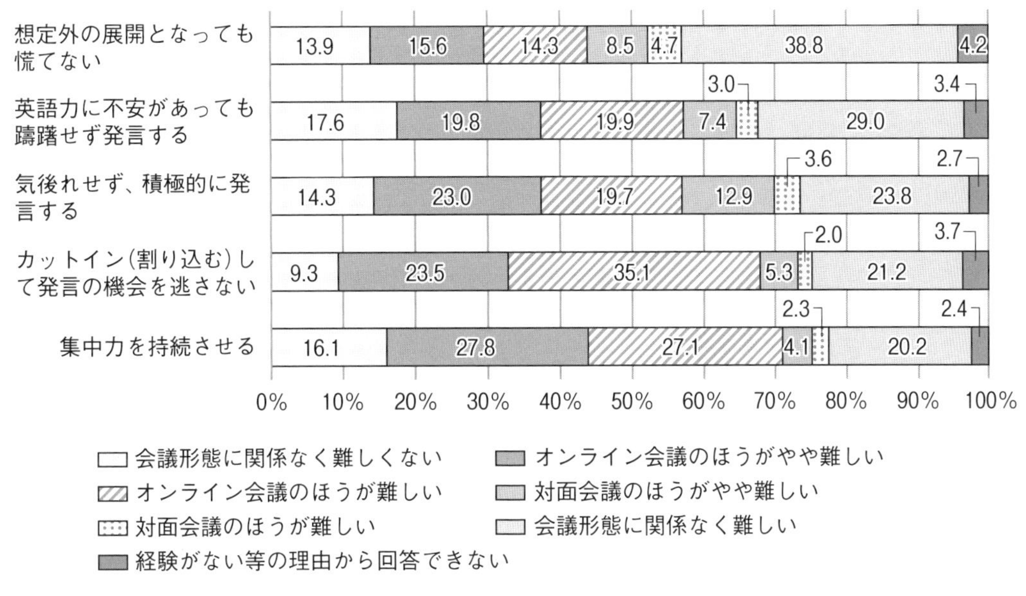

［図表 24］ 心理要因別困難度

[集計結果]

心理要因別で英語会議の困難度を尋ねたQ15でも、「オンラインのほうが難しい」、「オンラインのほうがやや難しい」の合計値が、「対面会議のほうが難しい」、「対面会議のほうがやや難しい」の合計値をすべての項目で上回っている。

対面と比べてオンラインのほうが難しいと感じている割合が高い項目は、「カットイン（割り込む）して発言の機会を逃さない」と「集中力を持続させる」で、「オンラインのほうが難しい」、「オンラインのほうがやや難しい」の合計値はそれぞれ58.6%と54.9%である。

しかし「会議形態に関係なく難しくない」という回答も「カットイン（割り込む）して発言の機会を逃さない」以外は15%前後あり、また「会議形態に関係なく難しい」という回答もすべて20%以上となっている。特に「想定外の展開となっても慌てない」は38.8%（357名）が「会議形態に関係なく難しい」と回答しており、もっとも多い回答となっている。

他に「気後れせず、積極的に発言する」、「英語力に不安があっても躊躇せず発言する」の2つも、もっとも多い回答が「会議形態に関係なく難しい」であり、それぞれ23.8%（219名）と29.0%（267名）となっている。

以下は、会議の困難について質問しているQ12～Q15についてまとめてグラフ化し、「オンライン会議のほうが（やや）難しい」、「会議形態に関係なく難しい」、「会議形態に関係なく難しくない」という回答が多い順にそれぞれ並べて、会議全般を通して見て、どのようなことがオンラインで行うのが難しいか、何が絶対的に難しい、難しくないのかを見た。

また、各項目に対し、「目的」、「場面」、「会議力」、「心理」という4種類のカテゴリー分類も併せて行った。

分類	項目	オンライン会議のほうが難しい	オンライン会議のほうがやや難しい	対面会議のほうが難しい	対面会議のほうがやや難しい	会議形態に関係なく難しい	会議形態に関係なく難しくない	経験がない等の理由から回答できない
心理	カットイン(割り込む)して発言の機会を逃さない	35.1	23.5	2.0	5.3	21.2	9.3	3.7
会議力	喜怒哀楽を伝える	29.8	27.6	1.0	2.3	21.0	14.1	4.3
心理	集中力を持続させる	27.1	27.8	2.3	4.1	20.2	16.1	2.4
目的	課題発掘／問題解決・調整	25.4	28.6	1.7	3.1	24.6	9.1	7.4
会議力	微妙なニュアンスを理解する	26.1	27.8	0.7	2.7	32.9	7.1	2.8
目的	情報／助言の交換・授受	22.1	31.3	2.0	5.5	18.8	15.3	5.0
会議力	相手の信頼を得る	25.8	27.4	1.1	1.3	30.3	9.8	4.3
会議力	微妙なニュアンスを伝える	26.3	26.6	1.0	2.7	33.8	6.0	3.7
場面	説明や報告を聞き取る	21.4	30.8	2.2	6.0	18.9	16.9	3.8
場面	不明な点について事実確認する	19.0	32.4	2.3	4.6	20.6	16.9	4.2
場面	説明や提案を踏まえて意見交換する	20.7	29.3	1.7	5.1	25.8	12.2	5.1
目的	経緯説明・確認	18.7	30.3	2.8	6.1	20.4	16.4	5.3
会議力	細部の説明を理解する	19.1	29.4	1.5	4.1	32.4	10.5	2.9
場面	不明な点の質疑に対して回答する	17.6	30.6	2.2	5.9	23.7	15.1	5.0
会議力	発言を正しく理解する	18.9	28.9	2.2	4.3	31.3	11.8	2.6
場面	解決策や対応策を示すなど、提案する	17.4	30.2	2.1	4.9	26.4	13.7	5.4
目的	交渉	24.9	22.0	1.6	3.1	24.2	5.5	18.6
場面	論点を整理し、コンセンサスを取る	17.5	27.6	1.7	5.3	28.3	10.6	8.9
会議力	細部の説明をする	18.2	26.8	2.1	4.0	35.4	9.7	3.8
目的	計画・立案	17.5	26.5	2.2	5.9	22.8	12.7	12.5
心理	気後れせず、積極的に発言する	19.7	23.0	3.6	12.9	23.8	14.3	2.7
会議力	会議を手際よく進行させる	18.6	23.5	2.4	7.8	27.7	12.7	7.4
場面	背景や状況、議題内容などを説明・報告する	14.3	27.1	2.3	6.7	23.3	20.6	5.5
場面	判断や結論を下す	16.2	25.0	1.5	3.6	30.8	10.7	12.2
心理	英語力に不安があっても躊躇せず発言する	19.9	19.8	3.0	7.4	29.0	17.6	3.4
目的	商品やサービスの販売／購入／販促	19.1	18.3	1.3	2.8	15.5	8.1	34.7
会議力	端的な説明をする	12.8	23.0	1.8	5.1	32.4	21.2	3.7
会議力	正しい英語で発信する	10.9	19.2	2.4	4.6	47.3	12.7	2.9
心理	想定外の展開となっても慌てない	14.3	15.6	4.7	8.5	38.8	13.9	4.2
場面	文書などの共有資料を準備する	7.2	17.0	2.8	10.0	24.9	32.5	5.6
場面	スライドなど会議のプレゼン資料を準備する	7.4	16.6	2.9	9.8	25.3	30.7	7.3

0% 10% 20% 30% 40% 50% 60% 70% 80% 90% 100%

[図表 25-1] Q12 ～ Q15　オンラインが困難

[考察]：オンラインが困難

オンライン会議でもっとも難しいのは、「カットイン」、「喜怒哀楽を伝える」、「集中力の持続」等で、「課題発掘／問題解決・調整」といった目的の会議もオンラインでは難しいことがうかがえる。それに対して、時間をかけて準備ができる資料作りは、オンラインではさほど困難と考えている人が多くない様子がわかる。

		会議形態に関係なく難しい	オンライン会議のほうが難しい	オンライン会議のほうがやや難しい	対面会議のほうが難しい	対面会議のほうがやや難しい	会議形態に関係なく難しくない	経験がない等の理由から回答できない
会議力	正しい英語で発信する	47.3	10.9	19.2	2.4	4.6	12.7	2.9
心理	想定外の展開となっても慌てない	38.8	14.3	15.6	4.7	8.5	13.9	4.2
会議力	細部の説明をする	35.4	18.2	26.8	2.1	4.0	9.7	3.8
会議力	微妙なニュアンスを伝える	33.8	26.3	26.6	1.0	2.7	6.0	3.7
会議力	微妙なニュアンスを理解する	32.9	26.1	27.8	0.7	2.7	7.1	2.8
会議力	細部の説明を理解する	32.4	19.1	29.4	1.5	4.1	10.5	2.9
会議力	端的な説明をする	32.4	12.8	23.0	1.8	5.1	21.2	3.7
会議力	発言を正しく理解する	31.3	18.9	28.9	2.2	4.3	11.8	2.6
場面	判断や結論を下す	30.8	16.2	25.0	1.5	3.6	10.7	12.2
会議力	相手の信頼を得る	30.3	25.8	27.4	1.1	1.3	9.8	4.3
心理	英語力に不安があっても躊躇せず発言する	29.0	19.9	19.8	3.0	7.4	17.6	3.4
場面	論点を整理し、コンセンサスを取る	28.3	17.5	27.6	1.7	5.3	10.6	8.9
会議力	会議を手際よく進行させる	27.7	18.6	23.5	2.4	7.8	12.7	7.4
場面	解決策や対応策を示すなど、提案する	26.4	17.4	30.2	2.1	4.9	13.7	5.4
場面	説明や提案を踏まえて意見交換する	25.8	20.7	29.3	1.7	5.1	12.2	5.1
場面	スライドなど会議のプレゼン資料を準備する	25.3	7.4	16.6	2.9	9.8	30.7	7.3
場面	文書などの共有資料を準備する	24.9	7.2	17.0	2.8	10.0	32.5	5.6
目的	課題発掘／問題解決・調整	24.6	25.4	28.6	1.7	3.1	9.1	7.4
目的	交渉	24.2	24.9	22.0	1.6	3.1	5.5	18.6
心理	気後れせず、積極的に発言する	23.8	19.7	23.0	3.6	12.9	14.3	2.7
場面	不明な点の質疑に対して回答する	23.7	17.6	30.6	2.2	5.9	15.1	5.0
場面	背景や状況、議題内容などを説明・報告する	23.3	14.3	27.1	2.3	6.7	20.6	5.5
目的	計画・立案	22.8	17.5	26.5	2.2	5.9	12.7	12.5
心理	カットイン（割り込む）して発言の機会を逃さない	21.2	35.1	23.5	2.0	5.3	9.3	3.7
会議力	喜怒哀楽を伝える	21.0	29.8	27.6	1.0	2.3	14.1	4.3
場面	不明な点について事実確認する	20.6	19.0	32.4	2.3	4.6	16.9	4.2
目的	経緯説明・確認	20.4	18.7	30.3	2.8	6.1	16.4	5.3
心理	集中力を持続させる	20.2	27.1	27.8	2.3	4.1	16.1	2.4
場面	説明や報告を聞き取る	18.9	21.4	30.8	2.2	6.0	16.9	3.8
目的	情報／助言の交換・授受	18.8	22.1	31.3	2.0	5.5	15.3	5.0
目的	商品やサービスの販売／購入／販促	15.5	19.1	18.3	1.3	2.8	8.1	34.7

0%　10%　20%　30%　40%　50%　60%　70%　80%　90%　100%

［図表 25-2］ Q12 ～ Q15　会議形態に関係なく難しい

［考察］：会議形態に関係なく難しい

「正しい英語で発信する」が「会議形態に関係なく難しい」という意見がもっとも多く、「想定外の展開となっても慌てない」がその次に多かった。その後は、細部や微妙なニュアンスを理解する／伝える等々、「オンライン会議のほうが（やや）難しい」という意見も多い項目が並んでいる。

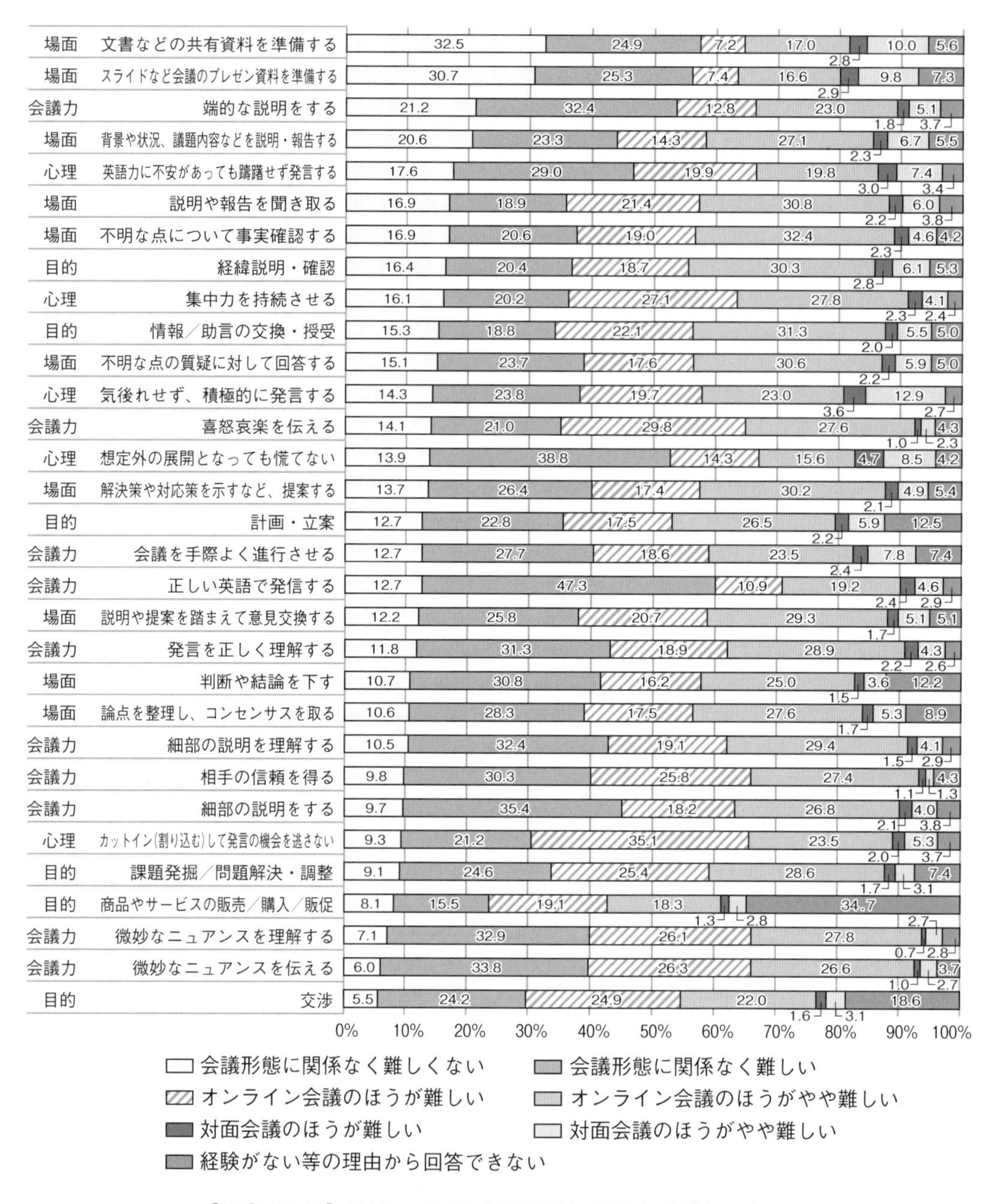

［図表 25-3］ Q12 ～ Q15 会議形態に関係なく難しくない

［考察］：会議形態に関係なく難しくない

「資料の準備」が上位にきているが、会議形態に関係なく難しい項目でも中位にあることから、会議資料に対する考え方などによって困難度の違いが生じることがうかがえる。スキルとしては、説明・報告、確認、聞き取りなど、比較的単純なやり取りのみのものは困難度が低いことがわかる。

対面会議とオンライン会議の違い：会議進行・展開力別重要度

［主な傾向］

６割程度の回答者が、総じて「会議形態による差異はない」と回答しているが、オンラインの場合には声のトーンやスピード等が、対面会議の場合には服装や身だしなみが重要と回答している人の割合が高い。

［関連質問：アンケート調査Q16］

英語の会議において、会議のスムーズな運営や展開のために必要と思われる以下の項目について、対面会議とオンライン会議を比較した場合、会議形態によって重要度に違いを感じますか。下記選択肢からお答えください。（各項目で、回答は１つ）

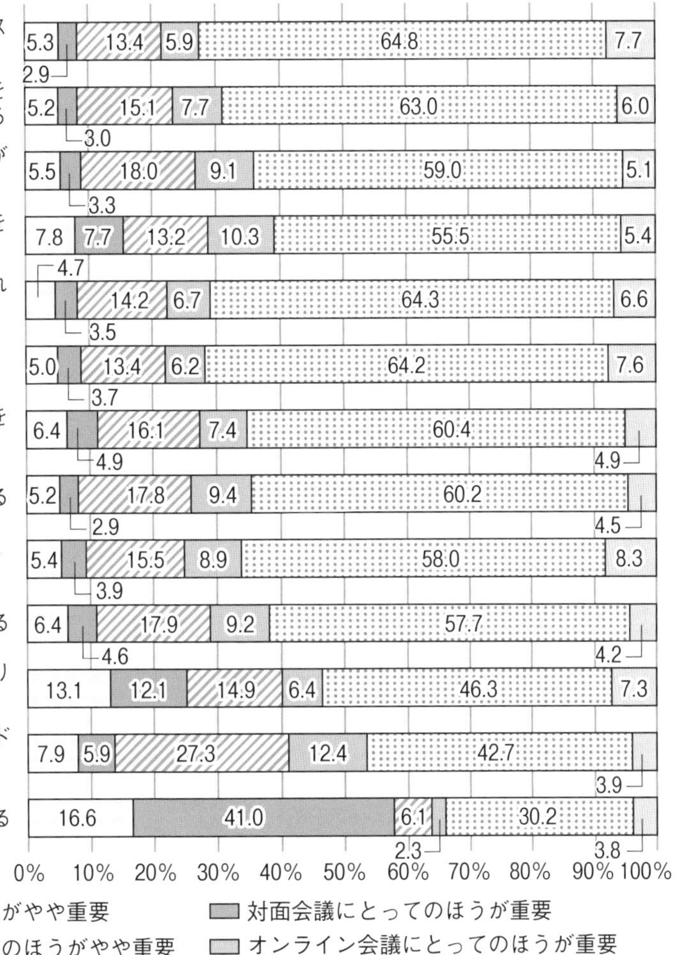

［図表26］会議進行・展開力別重要度

[集計結果]

会議前後や会議中に関して必要なスキルの重要度を会議形態別に尋ねたQ16では、ほとんどの項目で「会議形態による差異はない」がもっとも多くなっており、6割前後の回答を集めている。対面会議とオンライン会議で比較した場合は「オンライン会議にとってのほうが（やや）重要」という回答がほとんどの項目で多くなっている。

そのなかで特異なものとしては、「会議開始直後は、場の雰囲気作りのためにアイスブレイクを行う」で、「対面会議にとってのほうが（やや）重要」25.2%、「オンライン会議にとってのほうが（やや）重要」21.3%と、やや対面会議のほうが多いが比較的高い値で拮抗しており、その分「会議形態による差異はない」が46.3%と5割を下回っている。

「服装や身だしなみに配慮して参加する」は、対面会議が57.6%とオンライン会議の8.4%を大きく上回っている。「話す際の声量やトーン、スピードなど話し方に気を配る」については、オンライン会議が39.7%で対面会議の13.8%を大きく上回り、「会議形態による差異はない」の46.3%に迫っている。

[考察]

会議のスムーズな進行や展開についての項目は、「会議形態による（重要度に）差異はない」という回答が多かったが、オンライン会議においては、会議のアジェンダやゴールを明確にし、資料や話し方に配慮することで、参加者の理解を促進するような工夫が対面会議よりもなされている様子がうかがわれる。

英語業務でのテクノロジー活用率

[主な傾向]

会議アプリを50%以上使用している人は半数近くおり、翻訳ツールを50%以上使用している人の割合は3割を超えているが、その他のツールについては業務で使用していない人が多い。

[関連質問：アンケート調査Q18]

英語を使用する業務において、あなたが以下のツールや技術を使用する頻度について、以下の5段階でお答えください。（各項目で、回答は1つ）

［使用状況］

1. 0%　2. ～20%　3. ～50%　4. ～80%　5. ～100%

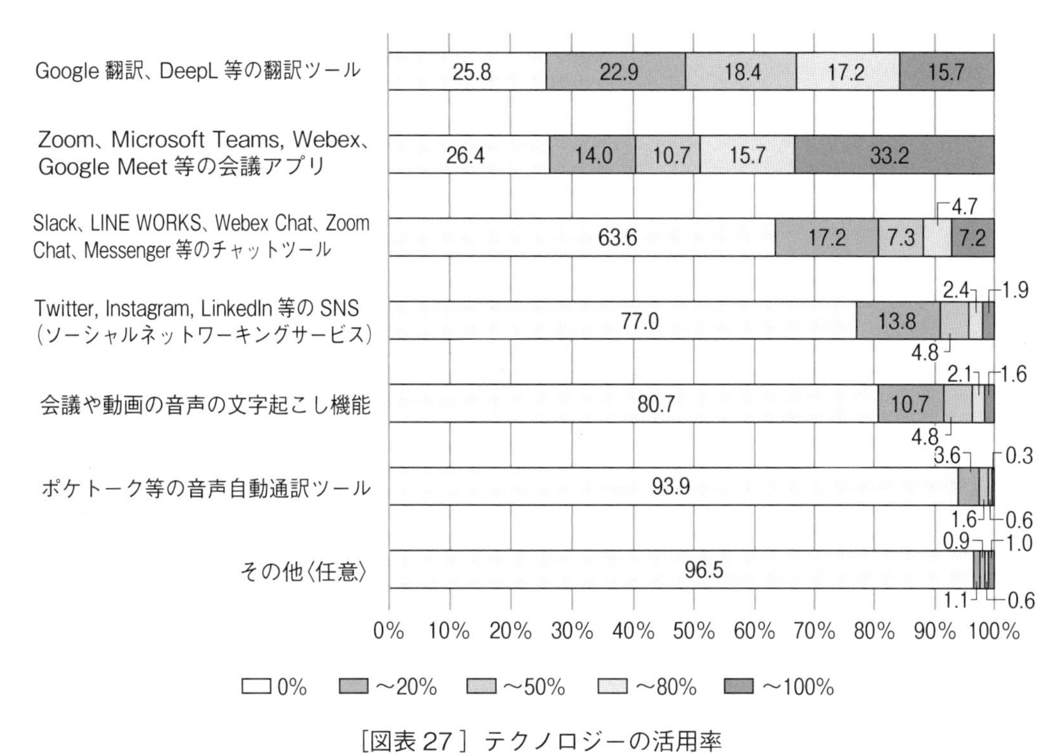

［図表 27］ テクノロジーの活用率

[集計結果]

英語業務でのテクノロジーの活用率を尋ねたQ18では、「Zoom、Microsoft Teams、Webex、Google Meet 等の会議アプリ」と「Google 翻訳、DeepL 等の翻訳ツール」が使われている割合が多く、程度の差はあるが、前者は73.6%、後者は74.2%が使用していると回答している。その他のツールでは、やはり程度の差があるが「Slack、LINE WORKS、Webex Chat、Zoom Chat、Messenger 等のチャットツール」を使用しているのは36.4%、「Twitter、Instagram、LinkedIn 等のSNS（ソーシャルネットワーキングサービス）」は23.0%、「会議や動画の音声の文字起こし機能」19.3%、「ポケトーク等の音声自動通訳ツール」6.1%、「その他〈任意〉」は3.5%であった。

[考察]

もっとも活用率が高いのは会議アプリであり、5割弱が50%以上活用していると回答している。コロナの影響で対面での会議ができなくなった結果、会議ツールの使用は不可避となっている様子がうかがえる。翻訳ツールも、活用率には差があるが、3割強が50%以上活用しており、こちらも英語業務遂行において浸透している様子がわかる。

一方で、会議ツールと翻訳ツール以外のテクノロジーは、まったく活用していないという回答が多くを占めており、それらの業務における使用についてはまだまだ普及していない様子が見えてくる。

英語業務でのテクノロジーの用途と目的別使用頻度

［主な傾向］

Ｅメールや資料作成の際に翻訳ツールを自身の英語の力に合わせてスポット的に使用、チャットの日英・英日翻訳や同時通訳ツールの使用頻度は少ない。

［関連質問：アンケート調査 Q19］

英語を使用する業務において、あなたが自動翻訳や音声自動通訳、文字起こし機能を使用する頻度について、用途／目的別に、以下の５段階でお答えください。（各項目で、回答は１つ）

［使用状況］

1. 0%　2. ～20%　3. ～50%　4. ～80%　5. ～100%

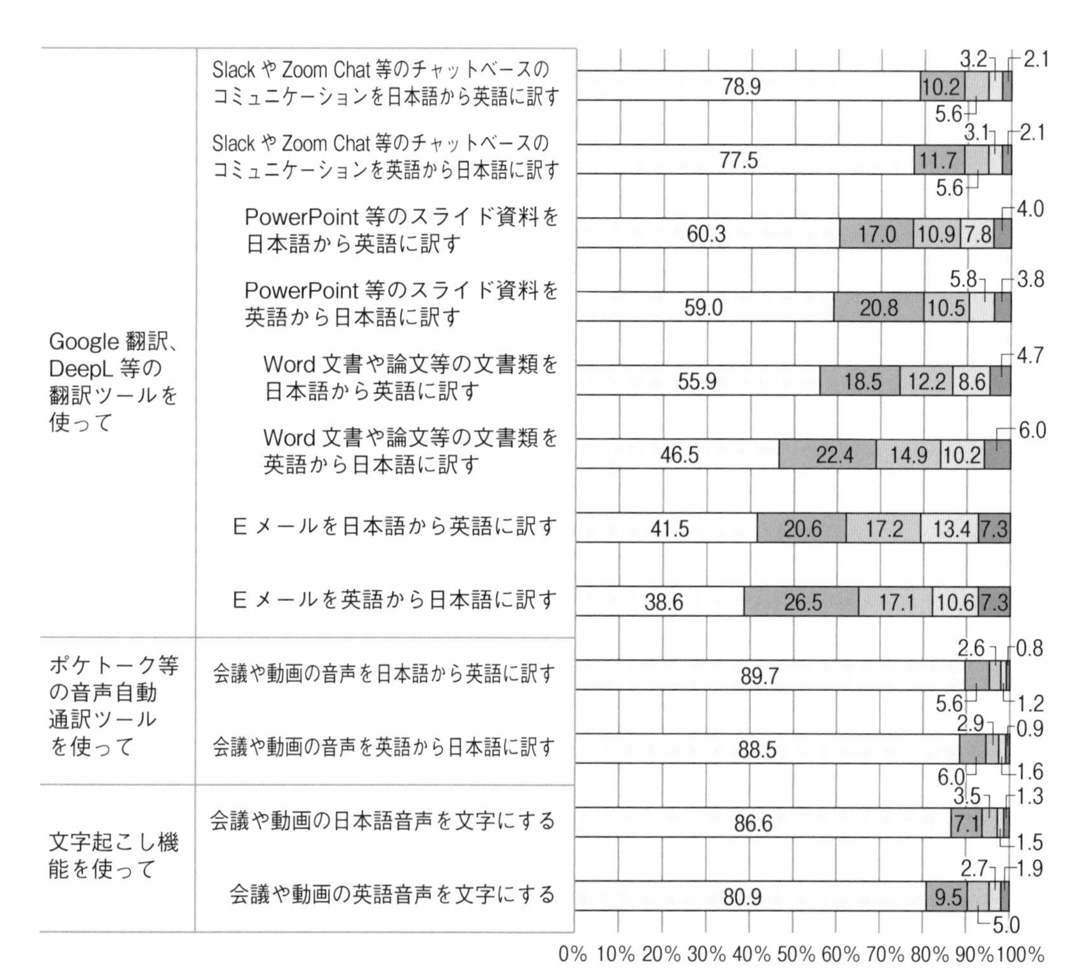

［図表 28］用途・目的別テクノロジー使用頻度

［集計結果］

英語業務の用途・目的別にテクノロジーの使用頻度を尋ねたQ19では、Google翻訳、DeepL等の翻訳ツールを使う割合が多く、日本語から英語、英語から日本語の両方ともに同じくらい使われているが、英語から日本語に訳す際に使っている割合のほうが若干高くなっている。一番多いのはEメールで6割前後、次いでWord文書や論文等の文書類が5割前後、PowerPoint等のスライド資料で4割前後、SlackやZoom Chat等のチャットベースのコミュニケーションで2割強であった。ポケトーク等の音声自動通訳ツールを使っての「会議や動画の音声の翻訳」および文字起こし機能を使っての「会議や動画の音声を文字にする」はいずれも1割台の使用頻度にとどまっている。

［考察］

Eメールを始め、Word文書やPowerPointによる資料など、ある程度の時間をかけて読んだり作成したりできるものについては、翻訳ツールを使用して日英および英日翻訳を行っている人がそれなりにいるが、チャットのような読み書きであっても即時性が求められるものには、翻訳ツールの利用は少ないようである。前問で示されたとおり、そもそも業務でチャットツール自体を使用している人が少ないことも影響していると推察される。

ポケトークなどの音声自動通訳ツールや文字起こしツールについても、現状、業務で使っている人が少ないことが、結果に反映されていると思われる。

テクノロジー活用による英語コミュニケーションの困難減少

［主な傾向］

6割を超える回答者がテクノロジーの活用による英語コミュニケーションの困難の減少を実感している。

［関連質問：アンケート調査Q20］

Q18、Q19のようなツールや技術を活用することで、活用前と比べて、仕事上での英語コミュニケーションでの困難や苦労が減少したと感じますか。5段階でお答えください。（回答は1つ）

1. 強くそう思う　2. そう思う　3. どちらでもない
4. あまりそう思わない　5. まったくそう思わない

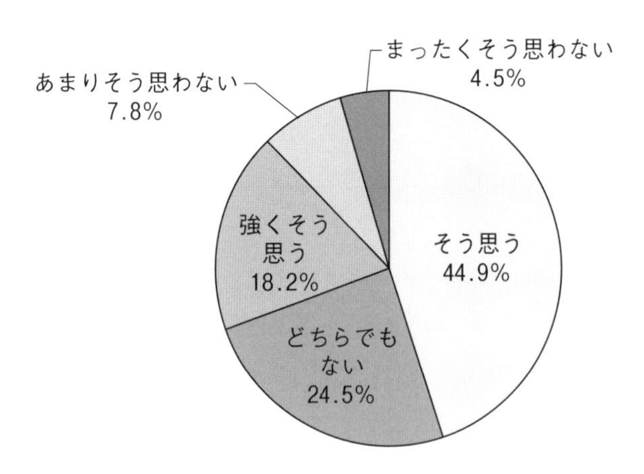

［図表 29］ テクノロジー活用による困難減少

[集計結果]

テクノロジーの活用による困難の減少について、「そう思う」が 44.9%（1,207 名）で最多であった。「強くそう思う」18.2%（490 名）を加えると 63.2%（1,697 名）になる。

[考察]

テクノロジーを活用することによって英語コミュニケーションの困難が減少したと考えている回答者は合わせて 6 割を超えたが、特に翻訳ツールについては、困難減少というメリットがあるからこそ使っているのであり、ある意味当然の結果と思われる。

一方で、オンライン会議は、仕方なく使用している面があり、対面より手軽に会議を設定できるということで参加する回数が増えた人もいる可能性がある。4 割弱が必ずしも困難が減少していないと回答しているのは、そういったことが影響しているとも考えられる。

英語力以外に重要なコンピテンシー

[主な傾向]

多言語運用能力（英語以外の言語運用能力）以外のすべての項目で「重要（とても重要・やや重要)」と考えている傾向にある回答者が 7 割を超えている。

[関連質問：アンケート調査 Q22]

英語力以外の能力について、あなたが国際的な業務を行ううえで、重要だと思う度合いを 5 段階でお答えください。（各項目で、回答は 1 つ）

［重要度］

1. まったく重要ではない　2. あまり重要ではない　3. どちらともいえない

4. やや重要　5. とても重要

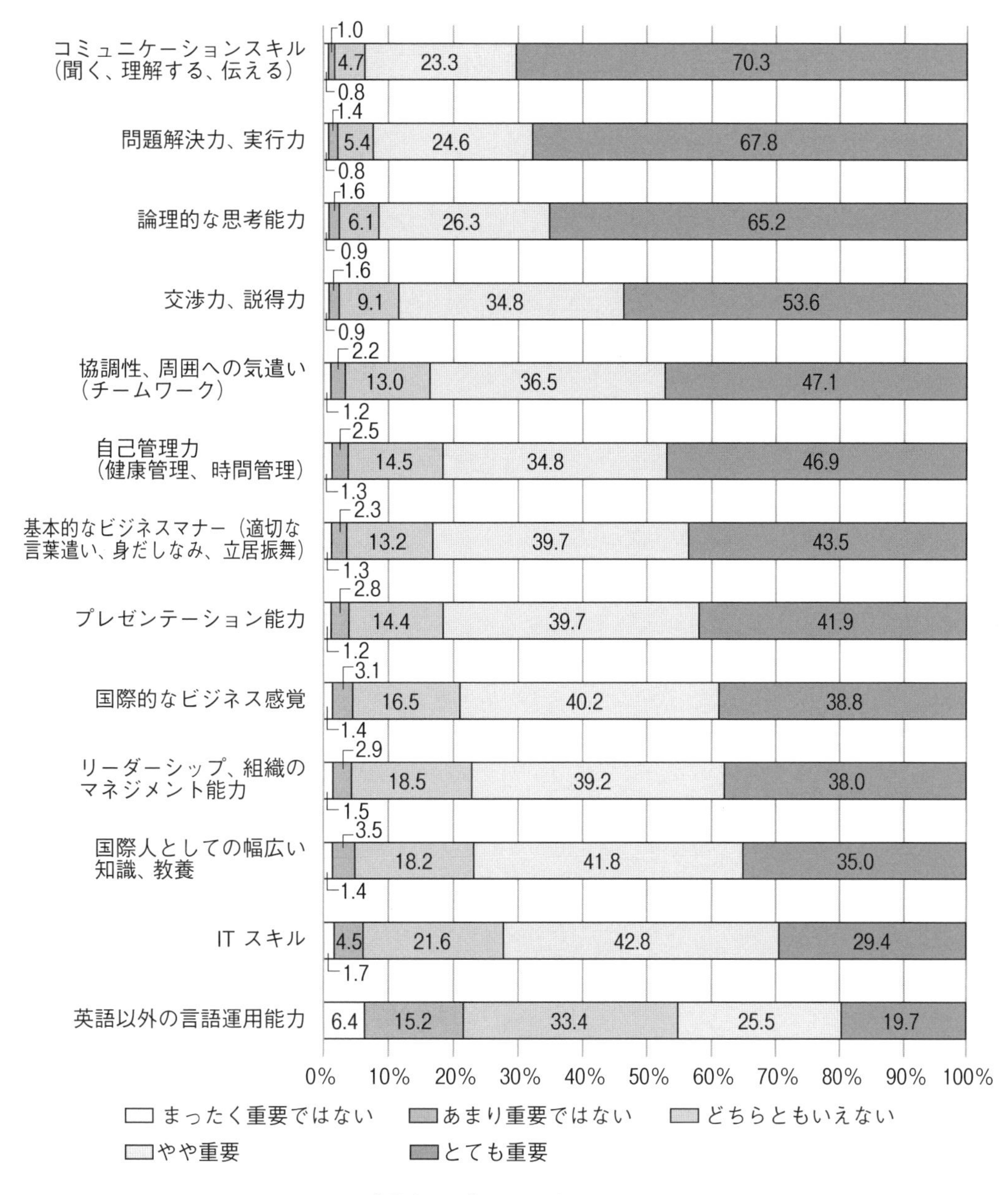

［図表 30］ コンピテンシー

[集計結果]

英語力以外で国際業務を行ううえで重要な能力を尋ねたQ22では、「とても重要」と考える人の割合が全体の半数を超える能力として、「コミュニケーションスキル（聞く、理解する、伝える）」70.3％（1,888名）、「問題解決力、実行力」67.8％（1,820名）、「論理的な思考能力」65.2％（1,750名）、「交渉力、説得力」53.6％（1,441名）という結果となった。

それ以外の項目についても、選択肢として用意したすべての項目のうち「英語以外の言語運用能力」を除いた12項目について「とても重要」と「やや重要」を合算した回答割合が7割以上となっている。

［考察］

全13項目のうち12項目の重要度が高いことから、国際的な業務を行ううえでは、英語力以外にも幅広い能力が重要であることがうかがえる。特に、「コミュニケーションスキル（聞く、理解する、伝える）」、「問題解決力、実行力」、「論理的な思考能力」は重要度が高い。さらに、これら3つの能力への回答には高い相関が見られた。具体的には、これらのうちどれかひとつを「重要」と回答している人は、他の2つについても「重要」と回答していることが多いということである。そのため、国際的な業務では、これら3つの能力を統合的に駆使して遂行することを求められる場面が多いことが推察される。

2 自由記述式回答項目〈全3問〉

自由記述式の質問項目は回答が任意となっている。選択式項目は、回答を記載しないとエラー表示が出て次の質問に進むことができないシステムとしたが、自由記述式項目はそうなってはいない。そのため、この後に記載する3つの自由記述式項目の回答集計結果については、先に各項目に回答した人たちの特性を記す。

対面会議とオンライン会議の違い

［主な傾向］

対面会議と比べた場合、オンライン会議における困難さに言及している割合が全回答の8割。

［関連質問：アンケート調査Q17（自由記述式）］

英語による対面会議とオンライン会議との違いについて、お気づきの点などございましたら、どのようなことでも結構ですのでお答えください。

Q17については、前述したように、事前の質問で対面とオンライン両方の英語による会議を実際に経験したことがあると回答した方々のみに対して表示されるようにした。結果、Q17の回答対象者数は921名となり、実際に回答を記載していただいたのは283名であった。この283名についての主な属性を［図表31］に示した。すべてを記載するにはページ数が足りないので、各項目ともに割合の多い上位2カテゴリーのみを示している。

Q17に回答してくれた方々の特徴としては、全回答者のなかでも年齢が高い、役職者、英語を使用する業務に携わってきた期間が長い、英語を使用する業務量割合が比較的多い、英語による業務に対応できている、高い英語力を持っている、といった方々の割合が高いことが確認された。というのも、Q17回答者の前提である対面とオンライン両方の「英語会議参加者」は、全回答者と比べて役職に就いている方が多く、英語業務の経験値や英語力、英語業務対応度も比較的高い方々ということが確認されている。そのなかでも、任意のQ17に回答した方に限定すると、それらの傾向はより強くなっている。ただ、Q17の回答者のTOEIC L&Rスコアは900点台の人数が多いが、Q17の回答対象者数との割合では600点台がもっとも高くなっている。

	回答者全体（単位 人） ※%は全回答者2,686名に対してのもの		Q17対象者（単位 人） ※%は回答者全体の当該項目人数に対してのもの		Q17回答者（単位 人） ※%はQ17対象者の当該項目人数に対してのもの	
年齢	40-49歳 30-39歳	902(33.6%) 763(28.4%)	60-69歳 50-59歳	47(44.8%) 254(40.3%)	60-69歳 50-59歳	18(38.3%) 91(35.8%)
役職	一般社員 課長	1,507(56.1%) 457(17.0%)	部長 課長	103(58.5%) 221(48.4%)	係長 部長	58(39.7%) 31(30.1%)
英語業務期間	5年未満 5-10年	1,252(46.6%) 486(18.1%)	25-30年 30年以上	62(56.4%) 71(55.9%)	25-30年 20-25年	25(40.3%) 34(38.2%)
英語業務割合	1～10% 11～30%	1,402(52.2%) 655(24.4%)	31～50% 51～89%	189(55.6%) 125(55.3%)	11～30% 31～50%	93(33.5%) 62(32.8%)
英語会議役割	–	–	ファシリテーション／交渉窓口 定型内容説明／質問応答	489(53.1%) 235(25.5%)	ファシリテーション／交渉窓口 定型内容説明／質問応答	180(36.8%) 61(26.0%)
英語業務対応度	多少苦労 問題なく対応	1,341(49.9%) 566(21.1%)	多少苦労 問題なく対応	515(38.4%) 189(33.4%)	問題なく対応 多少苦労	66(34.9%) 171(33.2%)
TOEIC L&Rスコア	800～895点 700～795点	619(23.0%) 568(21.1%)	900点以上 800～895点	178(51.1%) 252(40.7%)	600～695点 900点以上	38(34.2%) 60(33.7%)

注：全回答者2,686名の中で、100名以下のものは除外。
Q17対象者%の計算例：課長48.4%＝221/457　Q17回答者%の計算例：部長30.1%＝31/103

［図表31］Q17回答者の主な特性

記述された内容は多岐にわたるため、全体に目を通し、カテゴリー分けして集計していった。10件以下の少数コメントと「特になし」といったものを除いたところ、［図表32］に示したように9つのカテゴリーとなった。

また、一人の回答者が複数のカテゴリーに当てはまる内容を記述している場合は、回答を分割してそれぞれのカテゴリーに分類している。

カテゴリー：会議形態の違いによって生じる具体的な状況	件数	%
オンライン会議のほうが、理解度・集中度が低下（表情やジェスチャー、場の雰囲気が見えない）	94	33.2%
オンライン会議のほうが、聞き取りが困難（通信環境や機器の影響・訛りの強い英語、発話に注意）	57	20.1%
オンライン会議のほうが、サポート（手元資料、通訳者、辞書・翻訳ツール、文字起こし、画面共有、録画、氏名表示、チャット）が充実しており、理解度や表現力が増大	34	12.0%
オンライン会議のほうが、発言のタイミングが難しい（通信ディレイ、話をかぶせられない）	20	7.1%
オンライン会議のほうが、相手との関係性構築が困難（雑談ができない）	20	7.1%
オンライン会議のほうが、手軽な会議開催が可能	18	6.4%
オンライン会議のほうが、合意形成が困難（参加人数増加、内輪話や作戦会議ができない）	17	6.0%
オンライン会議のほうが、提示資料の工夫が必要（ホワイトボードが使えない、製品などを見せられない）	15	5.3%
オンライン会議と対面会議で違いはない	12	4.2%

［図表 32］ Q17 カテゴリー別集計

［考察］

9つのカテゴリーのうち、オンライン会議の困難に関する言及が6つ、オンライン会議の利便性についてのものが2つ、また「オンライン会議と対面会議で違いはない」というカテゴリーの回答は総件数の4.2%と少ないものであった。

件数でいくと、オンライン会議の困難さに言及しているものは全体の約8割を占めており、オンライン会議において様々な困難が生じている様子がうかがえる。件数の多い上位2つは、オンライン会議のほうが「理解度・集中度が低下（表情やジェスチャー、場の雰囲気が見えない）」、「聞き取りが困難（通信環境や機器の影響・訛りの強い英語、発話に注意）」となっており、これらが総件数の5割以上を占めている。そのことから、オンライン会議において、相手の理解や発言の聞き取りに関する困難が比較的頻度高く生じているものと思われる。以下に、具体的な記述をいくつか記す。

「理解度・集中度が低下（表情やジェスチャー、場の雰囲気が見えない）」

・表情や仕草からの情報を得ることが難しいため、オンライン会議のほうがニュアンスを正しくつかむことが難しく、決定に対して障害となっている。

・参加者個々人の反応がわかりかねるオンライン会議は場の雰囲気の評価がばらつく。

「聞き取りが困難（通信環境や機器の影響・訛りの強い英語、発話に注意）」

・マイクやスピーカー等の設備や、インターネット回線の調子により聞き取りにくい場合に理解度が致命的に下がる。

・オンラインは環境や建物の影響で音響が悪い場合があるので、特に英語での交渉は困難な場合がしばしばある。

一方で、オンライン会議アプリに付帯する様々な機能やツールを活用することで感じられるオンライン会議のメリットや、いつでも開催できるなど利便性への言及も見られた。

テクノロジーの活用による英語使用業務への影響

［主な傾向］

英語コミュニケーションに関するテクノロジーの活用として、業務における困難の軽減を感じる／感じないにかかわらず多くの人が機械翻訳に関連した言及をしている。

［前問・アンケート調査 Q20（選択式）］

（Q18、Q19のような）ツールや技術を活用することで、活用前と比べて、仕事上での英語コミュニケーションでの困難や苦労が減少したと感じますか。5段階でお答えください。

1. 強くそう思う　2. そう思う　3. どちらでもない

4. あまりそう思わない　5. まったくそう思わない

［アンケート調査 Q21（自由記述式）］

● Q20で、「強くそう思う」／「そう思う」を選択された方にお聞きします。

どのようなツールや技術を活用することで、どのような英語コミュニケーションにおいて、どのような困難や苦労が減少したのかについて、具体的にお答えください。

● Q20で、「どちらでもない」／「あまりそう思わない」／「まったくそう思わない」を選択された方にお聞きします。そのように思われる理由について、具体的にお答えください。

Q21では計1,616名の方から回答が寄せられた。そのうち、テクノロジーの活用により困難や苦労の減少を感じている人と感じていない人の各グループにおけるQ21への回答率は両グループともに約6割であった。

対象	回答者数／回答率
アンケート調査全回答者	2,686 人
Q20：テクノロジー活用により困難や苦労の減少を感じている人	1,697 人
Q21 にその具体的な状況を記述した人	1,039 人
回答率	61.2%
Q20：テクノロジー活用による困難や苦労の減少を感じていない人	989 人
Q21 にその理由を記述した人	577 人
回答率	58.3%

［図表 33］ Q21 回答状況

Q21 の回答者の特性について調べたところ、①テクノロジーの活用により困難や苦労の減少を感じ、その状況を記述した方と、②困難や苦労の減少を感じておらず、その理由について記述した方の間で顕著な違いが見られたのは、英語業務対応度にかかわる部分であった。

具体的には、英語業務対応度について「問題なく対応」できている方の人数割合が、①のグループは 17.5%だったが、②のグループは 30.3%であった。一方で、「多少苦労」、「大変な労力が必要」、「他の手助けが必要」と回答した人の割合は、①のグループのほうが②のグループより高い。つまり、英語使用業務の遂行に苦労されている方のほうがテクノロジー活用の恩恵を感じ、その状況を語るケースが多いことが示唆される。詳細は［図表 34］をご覧いただきたい。

英語業務対応度	全回答者		①困難や苦労が減少した状況を記述した方		②困難や苦労の減少を感じない理由を記述した方	
	人数	%	人数	%	人数	%
問題なく対応	566	21.1%	182	17.5%	175	30.3%
多少苦労	1,341	**49.9%**	551	**53.0%**	270	**46.8%**
大変な労力が必要	467	17.4%	196	18.9%	75	13.0%
他の手助けが必要	210	7.8%	85	8.2%	32	5.5%
まったく対応できない	102	3.8%	25	2.4%	25	4.3%
計	2,686	100%	1,039	100%	577	100%

［図表 34］ Q21 回答者の主な特性

①テクノロジー活用により困難や苦労が減少した状況を記述した回答者

Q21についても、全体に目を通し、カテゴリー分けして集計していった。10件以下の少数コメントと「特になし」といったものを除いたところ、[図表35]に示したように11のカテゴリーに分けられた。また、一人の回答者が複数のカテゴリーに当てはまる内容を記述している場合は、回答を分割してそれぞれのカテゴリーに分類している。

カテゴリー： テクノロジーの活用による困難／苦労減少の状況	件数	%
翻訳ツールの利便性	257	24.7%
翻訳ツールが英作文のヒントに	218	21.0%
翻訳ツールによる時間削減	204	19.6%
翻訳ツールで理解度が向上	136	13.1%
翻訳ツールで大意把握	81	7.8%
文字起こし機能の利便性	79	7.6%
翻訳ツールで互いの意思疎通が円滑に	57	5.5%
翻訳ツールの翻訳精度向上	50	4.8%
翻訳ツールを使うが、細部、ニュアンスの確認・修正は人が行う	26	2.5%
その他 オンライン会議ツールの利便性	15	1.4%
チャットツールの利便性	12	1.2%

[図表35] Q21 カテゴリー別集計「困難や苦労減少の状況」

[考察]

Google翻訳やDeepLをはじめとする翻訳ツールを活用することによる利点を記述された方が全体の多くを占めている。英語による会議のなかで使用する文字起こし機能やオンライン会議ツール（アプリ）、チャットツールの利便性に言及する方も一部見られた。この結果は、機械翻訳が英語業務の困難軽減に対して広く寄与していることを示唆しているが、会議ツール（アプリ）やチャットツールに関しては、昨今のビジネス環境では使わざるを得ないツールであるため、それらをテクノロジーとして認識していない可能性も考えられる。

機械翻訳を利用することで、業務上の困難や苦労が減少したと考えている人たちは、当然のことながら何らかの形で機械翻訳を使用している訳だが、その使用方法や形態は一様ではない。このカテゴリー分けには、機械翻訳の使い方の違いがそのまま表れているようにも見える。

個々の回答内容を見ていくと、日本語訳、英訳ともに最初から機械翻訳を使うケースのほかに、ある程度自分で翻訳を行った後にそれらの確認のために使用するといったものがあった。また、ざっと大意をつかむためには機械翻訳を使うが、詳細を把握する際には人手を使う、といったものもあった。この辺りは、使用する人の英語力や目的に合わせて色々と変わっていくものと思われる。回答件数の多かったカテゴリーの具体的な回答をいくつか以下に記す。

- 翻訳機能を使用することで、母国語で文章を読むことができるため効率的である。
- 翻訳ソフトを使ってメール、その他のコミュニケーション、資料作りの苦労が減少した。
- 自力で英語の文章を書き、その文章が意味の通るものになっているかの確認にツールを使用しているためダブルチェックが容易になった。
- 翻訳ツールを活用することで、メールや仕様書などの英文を翻訳し、自分自身でそれらを読み解釈したときの誤認識を減らすことができている。
- 翻訳ツールを使用することで、英語の長文を読んで、概要を把握することが、簡単にできるようになった。

②テクノロジー活用による困難や苦労の減少を感じない理由を記述した回答者

次に、テクノロジーの活用によって英語コミュニケーション上の困難や苦労が軽減したと感じていない回答者の記述について、同じくカテゴリー別に仕分けを行い、件数を集計した結果を[図表 36]に示す。

カテゴリー： テクノロジー活用による困難や苦労の減少を感じない理由	件数	%
翻訳ツール等を使ったことがない・使わない・使用頻度が低い	301	52.2%
翻訳ツールが完全ではないため使えない	126	21.8%
変化を感じない	32	5.5%
翻訳ツール等を使うと業務効率が悪い	28	4.9%
会議等の対話が多く翻訳ツール等が機能しづらい	24	4.2%
翻訳ツール等を使うと英語力が低下する・自身の英語力でカバーすべき	16	2.8%
主に情報セキュリティー上の理由から翻訳ツール等を使うことができない	12	2.1%

[図表 36] Q21 カテゴリー別集計「困難や苦労の減少を感じない理由」

[考察]

こちらも機械翻訳に関する記述が大半を占めている。テクノロジーの活用による困難や苦労の減少を感じない理由のうちの約半数を占めているのは「翻訳ツール等を使ったことがない・使わない・使用頻度が低い」である。また「主に情報セキュリティー上の理由から翻訳ツール等を使うことができない」というものもあった。「使えるけども使わない」、「使いたいけど使えない」といった違いはあれど、結果的に翻訳ツールを使っていない人が、テクノロジーの活用による利点を感じていない理由の大半を占めているようである。

使わない理由として、「辞書で足りる」、「確認程度にしか使わない」、「英語業務が少ない」等が見受けられた。他に「英語力の不足」があった。これは、回答者自身の英語力が不足しているため、機械翻訳された英語や日本語が正しいのか、正確でなかった場合にどこをどう加筆・修正すべきかの判断ができないという状況が示唆される。次いで、多かったカテゴリーは「翻訳ツールが完全ではないため使えない」だった。テクノロジー活用に利点を感じないなかで、件数の多かったカテゴリーの具体的な回答をいくつか以下に記す。

・翻訳ツールを用いて訳しても、自分の語学レベル以上に訳が合っているかどうかはわからないから。
・不明な単語を辞書で調べればこと足りるので、翻訳機能を使う必要がない。
・機械翻訳は最終確認のために使う場合が多く、基本は自分の力で行うから。
・機械翻訳は正確ではないし、細かいニュアンスまでは翻訳できない。丁寧な言い回しや細かいニュアンスを表現するには自分の英語力が必要だと思うから。
・専門的な知識や業務背景が理解できていないと的確な回答が得られないため。この領域はまだAIなどの技術的進歩が追いついていないと感じるため。

国際的に活躍できるビジネスパーソンの育成

［主な傾向］

国際的に活躍できるビジネスパーソン育成のためには、「英語使用環境づくり」がもっとも重要と考える人が多い。

［関連質問：アンケート調査 Q23（自由記述式）］

国際的に活躍できるビジネスパーソン育成のために、どのような能力開発や支援が必要だと考えますか。実際のご経験やニーズなど、どのようなことでも結構ですのでお答えください。

Q23には全回答者2,686名のうち45.8%にあたる1,231名より回答を得た。回答者の特性について調べた結果を［図表37］に示す。集計結果より、年齢が高い、役職者、英語を使用する業務に携わってきた期間が長い、英語を使用する業務量割合が多い、英語による業務に対応できている、高い英語能力を持っている、といった方々の割合が高いことが確認された。おそらくこれまで国際的なビジネスの場で活躍してきた、あるいはそのような場面に多く携わってきた方々が、ご自身の経験を踏まえてより多く回答してくれたものと推察される。

	回答者全体（単位 人） ※%は全回答者 2,686 名に対してのもの		Q23 回答者（単位 人） ※%は回答者全体の当該項目人数に対してのもの	
年齢	40−49 歳 30−39 歳	902（33.6%） 763（28.4%）	50−59 歳 60−69 歳	325（51.5%） 53（50.5%）
役職	一般社員 課長	1,507（56.1%） 457（17.0%）	係長 課長	203（47.7%） 213（46.6%）
英語業務期間	5 年未満 5−10 年	1,252（46.6%） 486（18.1%）	20−25 年 15−20 年	102（56.7%） 109（53.4%）
英語業務割合	1 ～ 10% 11 ～ 30%	1,402（52.2%） 655（24.4%）	90%以上 51 ～ 89%	35（55.6%） 110（48.7%）
英語業務対応度	多少苦労 問題なく対応	1,341（49.9%） 566（21.1%）	問題なく対応 多少苦労	288（50.9%） 624（46.5%）
TOEIC L&R スコア	800 ～ 895 点 700 ～ 795 点	619（23.0%） 568（21.1%）	800 ～ 895 点 900 点以上	309（49.9%） 164（47.1%）
CEFR レベル	B1 B2	1,080（40.2%） 999（37.2%）	B2 C1	489（48.9%） 94（45.2%）

注：Q23 回答者%の計算例：課長 46.6% = 213/457

［図表 37］Q23 回答者の主な特性（上位 2 つ）

Q23 についても、他の自由記述式質問と同様に全体に目を通し、キーワードを元にして分類を行い 16 のカテゴリーを決定した。そのうえで、各記述内容を再度確認して各々がどのカテゴリーに属するかを判定していった。うち 24 件は「わからない」や「特になし」といったものであったため、有効回答数は 1,207 件となった。複数のカテゴリー内容が書かれているものについては、これも他の自由記述式項目と同様に 1 人の回答者の記述を各カテゴリーに分割して当てはめていき、それぞれを 1 つとして集計した。また、16 のどのカテゴリーにも属さない少数の記述については「その他」としてまとめた。

［図表 38］はカテゴリー別言及数の集計結果である。また、［図表 39］は各カテゴリーの元となったキーワードであり、各カテゴリーを理解するための補助としていただきたい。

マインド	思考	行動力	統率力	対人力	英語力	実務力	コミュニケーション力	日本を知る
74件	170件	68件	27件	25件	198件	154件	254件	40件
相手を知る	海外を知る	早期英語教育	英語使用環境づくり	指導者づくり	技術進化	組織（社会）改革	その他	特になし
31件	220件	68件	351件	9件	3件	6件	37件	24件

［図表38］Q23カテゴリー別集計

カテゴリー名	分類のためのキーワード
マインド	情熱、熱意、好奇心、やる気、勇気、度胸、オープンマインド
思考	自分で考える、論理、本質理解、視野、大局観、傾聴、柔軟性（変化への対応）、ダイバーシティへの寛容さ
行動力	主体性、社会性、困難経験、即断即決、実行力、協調性、当事者意識
統率力	人を動かす、チーム力、協働力、合意形成能力、リーダーシップ
対人力	礼儀・マナー、個人の魅力、セルフブランディング、自己分析、ストレス耐性、コンピテンシーの相違
英語力	スピーキング、リスニング、スラング、メール、最低限の英語、語彙、ユーモア、ツール紹介、脱受験、アウトプット練習
実務力	専門英語、実務教育、仕事、説得力、問題解決能力、プレゼン力、マネジメント、ファシリテーション、専門分野の知識／スキル、整理力、ITリテラシー／スキル
コミュニケーション力	伝える力、ディスカッション、交渉力、雑談力、意見陳述、質問力、ユーモア、人間関係構築
日本を知る	独自性、教養、読書、歴史、母国語（日本語）、国内情報収集
相手を知る	ニーズ、状況、背景、企業文化（習慣）
海外を知る	海外情報入手、異文化理解、多言語、国際基準、多様な価値観、国民性、政治・文化・思想・宗教、食文化
早期英語教育	若いころからの経験、英語実践
英語使用環境づくり	英語に慣れる、自然な英語に触れる、海外留学、海外駐在、交流機会、外国人採用、企業研修、英語継続学習、援助制度、オンライン学習、テスト・評価、英語業務実践の場
指導者づくり	アドバイザー、ロールモデル、教師、管理者の意識改革
技術進化	機械翻訳の進展
組織（社会）改革	人事評価制度改革、キャリア制度改革、経営者育成、判断基準の明確化、権限委譲

［図表39］Q23カテゴリー分類のためのキーワード

[考察]

もっとも言及が多かったのは「英語使用環境づくり」であり、「コミュニケーション力」、「海外を知る」、「英語力」、「思考」、「実務力」の順に多く記述されていた。

「英語使用環境づくり」については、学習するだけではなく、実際に使うことによって英語力が伸びる、あるいは伸びるきっかけを与えてくれるような経験をすることが、国際的なビジネスをこなせる人材育成につながるとの考えが見受けられる。以下に、具体的な言及を示す。

- 現場で数多くの経験を積むことが重要。事前学習より経験を積んだほうが、将来の役に立つ。
- 基礎的な能力があることが前提だが、英語によるコミュニケーションを実際に体験することが大事。
- 語学力も重要だが、実際に海外に行くなど、経験や感覚が重要だと思う。海外での業務の進め方は日本とは異なる場合もある。英語力が標準の人でも海外の人とコミュニケーションを取りながら業務を進めている人もいる。
- 実際の現場で、様々なバックグラウンドを持つ人たちと英語を使いながら業務を進めること。そのなかでの気づきや課題を都度自身で解決していくこと。

国際的なビジネスの場では、自分の意見を相手に伝えるために、スピーキング力が重要と考える向きが多く、スピーキング力育成のためには実際に英語を話す機会が必要との考えもある。

- SPEAKING力だと思います。だいたい言っていることはわかるけど、言いたいことが言えないという人が周りにもたくさんいます（海外を相手とした商社の従業員たちです)。自己学習は、インプットがほとんどで、アウトプットする環境がありません。
- 英語を話す機会を増やせるシステムが必要だと思います。今、TOEIC L&Rを受けるために勉強して、リスニング力は強化できていますが、スピーキング力をほったらかしにしています。
- スピーキング能力は、自分だけでは伸ばしにくい。ある程度、機会の作為が必要。

また、近年の国際的なビジネス環境においては、使用される言語は英語であるが、非英語圏出身者の話す英語が増えており、学習段階で耳にしていた英米以外の発音を聞き取ることに苦労している状況が以前の調査からも判明している。そういった多様な英語に慣れるためにも、英語使用環境に身をおく必要性が指摘されている。

- アメリカ英語、イギリス英語、オーストリア英語以外の英語に触れる機会を増加させる必要があります。理由は、日系企業の多くが、アジアビジネスに比重をおいているため。
- 色んな国の人の英語を聞くこと。そうすれば日本人の発音がおかしいなんて思わなくなる。国によって発音がちがうし、発音が正しいか不安……と喋らないのはもったいない。文法、単語力も同じ。
・ビジネスでは英語圏以外の方と英語で話すことが多いので、様々な国の英語のイントネーションに慣れる。

「英語使用環境づくり」に次いで多く言及されたのが**「コミュニケーション力」**とカテゴライズした内容のものである。ここで言う「コミュニケーション力」とは［図表39］のキーワードでも示しているように、非言語的なコミュニケーションスキルに加え、ビジネスの場で必要となる、単にこちらの意見や要望を伝えるだけでなく相手を納得、説得するために用いるロジックや交渉力、ディスカッションスキル等も含めたものである。また、自分のことだけではなく、相手のことも理解してビジネスにおける交渉を成功に導く能力でもある。

・コミュニケーションスキルが必要。物事を論理的に考え、仕事の効率化を図れる人材が必要。
・言語的な部分はもちろんですが、何よりも議論で必要な思考力や発言力、交渉力なども必要と考えます
・英語能力以外の、ビジネスパーソンとしての基本的な礼儀、異なる文化・バックグラウンドのある相手を理解しようとする真摯な気持ちが不可欠。また、英語能力以前の問題として、母国語（私の場合は日本語）でしっかり物事を理解、説明できる力も重要。単に英語ができても、自分の頭で考え、行動する力がなければ、ビジネスを行ううえで相手方から信頼されない。お互いの状況を理解し、お互いハッピーな成果に導くには、英語以前の能力や人間性を磨く必要があると痛感しています。
・決めつけない思考や、相手と自分のギャップを正しく知って歩み寄れる、歩み寄ってもらえる交渉力。日本の考えは独特だということを自覚する機会が必要だと思う。
・日本は論理思考の教育が義務教育ではほとんど扱われないため、この部分を補完する支援が必要と考える。他にも相手の話を傾聴する、わかり易い主張を構築するなどコミュニケーションスキルも義務教育課程ではほぼ取り上げられない。英語力が高くてもこの辺のスキルが不十分なため英会話ですらまともに話せない人が多いと感じる。

3番目に多かったのは**「海外を知る」**であった。似たカテゴリーとして「相手を知る」というのがあるが、［図表39］のキーワードに示したように「相手を知る」がビジネスの相手に特化したものであるのに対し、ここで言っている「海外を知る」は特定の人や企業に限定したものではなく、国際基準や多様な価値観といったより広いものを指している。代表的な記述は、以下のようなものになる。

・相手の国の文化を理解すること。多様性という言葉だけでなく、本質から理解できるよ

うな経験をすること。自分や日本の常識は世界の常識ではないことを常々念頭におくこと。相手の考えを尊重すること。
・文化の違いを理解しオーバーカムすることが必要。不満をすぐ口にしたり、推測したり、決めつけたりして他とコミュニケーションを取ると大きな誤解を生み、それが長く仕事の質や日常に影響する。若いときから他文化と交わる機会を多く設ける教育が望ましい。
・相手国の文化・習慣を理解したうえでコミュニケーションを図ることが、良好な関係を築くうえで非常に重要。
・異なる文化背景を理解し、寛容になる。特許やリスト規制などの取り決め、遵法には留意し、国際摩擦にならないようにする。
・単純な英語力より、むしろ相手の文化やその背景を積極的に知ろうとする姿勢、違いを受け入れて尊重する姿勢を養うことのほうが重要です。そのほうが海外のビジネスパートナーと早く打ち解け、その後の業務が早く進みます。

16あるカテゴリーのなかで、**「英語力」**にカテゴライズされた記述は4番目の多さで出てきた。リスニングやアウトプットに関するものが多いが、テストで高得点を取る英語力ではなく、実践で使える英語力といったものも散見された。

・ネイティブ以外の国の英語のリスニング（インド、イタリア等）にはかなり苦労します。
・英語で自分の考えをきちんと発言できることが重要。周りと違う意見でも、堂々と自分の意見を言える、そんな話す能力を伸ばす必要があると思う。
・ビジネス会話で問題なくコミュニケーションできる英語力。これがないと海外とのやり取りが憂鬱になり、仕事へのモチベーションも上がらない。
・英語学習が目的になっている。大学入試システムや就職試験で、筆記テストの点数で英語力を一側面で測ることは、どうしても偏りがでる、かつ求めている力とはずれるのではないかと思う。求める英語を使うビジネスパーソンの姿が、どのような姿なのかが大事だと思う。（中略）知識偏重が未だに残る今の英語教育を含む学校教育から、まず変わっていかなければならないと思うし、社会自体もその捉え方を変えていく必要があると思う。例えば、スピーキングやライティングなど、アウトプットできることをlisteningやreadingよりも高評価する企業が増えてくれば、変わっていくきっかけになるのかもしれない。
・TOEIC L&Rのスコアを上げるための対策をしても、真の英語力を手に入れられはしないと実感しています。勉強ではなく、生きた英語が必要です。

5番目に言及が多かったカテゴリーは**「思考」**であった。自分で論理的に考え、物事の本質を理解できるような能力が、国際的なビジネスをこなすうえで必要である、ということである。

・英語でなくても、日本語ですら雑談や論理的思考力、説明力が足りなくて苦しんでいる。言いたい内容を組み立てられるような、とっさに反応できることが、言語にとらわれず必要かと思います。
・自分で考える力、論理的思考で選択肢を常に持ち提案／交渉する力。問題解決力。
・状況を論理的に整理して、目標を明確に定めて活動を前に進める能力。

6番目に言及が多かったカテゴリーは**「実務力」**であった。ここで言う「実務力」とは、単なる英語力ではなく、英語で実際の業務をこなせる能力である。そのための専門用語を身につけるといったことも含まれるが、日本語でもできないことは英語力だけを高めてもできるようにはならないので、英語力とは別に身につけるべき業務遂行に必要な能力といったことも含んでいる。

・言語も大切ですが、もっと大事なのは話す内容なので、業務内容に熟知していることが大切です。
・実務で場数を踏んで、たくさん失敗して恥をかくことが重要。英語と同時に国際的に戦える技術や専門性を身につけること。専門性が無ければ英語ネイティブでも活躍できない。
・英語のみではなく、英語をベースとしてそれに付加したスキルが必要（技術者の観点だと、英語のみできてもあまり役立つことはなく、英語に加えて、業務で使用する技術的な知識が必要。さらに、英語の専門用語などは覚えておかないと会話できない）。
・英語の力を上げる前に、エンジニアなら機械工学を、法律家なら法律・法学をしっかり身につけておくことが重要なので、専門的知識・スキルを上げるための教育・支援が重要だと考えます。

以上、国際的に活躍できるビジネスパーソン育成のために、どのような能力開発や支援が必要だと考えるか、ということに対する自由記述回答のなかでも言及された数が多かった6つのカテゴリーについて、いくつか実際の回答を紹介した。先に記載したように、今回の分類は16のカテゴリーがあり、またどのカテゴリーにも属さないと判断されたものを含めると、言及された内容は多岐にわたる。回答者が現在担当している業務内容や現在の英語力レベル、さらにはこれまで経験してきたこと等によって、色々と考えは異なってくるものと推測される。

3 本章のまとめ

本章では、2,686名のビジネスパーソンから回答を得られたアンケート調査の内容とその結果を単純集計したものを紹介してきました。集計結果のなかで、重要と思われるものについては、それに対する考察をいくつか記載しております。

明らかになったこととしては、コロナ禍を経たビジネスの状況として、オンライン会議システムや機械翻訳といったテクノロジーの活用が進んだこと、またそういった変化によって新たに生じた困難やそれに対する対応状況などがあります。また国際的な場で活躍するビジネスパーソンを育成するために必要なこととして、英語使用環境づくりがもっとも多く言及されました。

これらは第1章、第2章で述べられていることの基礎となるデータです。そういったことを含めて、アンケートの結果をご覧いただく、または、改めて第1章、第2章の内容と読み比べていただくのもよろしいかと存じます。

終わりに、本章の結果をご覧になる際の留意点について触れたいと思います。

今回のアンケート調査の回答者は、過去1年以内に受験したTOEIC L&Rにおいて、800点以上のスコア取得者が36.0%、平均点は700点を超えています。2021年度の公開テストにおける社会人のTOEIC L&R平均スコアが640点、団体特別受験制度では533点であったことを考えると、本アンケート調査の回答者は、日本の一般的なビジネスパーソンより高い英語力を有している人たちであったことがわかります。

さらに、自由記述式質問の回答者は、全回答者2,686名のなかでも英語を使用する業務に携わってきた期間が長い、英語を使用する業務量割合が多い、英語による業務に対応できている、高い英語力を持っている、といった方々の割合がさらに高いことが確認されています。

そのため、今回のアンケート調査の結果が必ずしも日本のビジネスパーソン全体における一般的な実態を表しているとは言い切れない可能性を含んでいることは念頭にとどめておく必要があります。特に自由記述式質問では、回答者がさらに絞られていることに加え、集計の便宜上回答内容を複数のカテゴリーに分類しておりますが、どのカテゴリーにも属さないと判断されたものを含めると、言及内容は多岐にわたります。本章内で紹介しきれなかった少数意見のなかに、実はより多くの人が考える内容が隠れているかもしれません。

この辺りは対象者の自発性に委ね、回答協力者を募り実施するアンケート調査の限界とも言えますが、そのような点も踏まえて本章に記載された結果を見ていただければと思います。

第5章

アンケート調査結果からの示唆——クロス集計の結果から

第4章において、アンケート調査で得られたデータの単純集計を行いました。具体的には、全回答者数である2,686名（Q11～Q16は、対面とオンラインの両方の形態の英語による会議参加経験者のみが対象となっているため、921名）を分母とし、各質問項目におけるそれぞれの選択肢を選択した回答者数を分子とすることで、各選択肢の割合を算出していき、アンケート結果の全体像を把握しました。

そのなかで、アンケート調査の回答者の特徴として押さえておくべき点は、「アンケート調査の質問票概要」に記したように、回答対象者として「企業で国際的業務に携わり、業務のなかで英語を使用されている方に回答をお願いします」と記載したアンケートに無償で協力してくれた方々であるため、結果として、英語力が一般の日本人ビジネスパーソンよりも比較的高い方々となっていることでしょう。

また、そのことが影響していると思われる結果として、Q7の「ご自身の英語による業務について、現在、平均的にどの程度対応できているかお答えください」という質問に対し、21.1%が「特に問題なく対応できている」、49.9%が「英語力が原因で、多少苦労することもあるが、何とか対応できている」と回答しており、合算すると回答者全体の7割強（71.0%）が、程度の差こそあれ英語による業務をこなすことができていると回答しています。

しかし、過去に行ってきた調査の結果等を踏まえて考えると、日本人ビジネスパーソンの多くは英語による業務遂行に対して困難を感じており、ビジネス目的を果たすうえで遅滞なくコミュニケーションが取れる英語レベルに達するためにはどうすればいいのか、ということがいまだに問題になっているのが現状と思われます。

そこで本章では、アンケート回答者の属性等でクロス集計を行い、第4章の単純集計結果のさらなる深掘りをすることで、本調査の目的である「コロナ禍を経た現在の状況下において、ビジネスにおける英語コミュニケーション上の問題点と国際的業務に携わるビジネスパーソンとしての成長要因を解明する」ことへの解答発見を試みることとしました。

1 問題点の探索：英語業務対応度に関する分析

前述のとおり、Q7「ご自身の英語による業務について、現在、平均的にどの程度対応できているかお答えください」に対し、「1. 特に問題なく対応できている」と「2. 英語力が原因で、多少苦労することもあるが、何とか対応できている」と回答した割合は全体の71%であるが、一方で「3. 英語力が原因で、いつも非常に苦労しており、そのために大変な労力を必要としている」、「4. 英語力が原因で、一人ではどうにもならず、他の手助けを得ないといけなくなる」、「5. 英語力が原因で、自分では全く対応できないため、他の人に対応を代わってもらっている」と回答した方々が全体の29%いる。

そこで、前者の71%を「現状、英語による業務に対応できている人」、後者の21%を「現状、英語による業務に対応できていない人」という2つのグループに分け、他の質問項目とのクロス集計を行い、それぞれのグループの特徴を探ってみた。

最初に特徴が見られたのは、**年齢とのクロス**［図表1］であった。35歳から49歳にかけての年齢層において、英語業務に対応できている割合が、全体割合の71.0%より低い値となっていた。逆に言えば、対応できていない、あるいは英語による業務遂行に大きな困難を感じている割合が、この年齢層には比較的多いということになる。

英語業務対応度		20-29歳	30-34歳	35-39歳	40-44歳	45-49歳	50-59歳	60-69歳	70歳-	全体
現状、英語による業務に対応できている人	人数	215	249	290	290	316	454	89	4	1,907
	%	76.5%	75.7%	66.8%	67.8%	66.7%	71.9%	84.8%	100%	71.0%
現状、英語による業務に対応できていない人	人数	66	80	144	138	158	177	16	0	779
	%	23.5%	24.3%	33.2%	32.2%	33.3%	28.1%	15.2%	0%	29.0%
合計	人数	281	329	434	428	474	631	105	4	2,686
	%	100%	100%	100%	100%	100%	100%	100%	100%	100%

［図表1］英語業務対応度と年齢のクロス表

次に特徴が見られたのは、**役職とのクロス**［図表2］であった。ここでは「現状、英語による業務に対応できている人」としたグループを「1. 特に問題なく対応できている」と「2. 英語力が原因で、多少苦労することもあるが、何とか対応できている」に分割したクロス表を示す。

		役員	部長	課長	係長	一般社員	その他	全体
1. 特に問題なく対応できている	人数	17	43	81	78	323	24	566
	%	32.1%	24.4%	**17.7%**	**18.3%**	21.4%	35.8%	**21.1%**
2. 英語力が原因で、多少苦労することもあるが、何とか対応できている	人数	23	86	240	204	752	36	1,341
	%	43.4%	48.9%	**52.5%**	**47.9%**	49.9%	53.7%	**49.9%**
英語による業務に対応できている人〈合算〉(1 + 2)	人数	40	129	321	282	1,075	60	1,907
	%	75.5%	73.3%	**70.2%**	**66.2%**	71.3%	89.6%	**71.0%**
英語による業務に対応できていない人	人数	13	47	136	144	432	7	779
	%	24.5%	26.7%	29.8%	33.8%	28.7%	10.4%	29.0%
合計	人数	53	176	457	426	1,507	67	2,686
	%	100%	100%	100%	100%	100%	100%	100%

［図表２］英語業務対応度と役職のクロス表

まず、目につくのは、係長の英語業務対応者割合が低いことである。また、課長は合算した英語業務対応者割合は70.2%で全体割合とそれほど変わりはないが、「1. 特に問題なく対応できている」と「2. 英語力が原因で、多少苦労することもあるが、何とか対応できている」に分けてみると、「1. 特に問題なく対応できている」の割合は係長よりも低くなっており、その分「2. 英語力が原因で、多少苦労することもあるが、何とか対応できている」の割合が高くなっている。つまり課長は、英語による業務自体は何とかこなしてはいるが、色々と苦労している様子がうかがえる。

想像できたことではあるが、確認のため**年齢と役職のクロス**［図表３］をとってみたところ、やはり35歳から49歳という年齢層は、係長、課長そして部長といった役職が上がっていく年齢と重なっている。つまりは係長、課長といった役職に就いた人たちのなかに、英語による業務遂行に対して困難を感じている割合が多いことが推察される。

第１章で述べられているように、ビジネスパーソンが英語で業務に対応するための３段階としてジュニア・シニア・エグゼクティブを考えたとき、係長や課長というのはジュニアからシニアの段階に進む時期にあたると考えられる。ジュニア時代に行っていた、特定の業務内容について確認や伝達を行うといったことは、それまでに培ってきた英語力等でこなすことができていたものが、シニアに求められる、一歩進んだ業務内容である協議や調整を通じて問題解決を図ったり、相手を説得したり、といったことに対峙するようになり、新たな困難に直面するようになったものと考えられる。アンケートの調査結果データを用いて、そのことをさらに検証していきたいと思う。

		20-29歳	30-34歳	35-39歳	40-44歳	45-49歳	50-59歳	60-69歳	70歳-	全体
役員	人数	1	4	6	6	11	15	9	1	53
	%	0.4%	1.2%	1.4%	1.4%	2.3%	2.4%	8.6%	25.0%	2.0%
部長	人数	0	2	4	8	42	106	14	0	176
	%	0%	0.6%	0.9%	1.9%	**8.9%**	16.8%	13.3%	0%	6.6%
課長	人数	0	12	40	82	132	175	16	0	457
	%	0%	3.6%	9.2%	**19.2%**	**27.8%**	27.7%	15.2%	0%	17.0%
係長	人数	6	42	95	106	89	84	4	0	426
	%	2.1%	12.8%	**21.9%**	**24.8%**	18.8%	13.3%	3.8%	0%	15.9%
一般社員	人数	272	265	282	219	186	237	45	1	1,507
	%	96.8%	80.5%	65.0%	51.2%	39.2%	37.6%	42.9%	25.0%	56.1%
その他	人数	2	4	7	7	14	14	17	2	67
	%	0.7%	1.2%	1.6%	1.6%	3.0%	2.2%	16.2%	50.0%	2.5%
合計	人数	281	329	434	428	474	631	105	4	2,686
	%	100%	100%	100%	100%	100%	100%	100%	100%	100%

［図表３］年齢と役職のクロス表

ジュニアからシニアになり、求められる業務内容がより高度なものになったことが困難の原因であると仮定した場合、係長、課長といった役職者の英語力が直接的な原因ではない可能性を確認しておく必要がある。そこで、**役職と英語力（CEFR レベル）のクロス**［図表４］をとった。

ここでは、回答者の現在の CEFR レベルを用いる。また、役職別の回答者数に差があるため、人数ではなく割合で示す。

	C2	C1	B2	B1	A2	A1	合計
役員	7.5%	18.9%	34.0%	35.8%	1.9%	1.9%	100%
部長	4.5%	13.1%	39.2%	38.1%	4.0%	1.1%	100%
課長	1.1%	7.4%	**38.7%**	**40.0%**	9.8%	2.8%	100%
係長	0.9%	6.3%	**37.3%**	**41.1%**	12.2%	2.1%	100%
一般社員	1.7%	6.8%	**36.8%**	**40.8%**	11.5%	2.4%	100%
その他	3.0%	16.4%	31.3%	31.3%	14.9%	3.0%	100%
全体	1.8%	7.7%	37.2%	40.2%	10.7%	2.3%	100%

［図表４］役職とCEFRレベルのクロス表

B1、B2といった回答者の英語力の大部分を占めるレベルの割合を見る限り、係長、課長の英語力が、役職者になる前の段階である一般社員と比較して、特に低いわけではないことが確認できる。つまり、英語使用業務における困難な状況は、英語力というよりも、やはり業務の内容に関係している可能性が考えられるため、次に、**役職と業務内容に関連した質問項目のクロス**［図表５］をとる。

まずは、Q5で聞いた「業務上、英語によって行うことが必要な（必要だった）形態」のなかから、「会議」、「プレゼンテーション」、「交渉」を取り上げる。

	役員	部長	課長	係長	一般社員	その他	全体
会議ー対面	60.4%	63.1%	**53.8%**	**41.8%**	32.2%	31.3%	40.0%
会議ーオンライン	58.5%	80.7%	**68.1%**	**57.5%**	47.7%	44.8%	55.0%
プレゼンテーションー対面	49.1%	46.0%	**37.6%**	**24.2%**	17.2%	20.9%	24.4%
プレゼンテーションーオンライン	37.7%	48.9%	**39.8%**	**26.1%**	22.6%	23.9%	28.1%
交渉ー対面	35.8%	37.5%	**28.7%**	**20.0%**	15.5%	17.9%	20.3%
交渉ーオンライン	22.6%	34.7%	**25.2%**	**18.1%**	12.7%	16.4%	17.4%

［図表５］役職と業務形態（会議・プレゼンテーション・交渉）のクロス表

一般社員と比べて、役職が係長、課長、部長と進むにつれて、英語による会議への参加、プレゼンテーション、交渉といった業務に携わる割合が高くなっていく様子が見てとれる。

次に、Q11で聞いた「参加した英語の会議のなかでどういった役割を担っているか」すなわち会議における役割について役職とのクロス［図表６］をとってみた。

	役員	部長	課長	係長	一般社員	その他	全体
最終判断をする／結論を出す	53.6%	**45.6%**	29.0%	18.5%	9.5%	23.8%	21.3%
ファシリテーション	46.4%	**56.3%**	**47.5%**	40.4%	33.6%	42.9%	41.2%
交渉・協議の担当窓口	50.0%	**42.7%**	**45.7%**	**43.8%**	34.8%	47.6%	40.5%
定型内容の説明、質問応答	35.7%	41.7%	40.3%	**47.9%**	39.8%	42.9%	41.4%
何か聞かれたら答える程度	14.3%	41.7%	43.0%	47.9%	**50.7%**	28.6%	45.8%
参加するのみで発言等はしない	7.1%	8.7%	19.5%	18.5%	**25.9%**	14.3%	20.4%

［図表６］役職と会議における役割とのクロス表

会議における役割は、一般社員については「参加するのみで発言等はしない」や「何か聞かれたら答える程度」といったものの割合が比較的高いが、係長は、「何か聞かれたら答える程度」と同じくらい「定型内容の説明、質疑応答」の割合が高く、次いで「交渉・協議の窓口担当」となっている。課長になると「交渉・協議の窓口担当」や会議の「ファシリテーション」が多くなり、部長になると課長の役割に加え「最終判断をする／結論を出す」といったものになっている。

以上のことを踏まえると、35-39歳、40-45歳、45-49歳の人たちのなかで、役職が上がることに伴い、課せられる役割－業務内容が難しくなっていった人たちが、英語による業務遂行に困難を感じるようになっているものと推察される。

まさに第１章で述べられているように、ジュニア段階では、業務内容そのものの伝達・確認ができれば英語による業務もこなすことができていたものが、シニア段階になり、相手とコミュニケーションを取るための英語の比重が大幅に増えることにより、英語力自体には変化がなくとも英語による業務遂行上の困難が増しているという状況が、アンケートデータからもはっきりと示されているといえる。

2 解決策の探索：選択式回答結果より

問題点は確認できたが、本調査研究の目的は、その解決策を探ることにある。アンケートデータから問題の解決策につながるものがないかを続けて探ってみることとする。

一般に、ビジネスにおける英語コミュニケーションを円滑に行い、ひいてはビジネスを成功させるには、英語力に加えコミュニケーションそのものを成立させるための能力が必要と言われている。その能力には、ビジネスに関する知識や文化的背景等も含む相手についての知識、相手を引き付ける人間力など様々なものが含まれる。だが、まずは英語力について見てみる。

手法として、**役職ごとに、「現状、英語による業務への対応ができている」人たちの割合とCEFRレベルとのクロス集計**を、全回答者［図表7］と会議参加者のみ［図表8］で行う。また、比較参照データとして、回答者全体（2,686名）と**英語による会議、プレゼンテーション、交渉に携わっていない一般職員についても、クロス集計**に含めてみた。

なお、役員については、元々該当人数が少なくCEFRレベルごとに分けるとさらに少なくなるため、このクロス集計からは除外している。

	C2	C1	B2	B1	A2	A1	全体
回答者全体	87.5%	96.6%	85.2%	61.6%	42.7%	39.7%	**71.0%**
部長	100%	91.3%	**82.6%**	**59.7%**	14.3%	100%	73.3%
課長	80.0%	91.2%	**89.8%**	**55.2%**	42.2%	53.8%	70.2%
係長	100%	100%	**82.4%**	**55.4%**	36.5%	44.4%	66.2%
一般社員	80.0%	99.0%	**84.9%**	**64.4%**	42.8%	33.3%	71.3%
一般社員：会議不参加	81.3%	98.1%	**83.5%**	**66.5%**	43.4%	30.0%	69.9%

注：部長のA2およびA1レベルは該当者数が極端に少なかった。

［図表7］全回答者の英語業務対応者における役職とCEFRレベルのクロス表

	C2	C1	B2	B1	A2	A1	全体
回答者全体	87.5%	96.6%	85.2%	61.6%	42.7%	39.7%	71.0%
会議参加者全体	90.5%	98.3%	88.9%	58.6%	41.5%	47.1%	76.4%
会議参加者 部長	100%	86.7%	83.3%	59.5%	0%	100%	73.8%
会議参加者 課長	100%	100%	94.5%	58.3%	57.1%	50.0%	77.8%
会議参加者 係長	100%	100%	86.8%	56.9%	28.6%	0%	74.0%
会議参加者 一般社員	77.8%	100%	87.6%	56.1%	39.3%	50.0%	75.4%
会議不参加 一般社員	81.3%	98.1%	83.5%	66.5%	43.4%	30.0%	69.9%

注：部長のA2およびA1レベルは該当者数が極端に少なかった。

［図表8］会議参加者の英語業務対応者における役職とCEFRレベルのクロス表

［図表７］が示すとおり、B2 レベル以上の英語力になるとすべての役職カテゴリーで英語による業務に対応できる人の割合が大きく高まっている。B1 レベルでも 50％を超えているが、これは最初に記したように、今回のアンケートは全体的に英語力の高い人が集まっており、「企業で国際的業務に携わり、業務のなかで英語を使用されている方」を回答対象者としてお願いしていることから、単に業務で英語を使用されているだけではなく英語による業務に対応できている人が多く回答していると思われる。

回答者全体で 71.0％の人が英語による業務に対応できていると回答していることから、B1 レベルの 50％台という値は、英語による業務への対応には相対的に困難が伴う割合が大きいレベルと判断していいと推察される。ただし、一般社員に注目すると、B1 レベルでの業務対応割合は 64.4％、会議に参加していない一般社員、おそらく担っている英語業務のほとんどがジュニア段階のものであると思われる人たちは、B1 レベルでも 66.5％であり、約 2/3 の人がその業務に対応できているということは、これも第１章で述べられたことをデータ的に裏付けている結果であると言える。

また、**会議参加者のみ**の［図表８］と**会議参加者・不参加者が合算されている**［図表７］を比べてみると、全体的な傾向はほぼ同じであるが、数値を細かく見てみると、B2 レベル以上では会議参加者のみのほうが英語業務に対応している割合が高いケースが多いが、B1 以下になると会議参加者のほうが英語業務に対応している人の割合が逆に低いケースが多くなっている。B1 以下のレベルでは英語による会議、プレゼンテーション、交渉といったことを行うにはやはり英語力の部分で困難を伴うようである。

全回答者について、［図表７］で示したものと同様の**クロス集計**を CEFR レベルの代わりに **TOEIC L&R スコアで行った**結果が［図表９］である。

	900 点以上	800～895 点	700～795 点	600～695 点	500～595 点	400～495 点	400 点未満	全体
回答者全体	94.3%	83.0%	74.6%	59.3%	51.5%	41.8%	31.9%	71.0%
部長	**93.8%**	**83.7%**	64.9%	61.3%	38.5%	0%	100%	73.3%
課長	**91.8%**	**84.8%**	73.5%	56.7%	54.8%	41.9%	13.3%	70.2%
係長	**93.6%**	**83.8%**	66.3%	48.5%	50.9%	35.5%	53.3%	66.2%
一般社員	**94.8%**	**81.9%**	78.2%	**62.2%**	**50.8%**	42.7%	27.6%	71.3%
一般社員：会議不参加	**96.0%**	**80.4%**	77.7%	65.4%	53.0%	41.3%	28.0%	69.9%

注：部長の 400 ～ 495 点および 400 点未満は該当者数が極端に少なかった。

［図表９］英語業務対応者における役職と TOEIC L&R スコアのクロス表

TOEIC L&R スコアにすると、800 点以上から、すべての役職カテゴリーで英語による業務に対応できる人の割合が80%を超えてくる。TOEIC Programの開発元であるETSが独自に行った検証調査ではCEFR B2レベルに相当するTOEIC L&Rスコアは785点以上、B1レベルは550点以上という結果が公表されている。一般社員の英語による業務対応割合が500点台では50%台だったものが、600点台になると60%を超えており、ジュニア段階はB1レベルでも対応できるという可能性を示唆するものとなっている。

「現状、英語による業務に対応できている」人たちの、Q11で聞いた**会議におけるより具体的な役割とCEFRレベルのクロス集計**［図表10］も併せて行ったので、その結果を以下に示す。

	C1	B2	B1	全体
ファシリテーション	98.7%	94.6%	68.8%	87.9%
交渉・協議の担当窓口	97.1%	93.8%	67.0%	86.1%
定型内容の説明、質問応答	95.0%	89.0%	64.3%	79.5%
何か聞かれたら答える程度	100%	85.9%	54.5%	71.6%
参加するのみで発言等はしない	100%	80.0%	50.6%	62.8%

注：会議における役割別にした際に、C2、A2、A1の各レベルは該当人数が極端に少なくなったため除外した。

［図表10］英語業務対応者における会議での役割とCEFRレベルのクロス表

こちらの結果からも、B2レベル以上の英語力になると、すべての役割において英語による業務に対応できる人の割合が大きく高まっている。B1レベルでは、「ファシリテーション」や「交渉・協議の担当窓口」といったシニア段階と思われる役割の方が、「何か聞かれたら答える程度」や「参加するのみで発言等はしない」といったジュニア段階以下とも思える役割よりも対応できる割合が高くなっている。

これはおそらくQ11は対面とオンラインの両方で英語による会議等に参加したことがある人のみが回答対象であり、全体の割合でも「ファシリテーション」や「交渉・協議の担当窓口」に対応できている人の割合が90%に近い値になっていることから、元々各役割を行うのに見合った人が基本的にアサインされているためと思われる。

つまり、ファシリテーションを任されている人は、B1レベルの英語力であってもこなせるであろうという人たちが担っている。一方で、会議における各種役割を担うことが難しい人たちが何らかの必要にせまられて会議に参加した場合、結果的に「何か聞かれたら答える程度」や「参加するのみで発言等はしない」という状況になっているのではないかと推察される。そのためB1レベルでも対応が難しいということになっているものと思われる。他の調査から、オンライン会議が主流になって以降は会議に参加する人数が増えたという声も聞こえているので、ありうる状況と思われる。

他に考えられることとしては、B1レベルで「ファシリテーション」や「交渉・協議の担当窓口」といった役割に対応できる人というのは、英語力以外の能力でカバーしているのか、あるいは今回のアンケートで得た回答者のCEFRレベルは自己判断、自己申告によるものであるため、なかには自身の英語力を過少判断している人も含まれている可能性がある。

ここまでの分析から、ジュニア段階での業務はある程度B1レベルでも対応できるが、シニア段階の業務に対応するにはB2レベルの英語力が必要であり、逆に言えば、B2レベルの英語力を身につけることができれば、シニア段階の業務にもかなり対応できるようになることが予想される。国際的に活躍できるビジネスパーソンといった場合、一般的にはシニア段階の業務に対応できる人というイメージになるのではないか。そう考えると、英語力においてはB2レベルに到達することが問題解決の方策となる。しかしながら、これも第1章で述べられているように、B1レベルとB2レベルの間にはなかなか越えがたい壁があるようなので、その辺りに関連した解決策のヒントを探るべく、次は、Q23の自由記述式の質問回答について深堀りを行うことにする。

3 解決策の探索：自由記述式回答結果より

Q23において、国際的に活躍できるビジネスパーソン育成のために、どのような能力開発や支援が必要だと考えるかを記述してもらった。記述された内容を、キーワードを元に16のカテゴリーに分類した。それらについては、第4章に記載したが、主にどういった内容のものが多かったかという形になっている。

本章では、英語による業務遂行上どこにどういった困難があるかをアンケートデータから探ってきた。ここからはそれらの解決策について、自由記述で言及された国際的に活躍できるビジネスパーソン育成のために必要と思われる事柄について、どういった人がどのようなことを言っているかという、回答者の属性と記述内容との関係についてクロス集計を行いながら調べていくことにする。

ビジネスパーソンが担当する業務内容は、役職が上がるに従って複雑化していくことから、そこで求められる英語力も役職に応じて複雑なものとなっていくことは、すでにアンケートデータから確認できた。そのため、回答者の役職をクロスさせてみることは必要となる。

また、問題点を探るうえで、「現状、英語による業務に対応できている」のか、「困難を感じている」のかどうかということも重要である。そこで、**役職と英語業務への対応度の2つをQ23の回答内容とクロス**させることにしたが、どちらの質問項目も選択肢が5～6個あり、そのままクロスさせると複雑になるため、次のように単純化した。

・役職については、役員、部長、課長、係長を一つにまとめて「役職者」とした。それ以外の「一般社員」と「その他」という2つの選択肢はそのままとした。ただし、「その他」は人数が少ないことに加え、長年勤めている専門職の人や派遣、嘱託といった人たちが混在しているため、比較検討対象にはいれない。

・英語業務への対応度については、前項で用いたのと同様に「特に問題なく対応できている」

と「英語力が原因で、多少苦労することもあるが、何とか対応できている」と回答した人を「対応できている人たち＝対応」とし、それ以外の人たちを「対応できていない人たち＝非対応」と分類した。

次に、上記2つの属性をそれぞれ組み合わせて、「役職者で英語業務に対応できている人」、「役職者で英語業務に対応できていない人」、「一般社員で英語業務に対応できている人」、「一般社員で英語業務に対応できていない人」の4つのグループに分けた。それらとQ23で言及された内容である16のカテゴリーとをクロス集計した。

便宜上、役職では「その他」、Q23のカテゴリーには、16のカテゴリーのどれにも属さない「その他」と「特になし」といった記述も記載している。各カテゴリーの言及数は、第4章で説明したように、そのまま言及された数を集計したものであるが、一人で複数のカテゴリー内容に言及していることもあるため、その場合は該当するカテゴリーそれぞれに加えていった。複数回答可の質問項目の体裁となる。言及数の下に記載したパーセンテージは、各グループの人数に対する割合である。グループごとに人数が異なるため、この人数に対する各言及内容のパーセンテージを示すことにより、グループ間での比較が可能となる。

表の右端の列がQ23に回答した全1,231名における各カテゴリー別言及数とパーセンテージである。そのなかで言及数の多かった6つのカテゴリーである**「英語使用環境づくり」、「コミュニケーション力」、「海外を知る」、「英語力」、「思考」、「実務力」**にハイライトがしてある。

そして各グループで、全体のパーセンテージと比較して顕著にパーセンテージの値が高かったものにもハイライトを付けた。カテゴリーは言及の多かった6つに限定せず、言及数が少ないものでもグループとしての特徴が見られると思われるものにはハイライトを付けた。

[図表11]には明らかな傾向が表れているように見える。役職者、一般社員とも「現状、英語業務に対応できている」人たちは、国際的に活躍できるビジネスパーソンには「マインド」、「思考」、「実務力」が必要と考えている。「マインド」は、熱意や好奇心、やる気、度胸といったキーワードで括られる内容のものであり、「思考」は、自分で論理的に考え本質を理解するといった内容である。また「実務力」は、単なる英語力ではなく、英語で実際の業務をこなせる能力のことであり、英語の専門用語や英語力とは別に身につけるべき業務遂行に必要な能力である。他には「日本を知る」、「相手を知る」、「海外を知る」といったことも比較的多く言及されている。

一方で、役職者、一般社員とも「現状、英語業務に対応できていない」人たちは、国際的に活躍するビジネスパーソンに必要なものとして「英語力」や「英語使用環境づくり」を多くあげている。さらに「指導者づくり」も件数自体は少ないものの全体の割合と比べると高い値となっている。

また、役職者で「現状、英語業務に対応できていない」人たちは、「早期英語教育」の必要性にも比較的多く言及している。役職者は、一般社員よりは年配者の割合が多いと思われるので、そのように考える人が多いものと推察される。

		役職者		一般社員		その他		全体
		対応	非対応	対応	非対応	対応	非対応	
マインド	言及数	24	6	37	7	0	0	74
	%	**6.1%**	4.1%	**7.4%**	4.3%	0%	0%	6.0%
思考	言及数	65	13	70	17	2	3	170
	%	**16.6%**	8.8%	**14.0%**	10.5%	10.0%	33.3%	**13.8%**
行動力	言及数	25	5	27	7	3	1	68
	%	6.4%	3.4%	5.4%	4.3%	15.0%	11.1%	5.5%
統率力	言及数	8	3	15	1	0	0	27
	%	2.0%	2.0%	3.0%	0.6%	0%	0%	2.2%
対人力	言及数	6	6	10	3	0	0	25
	%	1.5%	4.1%	2.0%	1.9%	0%	0%	2.0%
英語力	言及数	50	26	82	36	2	2	198
	%	12.8%	**17.6%**	16.4%	**22.2%**	10.0%	22.2%	**16.1%**
実務力	言及数	56	12	64	19	2	1	154
	%	**14.3%**	8.1%	**12.8%**	11.7%	10.0%	11.1%	**12.5%**
コミュニケーション力	言及数	83	40	94	31	5	1	254
	%	**21.2%**	**27.0%**	18.8%	19.1%	25.0%	11.1%	**20.6%**
日本を知る	言及数	13	4	20	3	0	0	40
	%	**3.3%**	2.7%	**4.0%**	1.9%	0%	0%	3.2%
相手を知る	言及数	15	0	15	1	0	0	31
	%	**3.8%**	0%	**3.0%**	0.6%	0%	0%	2.5%
海外を知る	言及数	74	16	96	31	0	3	220
	%	**18.9%**	10.8%	**19.2%**	**19.1%**	0%	33.3%	**17.9%**
早期英語教育	言及数	20	12	26	7	1	2	68
	%	5.1%	**8.1%**	5.2%	4.3%	5.0%	22.2%	5.5%
英語使用環境づくり	言及数	103	53	135	50	8	2	351
	%	26.3%	**35.8%**	27.0%	**30.9%**	40.0%	22.2%	**28.5%**
指導者づくり	言及数	2	2	1	2	2	0	9
	%	0.5%	**1.4%**	0.2%	**1.2%**	10.0%	0%	0.7%
技術進化	言及数	0	0	3	0	0	0	3
	%	0%	0%	0.6%	0%	0%	0%	0.2%
組織(社会)改革	言及数	3	0	3	0	0	0	6
	%	0.8%	0%	0.6%	0%	0%	0%	0.5%
その他	言及数	15	1	16	4	1	0	37
	%	3.8%	0.7%	3.2%	2.5%	5.0%	0%	3.0%
特になし	言及数	4	4	9	6	1	0	24
	%	1.0%	2.7%	1.8%	3.7%	5.0%	0%	1.9%
回答者全体	人数	392	148	500	162	20	9	1,231
	%	100%	100%	100%	100%	100%	100%	100%

［図表 11］ Q23 言及カテゴリーと役職および英語業務対応状況とのクロス表

第1章にも述べられているように、一般に、英語での業務ができるようになるために必要なものとして、「英語力」と「人間力」の2つが語られるが、どちらも必要であり、どちらを優先させるべきかについては簡単に言えるものではない。ただ、この結果を見ると、英語による業務遂行に困難を感じている人たちには、まず、「英語力」を高めることが必要であり、そのための環境を整えること、適切な指導者を用意することなどが強く意識されているようである。

一方で、すでにある程度の英語力を身につけており、英語での業務に対応できている人たちは、「英語力」よりもマインドや思考、実務力、さらには相手や海外を知るといった、いわば「人間力」に属するようなことがより必要であると考えるようになっているようである。

全体としても言及数が多かった「コミュニケーション力」については、一般社員よりも役職者のほうが英語業務への対応状況に関係なく多く言及している。ここで「コミュニケーション力」とカテゴライズした内容は、非言語的なコミュニケーションスキルに加え、ビジネスの場で必要となる、単にこちらの意見や要望を伝えるだけでなく、相手を納得、説得するために用いるロジックや交渉力、ディスカッションスキル等も含めたものであり、相手のことを理解してビジネスにおける交渉を成功に導くといった能力である。

通常、一般社員が担う業務内容は、本調査内ではジュニア段階と規定しているもので、特定の案件についての伝達、説明や確認が主となる。そのため、そういったことができるだけの英語力があれば英語業務をこなすことができるが、役職者になるとシニア段階と規定している、利害関係の異なる相手との交渉を行うといった業務が多くなるため、それらに対応するためのコミュニケーション力というものの必要性を強く意識するようになるものと推察される。

他にもいくつかクロス集計を行ってみたが、Q23で言及された内容は、各回答者の立場や置かれている状況が反映されているものであることが示されることとなった。そのうちの一つとして、**英語力（CEFR レベル）とのクロス集計**結果を［図表12］として示す。これは、先に行ったクロス集計［図表11］のグループ分けについて「英語業務への対応度合」を「現状の英語力(CEFR レベル)」に変えたものである。

CEFR でB2 レベルに到達すると、英語による業務をこなせる度合がB1 以下のレベルと比べて大きく増えることが先のアンケートデータ分析結果からも明らかになっている。そのため「B2以上」と「B1 以下」というグループに分けた。英語業務に対応できている人と「B2 レベル以上」、対応できていない人と「B1 レベル以下」とは、ほぼ同じような結果になることが予想された。

クロス集計の結果を見てみると、役職者、一般社員とも「B2 レベル以上」の人たちは「マインド」、「実務力」を、役職者はCEFR レベルに関係なく「コミュニケーション力」を必要と考える人の割合が多かった。しかし、「英語力」については、「B1 レベル以下」の役職者からの言及はそれほど多くなかった。逆に、一般社員は「B2 レベル以上」であっても「英語力」が必要としている人が多くなっている。さらに、「B2 レベル以上」の一般社員が「思考」についてもあまり多く言及していないことを加えて考えると、一般社員全体では、与えられる業務内容の多くがジュニア段階のものであるため、ある程度の英語力を身につけることで英語業務をこなせるようになると考える人が多いのかもしれない。

		役職者		一般社員		その他		合計
		B2 以上	B1 以下	B2 以上	B1 以下	B2 以上	B1 以下	
マインド	言及数	22	8	25	19	0	0	74
	%	**8.3%**	2.9%	**7.8%**	5.6%	0.0%	0.0%	6.0%
思考	言及数	46	32	43	44	4	1	170
	%	**17.4%**	11.6%	13.4%	12.9%	28.6%	6.7%	**13.8%**
行動力	言及数	14	16	17	17	4	0	68
	%	5.3%	5.8%	5.3%	5.0%	28.6%	0.0%	5.5%
統率力	言及数	3	8	11	5	0	0	27
	%	1.1%	2.9%	**3.4%**	1.5%	0.0%	0.0%	2.2%
対人力	言及数	5	7	7	6	0	0	25
	%	1.9%	2.5%	2.2%	1.8%	0.0%	0.0%	2.0%
英語力	言及数	35	41	57	61	1	3	198
	%	13.2%	14.9%	**17.7%**	**17.9%**	7.1%	20.0%	**16.1%**
実務力	言及数	37	31	42	41	2	1	154
	%	**14.0%**	11.3%	**13.0%**	12.1%	14.3%	6.7%	**12.5%**
コミュニケーション力	言及数	57	66	62	63	5	1	254
	%	**21.5%**	**24.0%**	19.3%	18.5%	35.7%	6.7%	**20.6%**
日本を知る	言及数	6	11	9	14	0	0	40
	%	2.3%	**4.0%**	2.8%	**4.1%**	0.0%	0.0%	3.2%
相手を知る	言及数	6	9	9	7	0	0	31
	%	2.3%	**3.3%**	2.8%	2.1%	0.0%	0.0%	2.5%
海外を知る	言及数	44	46	66	61	0	3	220
	%	16.6%	16.7%	**20.5%**	17.9%	0.0%	20.0%	**17.9%**
早期英語教育	言及数	12	20	18	15	0	3	68
	%	4.5%	**7.3%**	5.6%	4.4%	0.0%	20.0%	5.5%
英語使用環境づくり	言及数	74	82	91	94	4	6	351
	%	**27.9%**	**29.8%**	**28.3%**	**27.6%**	28.6%	40.0%	**28.5%**
指導者づくり	言及数	2	2	1	2	1	1	9
	%	0.8%	0.7%	0.3%	0.6%	7.1%	6.7%	0.7%
技術進化	言及数	0	0	1	2	0	0	3
	%	0.0%	0.0%	0.3%	0.6%	0.0%	0.0%	0.2%
組織(社会)改革	言及数	2	1	1	2	0	0	6
	%	0.8%	0.4%	0.3%	0.6%	0.0%	0.0%	0.5%
その他	言及数	11	5	11	9	1	0	37
	%	4.2%	1.8%	3.4%	2.6%	7.1%	0.0%	3.0%
特になし	言及数	2	6	6	9	0	1	24
	%	0.8%	2.2%	1.9%	2.6%	0.0%	6.7%	1.9%
回答者全体	人数	265	275	322	340	14	15	1,231
	%	100%	100%	100%	100%	100%	100%	100%

［図表 12］Q23 言及カテゴリーと役職および英語力（CEFR レベル）とのクロス表

全体でもっとも言及数の多かった「英語使用環境づくり」は、英語業務に対応できていない人たちからの言及が多かったが、英語力レベル（CEFRレベル）で分けた場合には、各グループ間で特に大きな差は見られず、すべてのグループで全体の結果とほぼ同じような割合となっている。これらの違いは、「B1レベル以下」でも、「現状、英語業務に対応できている」人、逆に「B2レベル以上」でも「英語業務への対応に非常に困難を感じている」人たちがいることによる影響と思われる。つまり、英語力の差ではなく、「現状、英語による業務に対応できない」という状況に陥った人たちが、対応できるようになるためには、「英語使用環境づくり」の重要性を強く意識しているものと推察される。

この「英語使用環境づくり」については、今回行った一連の調査活動において、実際に現場を経験することの必要性といった形で比較的よく出てきたことである。問題解決策のためのキーワードとして、実体験できるような「場」を提供することが一つの結論であるように思われる。

［図表13］は、Q23で言及された16のカテゴリーの一つである**「英語使用環境づくり」と現在の業務における英語使用状況割合とのクロス集計**結果である。

		1～10%	11～30%	31～50%	51～89%	90%以上	全体
英語使用環境づくり	言及数	187	90	36	27	11	351
	%	**30.2%**	28.4%	24.0%	24.5%	**31.4%**	**28.5%**
回答者全体	人数	619	317	150	110	35	1,231

［図表13］Q23「英語使用環境づくり」と回答した方の英語使用業務割合

日頃の英語による業務の割合が非常に多い人たち（90%以上）と非常に少ない人たち（1～10%）が「英語使用環境づくり」の必要性についてより多く言及している。英語使用業務割合の多い人たちは、自身の経験等からより多く英語に接する機会を持つことの重要性を認識しており、一方、英語使用業務割合の少ない人たちは、いくら英語の学習等をしても実際に使う機会がないと業務で使える英語力、ひいては英語での業務遂行能力が身につかないという、自分が置かれている難しい環境に対する意見を表明しているのかもしれない。

くり返しになるが、ここまで見てきたなかで言えることは、各人が言及していることは各人の立場や現状であったり、これまで経験してきたことなどがその根底にあるということである。これは逆に考えると、回答者の属性によって言及されることは変わってくる可能性が高いということでもある。今回のアンケートで得られた自由記述を含む各回答を見る際には、**年齢、役職、担当業務、英語力、英語使用例**など、どういった人たちが回答したものであるかということに留意することが必要である。

Q23の自由記述回答を見ているなかで、「相手」について言及したものがいくつか出てくることに気付いた。詳しく確認するべく記述のなかに「相手」という言葉が含まれているものをピックアップしたところ、計135件あった。

そのうちの101件は、「相手を理解する、相手をリスペクトする、相手の国や文化等を理解する」といったもので、**「相手のことを思った」**ものである。15件は、「相手に理解してもらえるような英語を話す、相手を説得できるような能力を身につける、相手の言っていることを理解できる（リスニング）能力を身につける」といったもので、「相手のために自分の能力を高める」というものである。なお、残りの19件は、単に、相手という言葉が記述のなかで使われていたものであった。

これらのうち、「相手のことを思った」内容と分類された101件の回答について、さらなる分析を行った。まずは、回答者の属性について調べたのだが、その主なもの（役職、CEFRレベル、TOEIC L&Rスコア、英語使用形態、会議における役割）を以下に記す。

	役員	部長	課長	係長	一般社員	その他
「相手」記述者	1.0%	6.9%	15.8%	**18.8%**	**55.4%**	2.0%
Q23回答者全体	1.5%	6.6%	17.3%	16.5%	55.1%	3.0%

［図表14］役職

	C2	C1	B2	B1	A2	A1
「相手」記述者	1.0%	6.9%	36.6%	**39.6%**	**12.9%**	3.0%
Q23回答者全体	1.5%	7.6%	39.7%	38.9%	10.3%	1.9%

［図表15］CEFRレベル

	900点以上	800〜895点	700〜795点	600〜695点	500〜595点	400〜495点	400点未満
「相手」記述者	9.9%	19.8%	17.8%	**15.8%**	**19.8%**	4.0%	5.0%
Q23回答者全体	13.3%	25.1%	19.8%	14.7%	11.0%	6.1%	3.4%

［図表16］TOEIC L&Rスコア

	会議／プレゼンテーション／交渉	
	あり	なし
「相手」記述者	76.2%	23.8%
Q23 回答者全体	70.1%	29.9%

［図表 17］英語使用形態

	ファシリテーション／交渉窓口	定型内容説明／質問応答	参加のみ
「相手」記述者	35.6%	7.9%	5.0%
Q23 回答者全体	20.5%	7.7%	2.1%

［図表 18］会議における役割

本アンケート調査の回答者、またそのなかでもQ23に回答した人の属性はもともと偏りがある。例えば、回答者の過半数を超える56%は一般社員であり、役職者は半分にも満たない。しかし、これは意図してできた偏りではなく、本アンケート調査に協力してくれた人たちの結果として生じたものである。ビジネスパーソン全体のもともとの構成割合として一般社員の数が多く、そのなかでも「企業で国際的業務に携わり、業務のなかで英語を使用されている方」を対象としたアンケートに自発的に協力してくれた人たちの結果であるため、この偏り自体にも意味はあるのだが、そのまま単純に数の多さで比較していくと、どうしてもすべての項目で「一般社員が一番多い」となってしまう。

そこでここでは、Q23に回答した人全員の各属性における構成人数との割合で比較を行い、その結果、「相手」に対して言及している割合が、Q23回答者全体での割合と比べて多かったものに注目し、表中にハイライトを入れている。なお、全体的な傾向を見るため、割合の差が僅差でもハイライトしているが、「相手」記述者の人数が少ない場合は、比較対象とはしていない。その結果、「相手」に言及している割合が高かったのは、以下の通りである。

・役職は、係長と一般社員
・CEFRレベルは、B1とA2
・TOEIC L&Rスコアは、500点台と600点台
・英語使用形態は、会議／プレゼン／交渉　あり
・会議における役割は、ファシリテーション／交渉窓口

この結果をどう解釈するかだが、Q23における他の自由記述回答の分析を行ったなかで、各人が言及していることは各人の立場や現状であったり、これまで経験してきたことなどがその根

底にあるということが示唆されていた。それと同じように「相手」という言葉が記載されたということは、その回答者が国際的なビジネスの場において、コミュニケーションを取る、まさにその「相手」のことに留意し理解することが重要と強く感じていることを示していると思われる。

回答者の役職や英語力、会議での役割等から推察すると、それはジュニア段階からシニア段階に移行しかけている人、あるいは移行してシニアの役割になってそれほど間もないような人たちが、業務上のコミュニケーションとして、それまでの伝達・確認から、相手との調整を行う、問題への対応策や解決策を練る、交渉で相手を説得するといったことが必要であると実感した人たちが多くいるように思われる。それらを成し遂げるためには、現状のB1あるいはA2レベルでは厳しいため、B2レベルまで自身の能力を引き上げる必要性を強く感じているところかもしれない。また、会議においてはファシリテーターや交渉の窓口になるため、相手を意識しないと業務を進めることができない状況に直面しているものと思われる。

一方で、なかには上記に合わない人たちも含まれている。英語力がB2以上の方は、英語力以外の部分で、相手のことを知る、相手を理解することの必要性を意識し始めたのかもしれない。課長以上の人は、過去に業務内容がジュニアからシニアに変わって間もない時期に苦労した経験を持ち、今も強く記憶している人たちであるとも考えられる。

一般社員で、会議のファシリテーターや交渉窓口にはなっていない人たちも含まれているが、そういった人たちは、会議では定型の説明や質疑応答などをするが、そのなかで相手の存在を強く意識したような人たちは、ジュニアであっても、相手に言及しているものと思われる。

他にも、英語力や実務の経験量、あるいはその両方が原因で苦労しているなかで、相手を理解することの重要性に気付いたという人が含まれているのかもしれないし、一般社員で英語力が高い人は、その分、英語力だけでは業務をうまくこなせないことに気付いた可能性もある。一般社員で、会議のファシリテーターや交渉窓口を担当している人もいるので、そういった人たちではないかと思われる。

こうした色々な気付きが成長の要因となっていくものと思われるが、相手を意識する、あるいはさせるということも、問題解決策の一つになり得るかもしれない。

4 オンライン会議における困難の検証

本調査の目的として、「テクノロジーの進化とコロナ禍を契機としたコミュニケーションスタイルが変化するなかでのビジネスにおける英語コミュニケーションの実態と加速するデジタル化の影響」を把握することがあり、アンケート調査にはそれに関連した質問項目も含まれている。オンラインでの会議実施が常態化した現在において、オンライン会議と対面会議の違いについては、すでに他の章でも結果が紹介されているとおり、全般的に言えばオンライン会議のほうが困難である具体的事例の回答が示されているが、それらを克服できる方策がないものかをアンケート調査の結果のなかから探っていきたい。

これまでの実績から、英語力を高めることによって、オンライン会議で生じる困難を軽減できないかを検証してみる。まず、**対面会議とオンライン会議について比較している質問に対する回答を英語力（CEFR レベル）とクロス集計**させることによって、英語力の違いが生み出す結果を検証する。具体的には、Q12 ～ Q16 の回答と CEFR レベルとのクロス集計をとった。誌面の都合上、すべてをここに紹介することはできないが、典型的なものとして、**Q12-3 情報／助言の交換・授受を目的とした会議における CEFR レベルとクロス集計した結果**［図表 19］を記す。

	C2	C1	B2	B1	A2	A1	全体
対面会議のほうが難しい	9.5%	0.0%	1.5%	2.6%	1.9%	5.9%	2.0%
対面会議のほうがやや難しい	4.8%	4.3%	7.7%	3.6%	1.9%	11.8%	5.5%
オンライン会議のほうがやや難しい	23.8%	**37.1%**	**33.1%**	**29.8%**	20.8%	17.6%	**31.3%**
オンライン会議のほうが難しい	14.3%	19.8%	**21.2%**	**25.2%**	20.8%	17.6%	**22.1%**
会議形態に関係なく難しい	4.8%	7.8%	15.3%	**25.6%**	**30.2%**	**35.3%**	18.8%
会議形態に関係なく難しくない	**33.3%**	**27.6%**	18.0%	8.7%	3.8%	0.0%	15.3%
経験がない等の理由から回答できない	9.5%	3.4%	3.2%	4.5%	20.8%	11.8%	5.0%
合計	100%	100%	100%	100%	100%	100%	100%

［図表 19］「情報／助言の交換・授受」と CEFR レベルとのクロス表

項目によって度合の差はあるが、C2 レベルでは「会議形態に関係なく難しくない」という回答がもっとも多く、C1 レベルでは「会議形態に関係なく難しくない」と「オンライン会議のほうが（やや）難しい」が多くなり、B2 レベルでは「オンライン会議のほうが（やや）難しい」、そして B1 レベル以下では「オンライン会議のほうが（やや）難しい」に加え「会議形態に関係なく難しい」が多くなる。そして全体としては、「オンライン会議のほうが（やや）難しい」がもっとも高い人数割合となるケースが多い。つまり、それらの項目は英語力を高めることで解決する可能性がある項目といえる。このパターンに当てはまるものが多いのだが、なかにはそうでないものもある。「対面会議のほうが難しい」という回答のほうが多いものはなかったが、英語力の高い人たちでも難しい項目がいくつかあった。そのうちの一つが **Q14-3「細部の説明をする」**であり、CEFR レベルとクロス集計をとったものが［図表 20］である。

	C2	C1	B2	B1	A2	A1	全体
対面会議のほうが難しい	9.5%	0.9%	2.0%	2.3%	1.9%	0.0%	2.1%
対面会議のほうがやや難しい	0.0%	1.7%	5.7%	3.6%	1.9%	0.0%	4.0%
オンライン会議のほうがやや難しい	38.1%	31.9%	30.6%	21.4%	13.2%	29.4%	26.8%
オンライン会議のほうが難しい	4.8%	19.0%	16.3%	22.3%	15.1%	11.8%	18.2%
会議形態に関係なく難しい	14.3%	20.7%	33.1%	42.7%	47.2%	47.1%	35.4%
会議形態に関係なく難しくない	28.6%	24.1%	9.9%	4.2%	3.8%	0.0%	9.7%
経験がない等の理由から回答できない	4.8%	1.7%	2.5%	3.6%	17.0%	11.8%	3.8%
合計	100%	100%	100%	100%	100%	100%	100%

[図表20]「細部の説明をする」とCEFRレベルとのクロス表

この項目ではC2、C1レベルでも「オンライン会議のほうがやや難しい」という回答がもっとも多くなっている。つまり、英語力だけでは解決が難しい項目であると言える。

同様の傾向を示したものとして、「細部の説明を理解する」、「微妙なニュアンスを伝える」、「微妙なニュアンスを理解する」、「喜怒哀楽を伝える」、「会議を手際よく進行させる」、「カットインして発言の機会を逃さない」があった。また「相手の信頼を得る」と「想定外の展開となっても慌てない」の2つは他とは異なっており、高い英語力を持った人たちの間では「会議形態に関係なく難しくない」と「会議形態に関係なく難しい」と「オンラインのほうがやや難しい」の3つがそれぞれ多くの回答を集めている。

特に、**「想定外の展開となっても慌てない」**については、C2レベルで「会議形態に関係なく難しくない」と「会議形態に関係なく難しい」の2つに割れている［図表21］。

また、「想定外の展開となっても慌てない」を英語力ではなく**業務対応度とのクロス**をとった［図表22］を見ると、「特に問題なく対応」できている人たちの回答は、「会議形態に関係なく難しくない」と「会議形態に関係なく難しい」の2つが多いことは変わらないが、「オンライン会議のほうがやや難しい」に加え「対面会議のほうがやや難しい」という回答もそれなりにあることがわかる。これはおそらくこの項目には英語以外の要素が影響しており、英語業務に対応できている人たちは、知識、経験といったものも含めた形で対応しているものと推察される。

また「オンライン会議のほうがやや難しい」と「対面会議のほうがやや難しい」という異なる2つの選択肢に回答が集まるということは、人によって受け止め方が変わる項目とも言える。

オンライン会議と対面会議の違いについて考える場合は、項目内容によっては、一般的な傾向として捉えていいものか、人によって変わってくるものなのかに留意する必要があるだろう。

	C2	C1	B2	B1	A2	A1	全体
対面会議のほうが難しい	9.5%	0.0%	5.2%	6.1%	1.9%	0.0%	4.7%
対面会議のほうがやや難しい	4.8%	8.6%	11.9%	4.9%	7.5%	0.0%	8.5%
オンライン会議のほうがやや難しい	9.5%	21.6%	17.8%	13.6%	1.9%	11.8%	15.6%
オンライン会議のほうが難しい	4.8%	15.5%	12.8%	17.5%	11.3%	5.9%	14.3%
会議形態に関係なく難しい	**28.6%**	21.6%	35.8%	46.0%	50.9%	70.6%	38.8%
会議形態に関係なく難しくない	**38.1%**	29.3%	13.8%	7.8%	9.4%	5.9%	13.9%
経験がない等の理由から回答できない	4.8%	3.4%	2.7%	4.2%	17.0%	5.9%	4.2%
合計	100%	100%	100%	100%	100%	100%	100%

[図表21]「想定外の展開となっても慌てない」とCEFRレベルとのクロス表

	特に問題なく対応	何とか対応	非常に苦労	手助けが必要	他の人に代わる	全体
対面会議のほうが難しい	1.6%	6.6%	0.7%	5.1%	18.2%	4.7%
対面会議のほうがやや難しい	**10.1%**	9.1%	6.8%	1.7%	9.1%	8.5%
オンライン会議のほうがやや難しい	**17.5%**	18.1%	9.5%	6.8%	0.0%	15.6%
オンライン会議のほうが難しい	8.5%	15.1%	19.0%	16.9%	0.0%	14.3%
会議形態に関係なく難しい	**22.2%**	37.5%	57.1%	59.3%	27.3%	38.8%
会議形態に関係なく難しくない	**36.5%**	10.3%	2.7%	3.4%	0.0%	13.9%
経験がない等の理由から回答できない	3.7%	3.3%	4.1%	6.8%	45.5%	4.2%
合計	100%	100%	100%	100%	100%	100%

[図表22]「想定外の展開となっても慌てない」と英語業務対応度とのクロス表

「オンラインのほうが（やや）難しい」という項目は、テクノロジーのさらなる発展によるオンライン会議の環境改善や使う側の慣れや熟練度等によって解決できる可能性がある。

しかし、高い英語力を持った人が「会議形態に関係なく難しい」という項目や、特に、人によって回答が割れるような項目などは、英語力以外に、資質や性格、人間性といったこともかかわってくる可能性があり、単に英語力を上げるだけでは解決できない項目だと思われる。

英語による対面会議とオンライン会議との違いについては、Q17で任意の自由記述式の質問をしており、その集計結果は第4章に記してある。内容を吟味し、9つのカテゴリーに分類したが、ここではQ23の自由記述式のときと同じように、**回答者の役職と英語業務への対応度、役職とCEFRレベル**の2つをそれぞれ組み合わせで4つのグループにし、Q17の9つのカテゴリーとのクロス集計を行った結果を［図表23］および［図表24］に示した。記載しているパーセンテージは、所属する各グループの人数に対する言及数の割合である。そして各グループで、全体のパーセンテージと比較して顕著にパーセンテージの値が高かったものを中心に特徴的な部分にハイライトを付けた。

なお、アンケート上の役職の選択肢には「その他」もあるが、前述した理由でここでも除外している。そのため、各カテゴリーの合計人数が第4章に記載したものと合わないが、その点はあらかじめご了承いただきたい。

もっとも言及数の多かった、オンライン会議は対面会議と比べて**「理解度・集中度が低下」**については、役職者で英語業務に対応している人たちからの言及が多かった。

カテゴリー		役職者		一般社員		全体
		対応	非対応	対応	非対応	
理解度・集中度が低下	言及数	51	4	26	10	91
	%	**38.1%**	26.7%	27.7%	32.3%	33.2%
リスニングが困難	言及数	25	3	19	9	56
	%	18.7%	20.0%	20.2%	**29.0%**	20.4%
サポートが充実	言及数	15	2	13	3	33
	%	11.2%	13.3%	**13.8%**	9.7%	12.0%
発言のタイミングが難しい	言及数	11	0	7	1	19
	%	**8.2%**	0.0%	**7.4%**	3.2%	6.9%
相手との関係性構築が困難	言及数	12	1	6	1	20
	%	**9.0%**	6.7%	6.4%	3.2%	7.3%
手軽な会議開催が可能	言及数	14	1	3	0	18
	%	10.4%	6.7%	3.2%	0.0%	6.6%
合意形成が困難	言及数	10	0	5	2	17
	%	**7.5%**	0.0%	5.3%	6.5%	6.2%
提示資料の工夫が必要	言及数	7	0	3	5	15
	%	5.2%	0.0%	3.2%	16.1%	5.5%
違いはない	言及数	4	2	3	2	11
	%	3.0%	13.3%	3.2%	6.5%	4.0%
回答者全体	言及数	134	15	94	31	274
	%	100%	100%	100%	100%	100%

注：カテゴリーは、対面会議と比較したオンライン会議についての特性

［図表23］Q17言及カテゴリーと役職および英語業務対応状況とのクロス表

カテゴリー		役職者		一般社員		全体
		B2 以上	B1 以下	B2 以上	B1 以下	
理解度・集中度が低下	言及数	35	20	23	13	91
	%	**37.6%**	35.7%	27.4%	31.7%	33.2%
リスニングが困難	言及数	18	10	16	12	56
	%	19.4%	17.9%	19.0%	**29.3%**	20.4%
サポートが充実	言及数	9	8	13	3	33
	%	9.7%	**14.3%**	**15.5%**	7.3%	12.0%
発言のタイミングが難しい	言及数	8	3	5	3	19
	%	**8.6%**	5.4%	6.0%	7.3%	6.9%
相手との関係性構築が困難	言及数	5	8	6	1	20
	%	5.4%	**14.3%**	7.1%	2.4%	7.3%
手軽な会議開催が可能	言及数	13	2	3	0	18
	%	**14.0%**	3.6%	3.6%	0.0%	6.6%
合意形成が困難	言及数	7	3	5	2	17
	%	**7.5%**	5.4%	6.0%	4.9%	6.2%
提示資料の工夫が必要	言及数	4	3	2	6	15
	%	4.3%	5.4%	2.4%	14.6%	5.5%
違いはない	言及数	2	4	4	1	11
	%	2.2%	7.1%	4.8%	2.4%	4.0%
回答者全体	言及数	93	56	84	41	274
	%	100%	100%	100%	100%	100%

［図表 24］Q17 言及カテゴリーと役職および CEFR レベルとのクロス表

第 4 章で確認した Q17 の回答者の属性情報として、年齢が比較的高い、役職者、英語による業務に対応できている、高い英語力を持っている、会議ではファシリテーション／交渉窓口を担っている、といった方々の割合が高いことによるものと推察される。

オンライン会議においてもファシリテーションを行うであろう立場であることから、参加者全員の様子を見ることができないなかでかなり神経を使うことが予想される。「理解度・集中度が低下」するのは、それまで集中度を保ってきたものの、時間が経つにつれて維持し続けることが難しくなってくるという状況が多いのではないかと思われる。

前項で C2、C1 といった英語力レベルでも「オンライン会議のほうがやや難しい」とされる項目に「会議を手際よく進行させる」というものがあったが、それとも関連したことであろう。カテゴリー内にある「合意形成が困難」についても、役職者で英語業務に対応している人たちからの言及が多かったが、これもまたその流れのなかで説明がつく話である。

会議における役割別の結果については、[図表 25] のとおり。

カテゴリー		ファシリテーション／交渉窓口	定型内容説明／質問応答	参加のみ	その他	全体
理解度・集中度が低下	言及数	63	20	2	9	94
	%	35.0%	32.8%	13.3%	33.3%	33.2%

[図表 25] 会議における役割別理解度・集中度が低下と言及した人たちの割合

2番目に言及数の多かった**「リスニングが困難」**については、先行研究である「2013 年調査」のなかでも、英語会議において「リスニング」が困難度の高い項目として確認されており、それに加えてオンライン会議では「(相手の) 表情やジェスチャー、場の雰囲気が見えない」、「通信環境や機器の影響」といったことも加わるため、余計に「リスニングが困難」と感じるケースが多くなっていると思われる。

一般社員で英語業務に対応できていない人、一般社員で B1 以下の人たちからの言及が多いのは、元々のリスニング力が高くないことに加え、先に記したオンライン会議特有の条件が重なった結果であろう。確認のために、**本件に言及した人の CEFR レベルをクロス**させたところ、予想通り B1、B2 レベルの人が多く言及していた。C1 レベル以上になると減少しているため、容易なことではないが、英語力を上げることで、ある程度対処できる問題とも言える。

カテゴリー		C2	C1	B2	B1	A2	A1	全体
リスニングが困難	言及数	1	7	27	18	1	3	57
	%	12.5%	**16.7%**	**20.1%**	**20.7%**	14.3%	60.0%	20.1%

[図表 26] CEFR レベル別リスニングが困難と言及した人たちの割合

3番目に多かったのは、オンライン会議のほうが**「サポートが充実」**しているという指摘で、一般社員で英語業務に対応できている人からの言及が多かった。おそらく新しいテクノロジーを上手く使いこなしている人が多いためと思われるが、言及された内容を改めて読み返してみると、画面共有や資料提示等の便利さが多く出てきていた。一般社員で B2 レベル以上の人についても同様である。役職者で英語業務に対応できていない人は該当人数が 2 人しかいないので触れないでおくが、役職者で B1 以下の人たちは、会議中にミュートにして他者に不明な点を確認する、翻訳機能を使う、メモを見ながら話す、といったことを述べている。これらはある意味、現状の機能や特性を活用しながら自身の英語力を補佐しつつ会議に臨んでいるものと考えられる。

オンライン会議のほうが**「発言のタイミングが難しい」**については、役職者、一般社員ともに英語業務に対応できている人たちからの言及が多かった。発言している人の様子がわからない、アイコンタクトがとれない、といった理由でタイミングが取りづらいという意見がある一方で、機器の性能やネットワーク環境の影響、タイムラグが発生すること等を理由にあげている人もいた。

英語業務に対応できている人たちは、会議を実りあるものにするため、積極的に参加し、必要に応じたタイミングで発言したいと思っているはずだが、それが上手くできないことにフラストレーションを強く感じていると思われる。また、ファシリテーションをしているような人は、円滑な進行のためにも適宜カットインする必要があると思われるが、それができない状況というのはなかなか辛いものであろう。現状の機器や通信環境下でのオンライン会議は、ディスカッションなど複数人が同時に発言する類の会議にはそもそも向いていないと指摘する声もあった。

このようなデメリットを補完するために、チャットを活用する、会議後にメールで確認をする、会議参加者の1回あたりの発話時間を制限するといった工夫を行っていることも示されている。

オンライン会議のほうが**「相手との関係性構築が困難」**については、役職者で英語業務に対応できている人たちからの言及が多い。ビジネスを成功させるために、相手と信頼関係を構築することは非常に重要と考えられており、初対面の人と会議をする際は、冒頭で雑談等を通じてアイスブレイクを図ることが一般的であるが、オンライン会議の場合はそれが難しく、また会議が始まると特定の人しか発言しないといった傾向もあることから、キーパーソンと目星をつけた人からの本音を聞き出すことが難しいようである。

役職者は、会議ひいてはビジネスを成功に導くための責任者でもあるため、会議以前に関係性構築が重要と考えている人が多いものと思われる。そのため、事前に会議参加者の顔写真やプロフィールを共有したうえで会議に臨むなど、オンライン環境下で関係性を構築するための工夫もいろいろ行っているという言及もあった。

役職者で英語業務に対応できている人は、苦労はしても何とか関係性構築ができているのかもしれない。CEFRで見ると、B2以上の人はオンラインという困難な状況下でも英語力と工夫で何とか関係性構築ができているが、B1以下の英語力では工夫をこらしても関係性構築まで至るのは非常に厳しい状況にあるのかもしれない。

オンライン会議と対面会議の違いについて見てきたが、結果として対面会議と比べてオンライン会議では困難になることが多数紹介されることとなった。

オンライン会議の普及により、時間や場所を問わない会議開催が可能となり、業務の時間効率は上がったといった利点もあったが、通信環境の影響や相手の表情などが見えづらいといったオンライン会議特有の事情によって、理解や聞き取り、人間関係構築における困難が生じている。それらの困難を軽減させるために、アジェンダの絞り込み、詳しい資料作成、会議前の参加者プロフィールの共有、会議後の確認作業など、様々な工夫や対応を行っており、ビジネスを進めるためにそういったことをやらざるを得ない状況にあることがわかった。

これらの困難な事柄について、アンケート回答者の属性情報をもとに、背景や解決策を探ってきたが、なかには英語力を高めることで、ある程度解決できると思われるものも含まれていた。しかし、英語力を高めることは簡単ではなく、これまでも長い間課題とされてきたことである。特に、シニア段階のビジネスを行ううえで必要となるB2レベルに到達することは非常に困難であるなかで、C1レベル以上の英語力でようやく解決すると思われる項目もあった。

英語力だけで解決を図ろうとするとそういうことになるのだが、ビジネスコミュニケーションにおいて必要とされる能力は、英語力以外にも色々ある。そういった他の能力を高める、あるいは身につけることによって、現状の英語力だけではカバーしきれない部分を補完し、結果的に英語業務に対応している人は多くいるので、そちらの可能性も考えていく必要はあるだろう。ただ、その可能性を究明することは、今回のアンケート調査から得られたデータの範疇を超えるものになるので、その点は別の機会に譲ることとする。

今回のアンケート調査で、「対面で行う会議に比べてオンライン会議のほうが（やや）難しい」となった項目について言えば、今後のテクノロジーの発達により、例えばバーチャル空間のなかで機器や通信環境等が今以上に改善され、対面と同じ状況の会議をオンラインでもできるようになれば、オンライン会議での困難は少なくとも対面会議と同程度に軽減することになるだろう。今後の技術進化に期待したい。

5 テクノロジー活用についての検証

アンケートでは、英語を使用する業務で主に活用するツールや技術についての質問項目も用意していたが、オンライン会議に関するものと翻訳ツールに関するものの大きく2種類に分けられる。オンライン会議のツールについては、英語による業務の多い人、英語力の高い人が多く使用していた。英語業務への対応度で見ると、問題なく対応できている人とまったく対応できない人以外は比較的高い使用率であった。翻訳ツールに関しては、英語使用業務割合、英語力（CEFRレベル）、英語業務対応度の3つのカテゴリーとも、もっとも上ともっとも下の分類に属する人以外で高い使用率であった。

	1～10%	11～30%	31～50%	51～89%	90%以上	全体
人数	837	563	310	211	57	1,978
%	59.7%	86.0%	**91.2%**	**93.4%**	**90.5%**	73.6%

［図表27］オンライン会議ツールの英語使用業務割合別使用割合

	C2	C1	B2	B1	A2	A1	全体
人数	41	178	785	768	171	35	1,978
%	85.4%	85.6%	78.6%	71.1%	59.4%	55.6%	73.6%

［図表 28］オンライン会議ツールの CEFR レベル別使用割合

	問題なく対応	何とか対応	いつも非常に苦労	他の手助け	全く対応できない	全体
人数	385	1028	364	148	53	1,978
%	68.0%	76.7%	77.9%	70.5%	52.0%	73.6%

［図表 29］オンライン会議ツールの英語業務対応度別使用割合

	1～10%	11～30%	31～50%	51～89%	90%以上	全体
人数	963	539	274	173	43	1,992
%	68.7%	82.3%	80.6%	76.5%	68.3%	74.2%

［図表 30］翻訳ツールの英語使用業務割合別使用割合

	C2	C1	B2	B1	A2	A1	全体
人数	26	137	738	839	208	44	1,992
%	54.2%	65.9%	73.9%	77.7%	72.2%	69.8%	74.2%

［図表 31］翻訳ツールの CEFR レベル別使用割合

	問題なく対応	何とか対応	いつも非常に苦労	他の手助け	全く対応できない	全体
人数	330	1040	394	167	61	1,992
%	58.3%	77.6%	84.4%	79.5%	59.8%	74.2%

［図表 32］翻訳ツールの英語業務対応度別使用割合

また、ツールや技術を活用することで、活用前と比べて、仕事上での英語コミュニケーションでの困難や苦労が減少したと感じるかどうかを聞いたところ、翻訳ツールの使用割合が高い層の人たちがそのまま困難や苦労が減少したと思うと回答していた。

		0%	~20%	~50%	~80%	~100%	全体
強く そう思う	人数	47	74	89	108	172	490
	%	6.8%	12.1%	18.0%	23.4%	40.7%	18.2%
そう思う	人数	160	313	274	275	185	1,207
	%	23.1%	51.0%	55.5%	59.7%	43.7%	44.9%
合計	人数	207	387	363	383	357	1,697
	%	29.8%	63.0%	73.5%	**83.1%**	**84.4%**	63.2%

[図表 33] 技術・ツールにより困難や苦労が減少したと思う割合－翻訳ツール使用割合別

[図表 30、31、32] と [図表 34、35、36] を比較してみると、英語使用業務割合、英語力（CEFR レベル）、英語業務対応度の3つのカテゴリーにおいても、翻訳ツールの使用割合が高い人と、技術やツールを活用することで困難や苦労が減少したと感じている割合の高い人たちの傾向は一致している。ただし、翻訳ツールの使用割合に比べて、困難や苦労が減少したと感じている割合は、いずれも 10%程低い割合となっている。

		1~10%	11~30%	31~50%	51~89%	90%以上	全体
強く そう思う	人数	244	130	70	36	10	490
	%	17.4%	19.8%	20.6%	15.9%	15.9%	18.2%
そう思う	人数	587	346	156	96	22	1,207
	%	41.9%	52.8%	45.9%	42.5%	34.9%	44.9%
合計	人数	831	476	226	132	32	1,697
	%	59.3%	**72.7%**	**66.5%**	58.4%	50.8%	63.2%

[図表 34] 技術・ツールにより困難や苦労が減少したと思う割合－英語使用業務割合別

		C2	C1	B2	B1	A2	A1	全体
強く そう思う	人数	9	28	191	186	64	12	490
	%	18.8%	13.5%	19.1%	17.2%	22.2%	19.0%	18.2%
そう思う	人数	8	88	438	518	129	26	1,207
	%	16.7%	42.3%	43.8%	48.0%	44.8%	41.3%	44.9%
合計	人数	17	116	629	704	193	38	1,697
	%	35.4%	55.8%	**63.0%**	**65.2%**	**67.0%**	60.3%	63.2%

[図表 35] 技術・ツールにより困難や苦労が減少したと思う割合－ CEFR レベル別

		問題なく対応	何とか対応	いつも非常に苦労	他の手助け	全く対応できない	全体
強くそう思う	人数	76	239	119	41	15	490
	%	13.4%	17.8%	25.5%	19.5%	14.7%	18.2%
そう思う	人数	211	654	214	96	32	1,207
	%	37.3%	48.8%	45.8%	45.7%	31.4%	44.9%
合計	人数	287	893	333	137	47	1,697
	%	50.7%	**66.6%**	**71.3%**	**65.2%**	46.1%	63.2%

［図表36］技術・ツールにより困難や苦労が減少したと思う割合－英語業務対応度別

Q21で技術やツールに関する任意の自由記述式質問を行っているが、そこに記載された回答はほとんどが機械翻訳に関連したものであった。アンケートの順番として、翻訳ツールに関する質問が続いた後にこの質問をしたため、回答者の頭のなかに翻訳ツールに対するイメージが強く残っていた可能性はあるが、オンライン会議のためのツールやシステムを、英語による業務のための技術やツールだと意識している人が、そもそも少ないのかもしれない。

技術やツールといったテクノロジーを、どういった人たちが、どういった用途で使っているのかについては、第2章および第4章で詳しく述べられているのでここには記載しないが、技術やツールを使用しない理由としては、必要ないから使用しないというものと、品質が求めるレベルに達していないからという2つに大きく絞られる。一部、セキュリティ等の関係で使用が禁じられているからというものもあったが、それは会社や所属する団体としての決まりごとであり、回答者自身の考えではないのでここでは除外する。

オンライン会議のツールについては、アンケート内で指摘された「現状の困難」についてすでに紹介しているが、「使用しない」ということはなかった。色々と課題はあるもののビジネスを行ううえで会議は必要であり、コロナ禍以降で対面会議が不可能となった状況下では、電話やメール等で対応可能な部分は賄うにしても、必要に応じてオンラインでの会議を行うよりほかない状況が続いたという現実がある。そのため、オンライン会議のツール使用時に課題があったとしても、その使わざるを得ない状況を現実として捉えたうえで、こういった工夫をしている、といった言及がなされたものと思われる。

一方で、翻訳ツールについては、他者から使用を禁止されている場合を除き、使用するかどうかの判断は各人に委ねられることになる。そのため、使うことに何らかのメリットがある、具体的にはQ20で聞いた「ツールや技術を活用することで、活用前と比べて、仕事上での英語コミュニケーションでの困難や苦労が減少したと感じるか」ということに対し、肯定的に捉えている人たちが多く使用しているというのは至極当然のことと言える。

ただし、回答者全体におけるオンライン会議ツールの使用率73.6%、翻訳ツールの使用率

74.2%に対し、ツールや技術の活用で困難や苦労が減少したと感じている人は63.2%にとどまっている。これはつまりツールや技術を活用している人たちのなかで、それにより困難や苦労が減少したとは感じていない人たちが含まれていることを意味している。

オンライン会議ツールについては、先に述べたように、使わざるを得ない部分があるため納得できるが、翻訳ツールについても10%以上の差があるということは、困難や苦労が減少したとは感じていないまま使用している人がいることになる。それはどういった人たちなのか、翻訳ツールをどのように使用しているのかを調べるため、翻訳ツールを使用しているにもかかわらず困難や苦労が減少したとは感じていない人たちをピックアップし、Q21のコメントを確認したところ、以下のようなことが記されていた。

- ・翻訳ツールを使用する機会が少ない。
- ・精度が良くないため、限定的な使い方をしている（単語レベルでの辞書代わり等）。
- ・機械翻訳した文書ではそのまま業務には使えないので、最初から読み返して修正を加える作業が必要。
- ・英語レベルが高くないため、翻訳された文章が正しいか自分で確認できない。
- ・リアルタイムの会議等では使用できない。
- ・会議等で使用に耐えうるレベルのものは有料で長時間使えない。
- ・自分の英語力を高めないといけないが、ツールを使っていてはそれができない。
- ・ツールを使いこなせていない。

ツールを使う機会が少ないケースと、自身の英語力を高めてツールを使わなくても英語による業務ができるようになることを最終目標にしているケース以外は、ツールの精度の問題と言えそうである。ツールで翻訳した文書がそのままビジネスで使えるレベルにあれば、しかもそれが安価で誰でも使えるようになれば、ここに挙げられたいくつかの困難や苦労が減少する可能性はある。

現状は、ビジネスの場で使うことを想定したレベルに精度が達していないため使用しない人、使い方や使う範囲を限定するなど工夫して使用している人、自身の英語力が低いためツールに頼らざるをえない人など、それぞれの判断で様々な対応をしているようである。

一方で、テクノロジーの進歩・発展はものすごい勢いで進んでいるという点は押さえておかなくてはならない。本アンケート調査が実施されてからすでに1年以上経っているが、その間もChatGPTに代表されるようにテクノロジーは確実に進歩している。当然、機械翻訳もその精度を上げていることが予想される。

もし今、翻訳ツールに関する同様のアンケート調査を行った場合、本調査とは違った結果となることが考えられる。今回の結果はあくまでもアンケート実施時点での機械翻訳の精度に合わせたものであるため、精度が向上すれば回答内容も変わる可能性がある。

今後、機械翻訳の精度が上がっていったとき、その時点でどこまでのことができるのか、ビジネスでの使用を考えたとき、どういった場面では使えるのか、どのような用途で使うときには人による確認や修正が必要になるのか、といったことを見極めることが重要になるかもしれない。そのためには、一定の英語力はもちろん、ビジネス現場における様々なことにも精通している必要があるだろう。

今回のアンケート調査で得られた回答は、量的にも質的にも意味のあるものであり、ビジネスパーソンの成長要因を検討するうえで非常に有益な情報であることは間違いない。一方、今後の活用を考える際には、どういった人たちが回答したのかに加えて、ことテクノロジーに関しては、いつ回答したのかということにも十分配慮する必要があると思われる。

6 本章のまとめ

本章では、アンケート調査の結果を回答者の属性等でクロス集計することで、本調査の目的である「コロナ禍を経た現在の状況下において、ビジネスにおける英語コミュニケーション上の問題点と国際的業務に携わるビジネスパーソンとしての成長要因を解明する」ことへの解答発見に努めました。

問題点としては、ジュニアからシニアへと移行する時点で、業務内容や役割が高度になるため、英語業務の遂行に困難を感じる人が多いことが回答データから確認できました。

ビジネスコミュニケーション上の課題を解決するには、基本となる英語力の向上がやはり有効であり、CEFR B2 レベル以上で、シニアに求められる多くのことに対応できることが改めて示唆されましたが、B1 レベルと B2 レベルの間には大きな壁があります。さらに、オンライン会議の特性から、C1 レベルでないと対応できない項目があることもわかりました。純粋に英語力を B2、C1 レベルへと引き上げていくことは容易ではありません。

一方で、ビジネスコミュニケーションの場で使える英語力を習得するための方策として、場面や状況に応じた「英語を使用する環境づくり」やコミュニケーションにおける「相手を意識すること」の重要性が今回の分析結果に示唆されていました。それは、ビジネスにおけるコミュニケーションの型「ジャンル」の概念を自身の成長過程に取り込むことが、壁を乗り越えるための有効な解決策であるということに通じる部分でもあります。(詳しくは第1章、付章を参照)。

加えて、テクノロジーについては、オンライン会議システムと機械翻訳が今回の調査では主にとりあげられました。現状はそれぞれに課題はあるものの、様々な工夫をこらしながら多様な使用実態があることがわかりました。

以上、アンケート調査から得たデータの分析を通して、英語によるビジネスコミュニケーション上の課題解決に向け、数多くの知見を得ることができました。そして我々は、アンケート調査の結果をさらに深掘りすべく、グローバルの最前線で活躍されている15名の方々に対してインタビュー調査を実施いたしました。詳細は、次の「第6章 インタビュー調査の分析結果」にまとめましたのでご確認ください。

なお、主に4章と5章に記載した各種集計結果は本調査における分析結果の一部であり、これら以外にも様々な視点からデータの分析を行っております。それらについては研究成果報告書として別途まとめましたので、ご興味のある方は、是非、報告書をご参照願います。

第6章

インタビュー調査の分析結果

本章では、ビジネスコミュニケーションのための英語力について、アンケート調査の結果をもとに行ったインタビュー調査について記述します。

インタビュー調査は、アンケート調査と並行して実施したものではなく、アンケート調査の結果をおおまかに把握したうえで、さらにその内実を深掘りするために実施しました。英語業務をこなす日本のビジネスパーソンを対象とし、ビジネスコミュニケーションのための英語力育成支援の知見を得ることを目的としました。

インタビューは半構造化面接*の形式で、事前に5つの質問を設定したうえで実施しましたが、これらの設問もアンケート調査の結果を受けて導出したものです。

質問項目は、**1）コロナ禍による業務の変化**、**2）業務経験と英語力の関係**、**3）英語力を伸ばした要因**、**4）英語業務での役割と対応力**、**5）英語業務でのテクノロジー活用**の5つです。

なお、インタビュー項目を精査するために、国際的な場面で英語を用いて仕事をしている複数名を対象に事前のインタビュー調査も実施しています。

まず回答者のプロフィールを概観し、その後、質問項目ごとに結果の概略と把握した特徴について記述していきます。

インタビュー回答者は15名で、一般的に「CEFR B2以上の能力が必要となる英語業務でのファシリテーションをこなす人」という基準で選定しました。業種は、自動車メーカーや食品会社など多岐にわたっており、回答者が所属する部署の業務内容も製造から営業販売と様々です。役職についても一般社員から執行役員までおり、業務で英語を使用している年数が長ければ長いほど役職が上がるという一般的傾向が見られます。英語を使用する業務に携わっているものの、その割合については幅があり、英語レベルは概ねCEFR B1とB2に集中しています。

---

*事前に決めた質問に加えて、インタビュー相手に合わせて自由に質問する形式の面接手法のこと。

	回答者1	回答者2	回答者3	回答者4	回答者5	回答者6	回答者7	回答者8
業種	自動車メーカー	自動車メーカー	食料品製造会社	コンサルティング会社	食料品製造会社	産業機械メーカー	鉄道事業者	建設会社
役職	一般社員	一般社員	課長代理	一般社員	一般社員	一般社員	副長	主席コンサルタント
部署の業務分野	技術・設計	製造	法務・知財	人事・教育	人事・教育	資材・調達・物流	技術・設計	法務・知財
業務英語使用歴	10年以上15年未満	5年以上10年未満	5年以上10年未満	5年以上10年未満	5年未満	5年未満	5年未満	5年以上10年未満
英語業務割合	31～50%	51～89%	11～30%	11～30%	31～50%	51～89%	11～30%	51～89%
CEFR	B1	B1	B1	B1	B1	B2	B2	B2

	回答者9	回答者10	回答者11	回答者12	回答者13	回答者14	回答者15
業種	建設会社	粉体機器メーカー	一般財団法人	行政機関	化学メーカー	電機メーカー	食品会社
役職	次長	業務推進部長	本部長	課長補佐	課長	構造改革担当	執行役員
部署の業務分野	法務・知財	営業・販売	営業・販売	国際機関への対応業務	経営企画	経営企画	経営全般
業務英語使用歴	20年以上25年未満	15年以上20年未満	15年以上20年未満	5年未満	15年以上20年未満	15年以上20年未満	25年以上30年未満
英語業務割合	51～89%	11～30%	11～30%	51～89%	31～50%	31～50%	51～89%
CEFR	B2	B1	B2	B2	C1	C1	B2

［資料1］回答者プロフィール

1 コロナ禍による英語業務の変化について

[主な傾向]

対面に比してほぼすべての項目でオンライン業務の難しさを実感。

[質問1]

コロナ禍以前と比べ、業務におけるオンラインでの会議やプレゼンテーション、交渉などが増えており、それらが英語で行われる際には、全体的に対面よりもオンラインのほうが難しいと感じられていることがわかりました。また一部で、形態に関係なく難しかったり、対面会議のほうが難しいと感じる要素も存在するようです［図表1］。

ご自身の英語業務に対するコロナ禍の影響にはどのようなものがありましたか。また、対面とオンラインを比べたとき、具体的に難しいと感じられる業務内容はどういったもので、それにどのように対処されてきましたか。

英語会議における困難に関わる様々な要素		対面会議のほうが難しい	オンライン会議のほうが難しい	対面/オンライン関係なく難しい
会議目的	経緯説明・確認			
	問題解決・調整			
	交渉			
会議場面	資料を準備する			
	意見交換する			
	論点整理し、コンセンサスを取る			
英語力	正しい英語で発信する			
	微妙なニュアンスを伝える			
	微妙なニュアンスを理解する			
	喜怒哀楽を伝える			
	相手の信頼を得る			
心理要因	気後れせず、積極的に発言する			
	カットインして発言の機会を逃さない			

［図表1］対面とオンラインにおける要素別英語使用の困難の感じ方
（アンケート調査の結果を、インタビュー調査用に一部変更して作成）

[質問の背景]

アンケート調査Q12～Q15〈会議の困難〉の結果を集約すると、会議目的、会議場面、会議における英語スキル（英語力）、会議を困難にする心理要因のいずれにおいても、対面に比べオンライン会議のほうに困難を感じる割合が圧倒的に多いことがわかりました。

これは2019年以降、コロナ禍でのビジネスへと意図せず巻き込まれることで業務が強制的にオンラインに移行し、その混乱や不慣れな状況が続いていることが予想される一方、オンライン会議特有の困難さが存在する可能性を示唆するものでもありました。

テクノロジーと親和性が高いはずのオンライン業務であっても、実際は押し並べて対面業務のほうがやりやすいと回答する傾向がはっきりと出ており、オンライン会議の困難さややりにくさが浮き彫りになったことは興味深い結果でした。またこうした傾向は、対面会議、オンライン会議の違いや特徴を浮かび上がらせてもくれます。

そこでインタビューでは、インタビューを受ける個人が、コロナ禍によってオンラインへと業務形態が移行したことをどう感じ、それにどのように対処したのか、対面時と比較してどのような違いがあったのかを具体的に聞くことで、オンライン会議特有の難しさや、数字には表れない対面会議の難しさなどを例示してもらうことにしました。

[結果の概要]

コロナ禍を経て、オンライン会議は確実に増えているようでした。オンライン会議は対面会議に比べ、手軽さ、コストの低さ、物理的移動の省略などの様々なメリットにより、時間は短くてもその分頻度が多い傾向が見てとれました。実際、一定以上の利便性がオンライン会議には確実に存在するため、今後もオンラインから対面へ180度戻すのではなく、双方のメリットを「いいとこ取り」したハイブリッドの業務形態を考えている企業が多く見受けられました。

一方でオンライン会議は、対面と比較して、ニュアンスがつかみにくい、発言・カットインしづらい、信頼関係が築きにくい等の課題は残っているようです。対処法として、入念な準備や丁寧な説明と確認、意識的にコミュニケーションを取る時間を設ける等の工夫をしているケースも多く見られました。また、コロナ禍で、対面からオンラインに大きくシフトし、負の影響はあるものの、本質的には困っていない、つまり業務自体は進められている様子もうかがえました。コロナ禍当初より時間が経過し、オンラインに適した業務や相手の見極めも行われているように見受けられます。

以下、インタビューの回答内容に基づいて特徴的な項目を構成し、それぞれに考察を加えます。なお、箇条書きで記載した箇所は、すべてインタビューからの抜粋です。カッコ内に回答者のCEFRレベルと役職等を記載しています。

▶オンライン業務への明確なシフト

インタビューの結果から、ほぼ例外なくコロナ禍でオンラインへの業務シフトが進み、コロナ禍を経た今日にあっても、オンライン会議の業務形態が残っている様子がわかりました。

- 全体的にオンラインでのやり取りが増え、会議の回数自体は増えている。(C1・部長)
- コロナ前の出張時はひとつのテーマに2時間くらい費やしていたが、オンライン会議では、1案件に割く時間が短く、1時間で2つ～3つのトピックを扱うようになった。出

> 張時の対面会議と比べて参加人数が多い。（B2・部長）

▶オンライン会議における困難さと対面会議のメリットの再認識

強制的にオンライン会議へ移行することで、対面では生じなかった様々な困難に直面し、それに懸命に対処する様子を具体的にうかがうことができました。また、これまで当然であった対面会議のメリットが改めて浮き彫りになると共に、オンライン会議のデメリットを克服するための工夫も様々に編み出されつつあることが見て取れます。

また、オンライン会議はテクノロジーの使用と本来的に相性が良く、効果的に使うことが期待できるところがある一方、そうした事例はまだ少なく、全体的にはオンライン会議のデメリットが目立っているようでした。ただし、これは一過性の可能性もあり、刻々と変化する事態を見ていく必要があると思われます。

> ・オンラインの場合、初対面の人と交渉を始めることはなかなか難しい。（C1・部長）
> ・対面の意義は、面談にかかるすべてのプロセスから重要な情報を得ることができることである。（B2・課長補佐）

▶もともとのコミュニケーション力でオンライン会議のデメリットもカバー

今回の調査では、英語での業務経験を長年積まれてきた回答者も多く、オンライン会議によって生じるデメリットを、持ち前の高いコミュニケーション力や交渉力でカバーし、取り立てて障害とはなっていない様子も散見されました。ただし、これがすべての社員に当てはまるわけではないことには注意しなければならないでしょう。

> ・オンラインであれば時間的制約がなくなり、合理的に業務ができている。（C1・部長）
> ・出張よりもオンラインのほうが海外拠点にいる社員が手軽に参加でき、英語を使う機会が増えたので、自身に関しては良かったと思っている。（B1・一般社員）

▶一方向的な発信や単純な案件、不必要な交渉を省く意味でオンライン会議にメリットがある

プレゼンテーションと、それに付随する簡単なQ&Aのような場合、あるいは単純な情報交換、不必要に長くなる交渉では、オンライン会議となった場合でも対面と比べて情報量が落ちることは少なく、また時間への意識が高まることもあり、オンライン会議でも問題ないとの意見がありました。移動を含めた様々なコストや利便性を考えると、これらはオンライン会議のメリットであり、一概にオンライン会議が悪いとは言えないようです。

> ・一方通行的な説明については、オンラインであっても対面型と難しさの差異はなく、形態としても違和感がないと感じている。（B2・係長）

・複雑な交渉など有利に持っていきたい案件や、話し合い前の探り合いをしたいときなどは対面のほうが良いが、単純な情報交換はZoom会議でも良いと思う。(B2・部長)

2 業務経験と英語力の関係について

[主な傾向]

経験量に比例する高度な英語力。技能によって英語力向上に差異あり。

[質問2]

英語での業務量が多い人ほど高度な英語力が身についていることがわかりました [図表2]。

英語を使った業務に関して、これまでどのような「業務内容」を、どのくらいの「期間」行ってこられましたか。

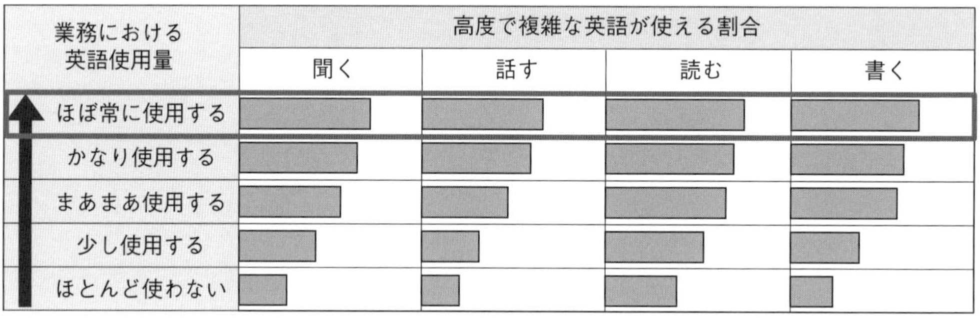

業務における英語使用量	高度で複雑な英語が使える割合			
	聞く	話す	読む	書く
ほぼ常に使用する				
かなり使用する				
まあまあ使用する				
少し使用する				
ほとんど使わない				

[図表2] 業務量と英語技能の関係

(アンケート調査の結果を、インタビュー調査用に一部変更して作成)

[質問の背景]

アンケート調査Q8〈技能別英語力〉の結果をQ2〈英語業務量〉とクロス集計にかけることで、業務における英語使用量の割合と、高度で複雑な英語力の保持の割合に関係があることが明らかになりました。Q8は、自身の業務における技能別の英語力についてできる程度(%)を5段階のなかから選ぶ形式、Q2は、業務量全体を100%とした場合の英語を使用する業務の割合を聞いたものです。インタビュー用の資料では、わかりやすくするために文言を変え、高度で複雑な英語が使える割合が50%以上と答えた人の割合を掲載しました。

アンケート調査の分析では、業務における英語使用量の割合と、高度で複雑な英語運用を、「50%以上できる」と回答した割合に正の関係が出ています。これは、簡単な業務における英語運用では、英語の使用割合の大小に関係なかったことと比較して、興味深い結果であると思われます。

またQ8では、英語4技能（「聞く」、「話す」、「読む」、「書く」）それぞれについて聞いていますが、4技能のいずれも同じ傾向にあることがわかりました。ただし、「聞く」、「話す」、「書く」については、業務量と統計的な相関関係が得られた一方で、「読む」に関してだけは、同様の傾向はあるものの、他の3技能ほどの相関関係は見られませんでした。これは、「読む」については、たとえ業務における英語使用量が多くなくても、その他の理由で高度な能力を身につけている人が多い可能性を示しています。

インタビューでは、高度で複雑な英語力を持っていることに関して、実際の英語業務の量的な視点、つまり、1日の業務でどれだけ英語に接しているか、またこれまでどれだけの期間にわたり、英語を使う業務に従事してきたのかなどを具体的に教えてもらうとともに、自身が持つ高度で複雑な英語力について4技能の観点を含めうかがいました。さらに、英語業務量と高度で複雑な英語運用の関係について思うところを話してもらっています。

[結果の概要]

特徴的な傾向として、業務量をこなすにつれて高度な英語力が身についてきたことを実感されているようでした。一方、「聞く」、「話す」については困難が大きく、特に「聞く」については、いろいろな英語を聞き取ることが難しいようでしたが、聞き返すといった戦略や慣れで対応できる部分もあるとのことでした。また「話す」ことについては、準備ができるものに関して、あらかじめ話す内容を用意することである程度対応はできるものの、準備ができない即時の反応が求められる場合については、実際に話す機会が多くある場合を除いて、高度な英語力を身につけることは困難であるようです。

以下、インタビューの回答内容に基づいて項目を構成し、それぞれに考察を行います。

▶業務経験と英語力の関係性

英語業務の量と英語力には関連があるというアンケートの結果が支持されました。インタビューからは、こなした業務量が増えるのに伴い、英語力が伸びたと感じているという発言が多くありました。

特定の業務内容というよりは、英語が集中的に必要とされる環境で業務を多くこなす経験や、全体業務の一部ではあるが英語業務をある程度の期間こなすことなどが、英語力を伸ばすことにつながっているようです。一方で、漫然と業務量をこなすだけでは英語力を伸ばすには不十分で、業務をこなす質も英語力の向上に影響を与えるとの意見もありました。

・入社当初から英語に関わる業務だったので、業務に従事する経験を通して英語力を伸ばしてきた実感がある。（B1・一般社員）
・海外に事業会社を次々に立ち上げる時期があり、その期間は、英語の使用量が明らかに多かった。特にインドネシアでの業務は、完全に英語漬けだったため、英語力の向上に

は影響が大きく、良い経験となった。(B2・次長)

業務量をこなすことは単に英語に触れる機会を増やすだけでなく、業務を通して英語でのコミュニケーションに必要な付随的スキルを学ぶことにつながり、結果的に英語力が伸びるという発言もありました。また、業務を通して英語力を伸ばすことによって、結果的に任される英語業務の量も増えるという好循環も示唆されています。

・慣れ、経験、ニュアンスを理解する、といった業務を通じて得られるものは多いので、英語力の上達レベルは業務量とリンクしていると思う。(C1・課長)
・業務経験を積むにつれて英語使用割合が増えてきたと思う。(B2・一般社員)

アンケート調査で示されたように、簡単な業務については対応できる英語力を身につけている人は多いものの、複雑な業務に対応できる英語力は、業務量をこなすことで徐々に身につけたことが推察できます。また、英語力といえども、業務で必要とされる技能によって、業務量との関係性やスキルの向上に差があることが示唆されています。以下、技能別に見ていきましょう。

1）技能別スキル「聞く」

「聞く」については困難が大きいとの発言が多く聞かれました。その反対に、業務量をこなすことで「聞く」ことができるようになったと実感する人も多いようです。困難の要因として、第一に大学までの英語教育で「聞く」ことについての学習や、実際のコミュニケーションで使われている英語を「聞く」機会があまりなかったことが考えられます。

グローバル化された現在のビジネスでは、英語使用の相手が非英語母語話者である場合が多く、いろいろな英語を聞き取ることが難しいという声が聞かれました。

・「聞く」が、今でも課題だと思っている。(B2・部長)
・インド系の英語は聞き取りにくいことが多く、確認に多くの時間を要するため、会議時間が長くなる傾向がある。(B2・主席コンサルタント 弁護士)

困難の一方で、「聞く」ことについては、聞き返すといった戦略や、特定の英語の発音に慣れていくことで対応ができる部分も多いようです。

・回数を重ねることで韓国人・中国人などの発音に慣れていった。(B2・部長)
・強いアクセントのために聞き取りにくい場合は、完全に理解できるまでくり返し確認を行ってきた。(B2・主席コンサルタント 弁護士)

双方向のコミュニケーションにおいて、「話す」ためには「聞く」ことが前提になることや、「聞く」は事前に準備できることが限られているため、重要かつ難易度が高いという意見がありました。「業務をこなすことによって聞けるようになる」という発言は、業務量と英語力の関係性を支持するものでもあります。

2）技能別スキル「話す」

「話す」については、「聞く」と同様、入社時にはそのスキルが不足していたと考えている人が多く見受けられました。業務を通して、「話す」力を伸ばしたという発言が多く聞かれました。また、事前準備ができる「話す」場面については、入念な準備によって対応しているケースも複数見られました。

- 英語を使用する強制的な環境に身をおくことで場慣れし、スピーキング力が一番変わった。(B2・一般社員)
- 業務が高度になるにつれて、より詳細を表現できるかどうかが重要となってくる。結果、その重要度に応じて、話す力が向上していくように思う。(B1・一般社員)

一方、「話す」は相互の行為であり、内容確認のためのやり取りが簡単にできることや、わかりやすく平易な英語で話すほうが伝わりやすいといった特性もあるため、高い英語力は必要ないという意見も聞かれました。

- スピーキングについては、中学校で習った英語でほぼ事足りている。(B2・部長)
- 中学英語だけで、業務上話したいこと、伝えなければならないことは、すべて表現することができる。(C1・部長)

3）技能別スキル「読む」

「読む」については、他の3技能と比較して、それほど困難を感じていない様子が複数聞き取れ、これはアンケート結果を支持するものでした。その理由はいくつか考えられますが、学校教育での下地や、書いたり話したりするためには何らかの英文を読む必要があることが多く、他技能よりも使う機会が多いこと、自分のペースで読むことができるなど、比較的取り組みやすく慣れ親しんだ技能であることが考えられます。

- 技術者も含め、多くの日本人は、「読む」ことについて一定の能力を持っているため、話が文字で追えるのはとてもありがたい。(C1・部長)
- 「読む」については、調べることができるので、業務量をこなす必要はないだろう。(C1・課長)

また、「読む」ことに対する抵抗感をあまり感じない理由として、機械翻訳などのテクノロジーの発達が貢献している様子も見受けられました。高度な「読む」スキルによって、他の3つのスキルを補っている様子も見て取れました。

- 「読む」は翻訳ツールの精度が上がっているので、あまり意識しないで対応できる。(B1・一般社員)
- Teamsの翻訳機能や文字起こし機能はかなり改善されているため、英語でインタビューを行い文字起こしする際に利用している。(B1・一般社員)

一方で、「読む」ことに対して困難を感じているという発言も複数あり、「読む」ことは簡単だと結論づけることは早急だと思われます。「読む」ことが難しくなる要因として、業務内容の特異性があるからです。

- 法律英語は大変読みづらく、「読む」ハードルは高い。(B1・課長代理)
- 「読む」に関しては分量が多いため全部を読むことはできない。(B2・課長補佐)

なお、実際の業務で期待される「読む」スキルは、本人が想定していたものと異なっている場合があり、もともと「読む」スキルに自信があったとしても、それが直ちに業務で強みとはならない場合もありました。

- ポイントとなりそうな箇所について、ある程度見当をつけてピックアップして読む、キーとなる単語を見つけてその周辺だけを読むなど、検索に近い読み方をしている。(B2・課長補佐)
- 自分の意見を言うための文章の読み方といった訓練を入れると良い。(B2・部長)

4）技能別スキル「書く」

「書く」は、メールやチャットで頻繁に使い、業務をこなすにつれて慣れていく様子がうかがわれました。また、テクノロジーも使用されています。具体的な使用法として、自分の作った英文が自分の意図したように相手に理解されるかを確認する目的で翻訳ツールを使っている例もありました。

- ここ3年「読み」「書き」は、メールやTeamsのチャットで毎日やっている。(B1・一般社員)
- 自分自身で作った英文を、機械翻訳を通して日本語に訳すことで、自身の英文が日本語のニュアンスを正しく反映しているかを確認している。(B2・係長)

「書く」際の、文章の「型」についての言及もあり、パターンに沿った英語を理解することで業務の進行が可能となる側面があることが示唆されました。

・文章を書くときは数学のようなもので、急に変な流れになるのではなく、「1 + 1 = 2」のような型になっている。（B2・課長補佐）
・契約書を書く場合、ある程度は共通の決まった型があり、その型を踏まえて書ける部分もあるが、細部に渡る部分についてはケースバイケースである。（B2・主席コンサルタント 弁護士）

以上、業務量と英語力の関係性について考察しました。業務量だけでなく、業務に関連する技能によっても、英語力の向上に差が出ることが示唆されています。

3 英語力を大きく伸ばした要因について

[主な傾向]

留学や海外生活を経ずとも質的変化をもたらす原体験が大きな成長の原動力に。

[質問3]

複雑な英語を使いこなせるレベルの人は、簡単な英語しか使えないレベルの人に比べて、幅広く英語業務に対応できていることがわかりました［図表3］。

現在、英語による会議において、ファシリテーターや交渉の窓口といった複雑な内容を伴う役割を務められるようになるまでに、どのような研修や経験、出来事が関係したと思いますか。

[質問の背景]

アンケート調査Q7～Q10〈現在の英語力／必要な英語力〉の結果を集約することで、複雑な英語を使いこなせるレベル（CEFR B2レベル以上）の人が、簡単な英語しか使いこなせないレベル（CEFR B1レベル以下）に比べ、英語業務への対応の「できる・できない」の比率に圧倒的な差が見てとれました。これは、客観的に業務がこなせているということに加えて、自身が一定レベルの英語に対する手応えを持ち、自信（自己効力感）を持てていることを推察させます。

こうしたデータは、英語業務がこなせるという意味で、CEFR B2以上が一定の目安であることを印象付けるとともに、CEFR B1からB2への移行に何らかの質的変化が伴っていることが想定されます。そこでインタビューでは、回答者がどういった経緯でCEFR B1レベル程度から「抜け出し」、英語レベルを上げたのか、そこにはどのようなきっかけや変化があったのかを尋ねることにしました。加えて変化は線形的、すなわち順当に起こるのか、それとも何らかの跳躍的な出来事や経験が存在したのか、個別具体的なストーリーになることは承知のうえで、それらに見られる共通性を探り当てようと考えました。

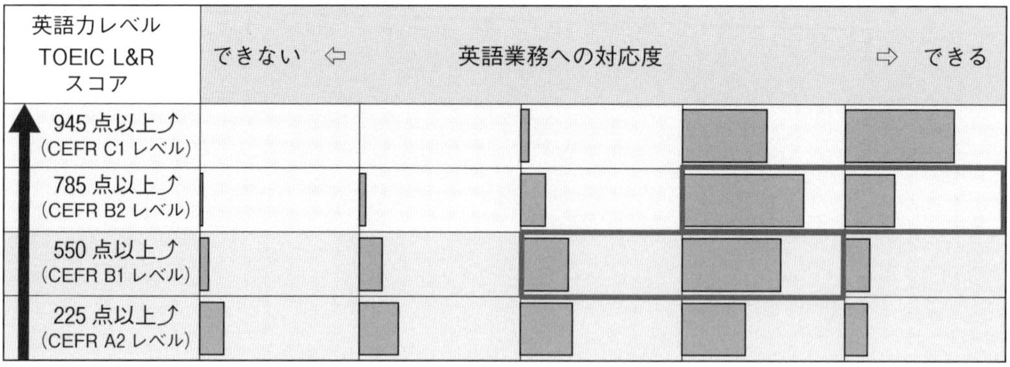

英語力レベル TOEIC L&R スコア	できない ⇦	英語業務への対応度			⇨ できる
945 点以上⤴ (CEFR C1 レベル)					
785 点以上⤴ (CEFR B2 レベル)					
550 点以上⤴ (CEFR B1 レベル)					
225 点以上⤴ (CEFR A2 レベル)					

［図表３］英語力レベルと英語業務への対応度合いの関係
（アンケート調査の結果を、インタビュー調査用に一部変更して作成）

幸い、今回インタビューさせていただいた方はすべて、はじめからCEFR B2以上の英語力を持ち合わせてはおらず（いわゆる典型的な日本の学校教育を経た人がほとんどであり）、したがっていずれかの時期に、何らかの形で英語力を（大きく）伸ばしてきた方ばかりでした。どのように英語力を伸ばしたのか、それはやはり業務に直結するのか、海外の経験が不可欠なのか、さらにはどういった類の経験が有効で、どういったものはそうでないのかを広く述べてもらうようにしました。

[結果の概要]

どの方も、CEFR B1からB2の「壁」を乗り越えた要因には、それぞれに原体験があることがわかりました。全体を通して、海外の生活経験や、長期留学などを経ずとも、英語に関する業務＋α（個人的努力など）で、立派に英語で業務をこなしているビジネスパーソンが各所にいることを改めて実感しました。いずれにおいても、心理的な要因と、英語が集中的に必要とされた業務環境が関係しているようです。たとえ学生時代に恵まれた英語学習環境にいなくともA1→A2→B1→B2→C1……と、業務の実体験を通して英語力が伸長する複数の実例を目の当たりにできたことは意義深いものがありました。

以下、インタビューの回答内容に基づいて項目を構成し、それぞれに考察を行います。

▶原体験／出来事（きっかけ）の存在

英語力を大きく伸ばすきっかけや出来事、ストーリーとして、その大部分が、英語が通じなくて辛い、悔しいという露骨でシビアな直接的経験がバネになっていることがうかがえました。それぞれが苦い経験を通して、それを克服し、ポジティブに乗り越えたうえで、英語業務をこなすためには具体的に何が必要かを考え、時に割り切って行動しているようでした。

・最初は経験がまったくなく、何をしていいのかわからない苦しい停滞期があった。そこを乗り越えたのは、完璧な英語ばかりではなく、色々な英語が許容され伝わっていることを目の当たりにした経験である。次のステージになると、できる人が横にいてサポートしてくれる安心感のもと、自分で一語切り出して英語表現を覚えていった。最後は逃げ場がない状態になって、追い込まれたときにもう一段成長した。(B2・部長)
・駐在の経験で、話せないと損をすると身をもって経験したことが大きい。サバイバル英語だけでは厳しく、英語がある程度話せないと自分の世界が広がらないことを痛感し、強みとして英語を上手く使いたいと思い勉強するようになった。(B1・部長)

▶シビアな体験に対する危惧

他方、一部からは厳しすぎる環境に追いやることへの懸念も示されました。仮に逆境を跳ね除けることができなかった場合、それは心理的なトラウマとなります。英語業務へのチャレンジ精神を削ぐだけでなく、全体的なパフォーマンスも落としかねません。個性や個々人が持つマインドにもかかわることですが、セーフティーネットを確保しつつ、いかに「殻を破る」体験をできるか、一筋縄にはいかない難しさがあるのも事実でしょう。

・人によるが、大きな会議に放り込んでトラウマを生むよりは、1対1のコミュニケーションを実践することから始めたほうが有効な場合もある。(B1・一般社員)
・完璧主義や経験の不足、リスニング力の高さゆえの沈黙などが考えられるが、高い英語力の割に、コミュニケーション力が乏しい状況になってしまっている。(C1・部長)

▶業務と不可分の英語力

また、英語力だけが高いだけでは不完全で、「マインド」と「業務知識(経験)」あってのビジネスコミュニケーションであることを強調する意見が複数存在しました。これは、業務という「遊びや勉強とは異なる」真剣なシチュエーションが、強いモチベーションとして有効に機能していることを推察させるものでした。多くの回答者が、(学校教育などではなく)業務を通して英語力を大きく伸ばすことができたと驚きを持って述べており、そうなる理由も説得的に理解できるものだと思われます。

・業務として自分が対応するしかないという強制的な英語使用環境が、英語力を伸ばすためには、重要な要素だと考えている。(B2・主席コンサルタント 弁護士)
・仕事では、時間的な制約もあり、言語的な美しさや洗練さにこだわってなどいられないケースも多い。英語は、業務の目的を遂行するために使うものであり、そういったある種の「割り切り」を得られたことも、仕事で英語を使えるようになった契機だったように思う。(B2・次長)

▶英語業務を大きく超えたところからの視点

一方、直接的に英語の業務とは関係のない事柄が、結果的に英語力の向上やその質を高めることにつながったとの意見もありました。こうした意見に共通することは、より大局的な視点からの業務の捉え方であり、業務内容の高度化との関連、英語力を含む、人間としての成長といった点をも想起させるものでした。

・副社長のアシスタントをして視座の高い方から直接学ぶことができ、少しでも真似たいと思うようになった。英語とは直接関係のないスキルを身につけて向上させることで、英語を含む全体的な能力を高められたことがブレークスルーにつながったと思う。(C1・課長)

・直接的に自分の業務と関係のない話ができるようになったときに、語彙や、表現、コミュニケーションの幅が広がったと感じることができた。これまで「管理職になるため、会社員として生活していくために」英語をやってきたが、そのときから、ようやく英語そのものに興味が湧くようになり、初めて雑談が楽しいと思えるようになった。(C1・部長)

4 英語業務での役割と対応力について

[主な傾向]

立場が上になるほど、配慮する対象が増えるため高度な対応力が必要。

[質問4]

TOEIC L&Rスコアなどから示される英語力と英語による業務遂行能力の関係は、業務の内容や担う役割によって異なることがわかりました［図表4］*。一方、英語業務の「対応力」については、英語力のみならず、特定の業務や役割の経験年数なども影響してくると考えられます。**担う役割やお立場によって、英語業務の困難さに違いを感じられた経験はありますか。**

＊［図表4］は、事前に実施したアンケート調査における、回答者の英語会議における役割（複数選択可）と、1年以内に取得したTOEIC L&Rスコアに基づき作成した。記載のスコアは、役割別の平均値である。なお、アンケート調査の回答者全体の平均値は約730点であり、一般的な社会人のTOEIC L&R平均スコアよりも高いスコアとなっている（2021年度TOEIC L&R公開テスト社会人の平均スコア640点）。

英語会議における役割	役割を担っている人の TOEIC L&Rスコア
同席し通訳する	840.8
会議全体を進行させる(ファシリテーション)	817.3
議事録を取る	814.4
最終判断をする/結論を出す	810.8
交渉・協議の担当窓口	810.5
定型内容の説明/質問応答	789.0
何か聞かれたら答える程度	762.0
参加するのみで発言しない	729.3

[図表４] 業務内容による英語での対応力
（アンケート調査の結果を、インタビュー調査用に一部変更して作成）

[質問の背景]

アンケート調査 Q11〈英語の会議における役割〉の結果を回答者の TOEIC L&R スコアとクロス集計にかけることで、英語会議における役割によって、その役割を担っている人たちが有するスコアの平均値が異なることが示されました。Q11 では、参加する英語の会議において担う役割をすべて答えてもらっています。この表から読み取れることは、「同席し通訳する」や「会議全体を進行させる」といった業務を担う人は比較的高いスコアを有している可能性があるということであり、このことは、業務での役割によって、求められる対応力が異なることを示唆しています。

また、インタビューの資料としては掲載していませんが、アンケート調査 Q7〈英語業務の対応度合い〉の結果を回答者の年齢とクロス集計にかけることで、35 ～ 49 歳の英語業務への対応度が低くなっていることも明らかになっています。この年齢層は何らかの役職を担っているという一般的傾向がアンケート調査結果から示されていることから、担う業務や役職が変わり、求められる英語力が高度になっていることが、対応度の低さに関係していると推察できます。

以上のことから、英語業務の対応度合は業務内容、年齢、役職が関係していると考えています。

インタビューでは、業務内容によって求められる英語による対応力が異なるかどうかを探るため、[図表４] の役割を参照しながら対応力についてお聞きしました。そのなかで、役割や経験年数によって、求められる対応力に差を感じた経験など、英語業務における対応力に関連する要素を、業務内容、役職、立場などとの関係から思うことについてを答えてもらいました。

[結果の概要]

自分のペースで進行できる会議の場合は、どの役割であってもそれほど難しくはない場合が多いようです。また、役職が上がるほど、配慮する対象が増えるため、求められる対応力は上がる傾向が見られました。

以下、インタビューの回答内容に基づいて項目を構成し、それぞれに考察を行います。

▶英語業務での役割と対応力

英語業務での対応力については、業務での役割に左右されるというアンケートの結果が支持されました。一方、求められる英語力について、すべての回答者が同じ見解を持ってはいないようです。自分のよく知った会議内容や参加者であれば、押し並べて困難は少ないと答える回答者が多かったものの、どのような立場で会議に参加するかによって困難度に差が出ています。回答者の担う責任や役割によっても、答える内容に差異が感じられました。

・会議ファシリテーションは、経験によって、やり方を習得し、場への慣れが出てきたため、やり易いという感覚がある。(B1・一般社員)
・ファシリテーションや議事録といった項目については、他の立場より気を遣い、わからなくなることがある。それが、英語であるとさらに難しくなる。(B1・課長代理)

役職が上がると英語業務において求められる責任や配慮する対象が増え、従来の知識ややり方では対応できないことも多くなり、困難を感じているという発言は複数聞くことができました。

・感じる困難は2つあり、ひとつは、社長やCEOといった、よりハイレベルなポジションの相手に対し、より丁寧に、リスペクトを表したコミュニケーションをすることに難しさを感じている。もうひとつは、海外の従業員やカウンターパートに対して、日本のカルチャーや仕組みを伝えなければいけないケースが増え、日本独特の慣習などを英語で説明することが難しい。(C1・課長)
・立場が上がると、英語ができて当然という目で見られるところが厳しい。(B1・部長)
・業務範囲を超えた知識や教養が必要になってくる。(B2・部長)

▶その他の要素

上記のように、役職が与える影響が大きいことが見受けられた一方、業務で必要となる技能別スキルや、業務を行う相手によって困難が左右されるという意見がありました。

・特に「話す」ということに関しては大きな違いがあり、業務が高度になるにつれて、より詳細を表現できるかどうかが重要となってくる。(B1・一般社員)
・顧客の文化的な背景よりは、会社の特性によるコミュニケーションパターンの違いが大きい。(B1・一般社員)

業務経験が増えると、知識の蓄積と慣れから英語業務に対応しやすくなると考えられる一方で、業務内容は役職や業務の相手などによっても左右されるため、立場が上がると求められる英語力も概して高度になっていきます。また、役職が上の場合は、英語力とひと言で言っても、教養や業務の背景知識やその説明が加わり、さらに自分の判断が即座に求められる場合も多く、対応すべき業務内容をパターン化することが容易ではないことがうかがえました。

以上のことから、役職が高くなるにつれて、担う役割に求められる英語力も連動して高くなることが明らかになっています。その背景には、配慮すべき対象と責任が増えていることがあると考えられます。

5 英語業務におけるテクノロジーの活用について

[主な傾向]

テクノロジーの活用は一部にとどまり、変化の兆しが垣間見える状態。

[質問5]

英語業務にテクノロジーが活用されていますが、ツールや使用頻度にはばらつきがあることがわかりました[図表5]。

英語業務を効率的に遂行したり、英語力の不足を補ったりするために、ご自身が使用されているテクノロジー（ソフトウェアを含む）をお教えください。また、その使い方や目的について詳しくお聞かせください。

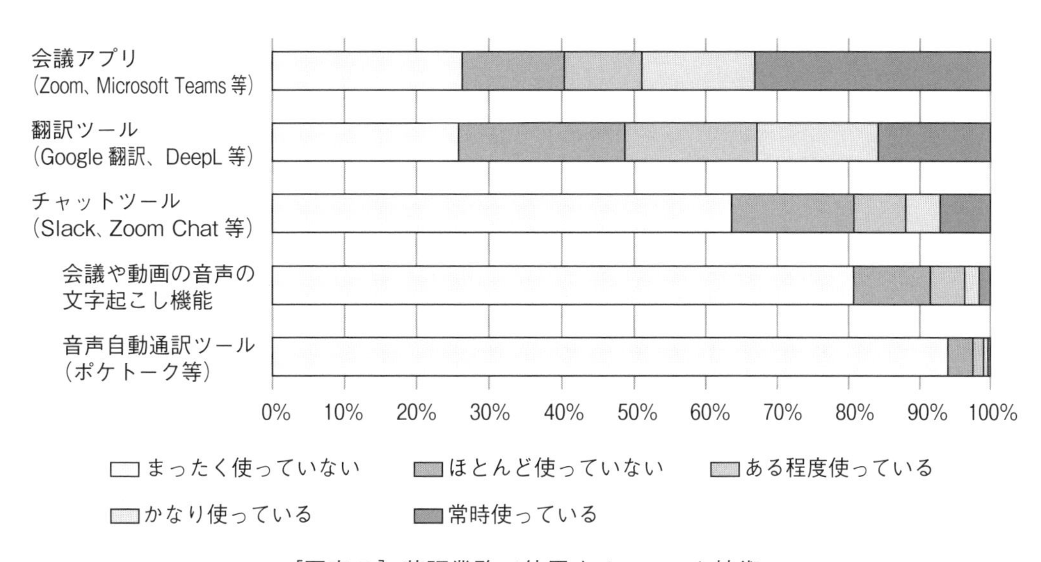

［図表5］英語業務で使用するツールや技術
（アンケート調査の結果を、インタビュー調査用に一部変更して作成）

[質問の背景]

アンケート調査Q18～Q21〈英語による業務におけるテクノロジーの活用について〉の結果を集約すると、英語業務に様々なテクノロジーが導入されていることが見えてきた一方、その内容や使い方についてのばらつきが大きいことがわかりました。こうしたばらつきは、会社全体の方針、個人の考え方などによっても左右されるものもあります。あるいは特定のテクノロジーが未だ十分に浸透していないことや、インターフェースなどの問題から、使い勝手が良くないために使用が差し控えられている可能性もあります。

テクノロジーは日進月歩の分野であり、時を経るごとに大きく変わるものであると思われますが、コロナ禍に急遽直面し、それを乗り越えつつある日本社会の現時点（2022年末）でのテクノロジーとの関わり方について、実際の声と共に記録することには大きな意義があると考えます。

そこでインタビューでは、回答者自身における英語業務のテクノロジーの使用状況や具体的な使い方、さらにはテクノロジーを積極的に活用していくことへの意見を聞くことにしました。

なお、テクノロジーと言っても、全社レベルで導入されているMicrosoft TeamsやZoomなどのオンライン会議アプリから、日→英、英→日の翻訳を瞬時に行う機械翻訳や、それを音声レベルで行うポケトークなど多岐に渡っています。それぞれについて見解をうかがうと同時に、今後の変化や周囲の使い方への助言等も含め、自由に発言してもらうことにしました。

[結果の概要]

業務を効率化するために会議アプリが広く使われていることが確認できました。また大意を把握する目的で、機械翻訳ツールが業務の効率化に貢献していることもわかりました。ただし、その範囲は一部に限られており、社内でのインフォーマルなコミュニケーションに特化したもののようです。なお、チャットを有効活用しているとの声も得ることができました。

機械翻訳については、誤訳の発生を覚悟する必要があり、ニュアンスなどは人が確認しなければならないとの声が複数ありました。これについては、問題なく対応できている社員とそうでない社員がいるようです。また、自分で書いた「英語」を確認するため、翻訳ツールで逆に自分の英語を日本語に訳す人や、専門用語や自分の英語の発音を確認するためにツールを活用する人もいるなど、使い方の工夫は様々でした。

全体的な傾向としては、テクノロジーの英語業務への浸透とその効率化は、まさに現在進行形の状態であり、今後こうした動きが加速することが考えられる一方、調査時点では一部にとどまっている様子がうかがえました。

以下、インタビューの回答内容に基づいて項目を構成し、それぞれに考察を行います。

▶英語業務へのテクノロジーの貢献

英語業務に対して、テクノロジーが、部分的にであれ、その効率化や合理化に貢献しており、そうした流れをポジティブに評価する意見が複数見られました。機械翻訳などは、普及間もないテクノロジーであり、その使い方が模索されている最中だと思われますが、そうした最新のテクノロジーを積極的に取り入れようとする意見も多く、時代の流れからしても前向きに検討するべきであるとの展望的発言も見られました。その際の注意点や、業務上の注意などについても言及が見られました。

- チャットの身近さ、直接連絡の取りやすさを実感している。チャットでのやり取りをきっかけに、より理解を深める段階になれば、オンライン会議に移行してコミュニケーションを取るといった流れを取っている。（B1・一般社員）
- ツールは、その利便性が勝るので、情報漏洩のリスクを避ける形で導入されていくと思う。人手を介して行うと時間がかかってしまう。（B2・課長補佐）

▶機械翻訳についての一部の否定的な見解

なお、機械翻訳に対し批判的、もしくは自分は一切用いないと断言される場合も見られたことは特筆しておきたいと思います。

その理由としては、業務との適性上、そもそも大意を把握しても意味がないという考え（そこから先を詰めていく法務に関する業務など）、自身の英語力で十分賄えるため必要がないという考え、機械翻訳における誤訳のリスクや、英語力を伸ばすという観点から否定的な考えを述べる見方もありました。機械翻訳の使用については、こうした両論が混在しており、必ずしもはっきりとした方向性が見えていないのが現状と言えるでしょう。

- 業務の専門性から機械翻訳の使用には適していない。結局は、細かい言葉の言い回しに気を配る必要があるため、大意を把握する目的で機械翻訳を使っても、業務の効率化にはつながりにくい。（B2・主席コンサルタント 弁護士）
- 機械翻訳を使用し業務効率を上げることと、自身の英語力を伸ばすことは、別の次元の話だと思う。（C1・部長）

▶会議の自動文字起こし、音声通訳アプリに対しては活用が限定的

ポケトークに代表される音声通訳アプリに関しては、ほとんど言及が見られませんでした。瞬時の対応が求められるビジネス交渉においては、使用は極めて限定的なのでしょう。ただし、これもテクノロジーの進展によって即時性が実現され、実用性が変わってくるのかもしれません。

会議の文字起こし機能については、その存在を知らない、もしくは知ってはいても活用は限定的で、大部分は業務に組み込んでいない現状がうかがえました。これは、文字起こし機能に対する技術的な未熟さがあると思われる一方、文字起こしそのものに対する意見（ビジネス会議で一言一句聞き取る必要はない）などがあり、未だ普及は限定的であると思われます。ただし、今後の技術的ブレークスルーに期待する声もあり、事態が急激に変化する可能性もあると思われます。

・大勢が参加している国際会議では、文字起こしが有効である。今の精度に鑑みると、近い未来には文字起こしから自動翻訳になると思う。(B2・課長補佐)
・音声自動翻訳ツールを今は使ってはいないが、今後使えるようになることを期待している。(B1・課長代理)

6 本章のまとめ

本章では、第4章で示されたアンケート調査結果に基づいて実施されたインタビュー調査の結果について見てきました。多種多様な業種、立場からお話いただいた内容を総括すると、アンケート調査の結果を裏付けるだけではなく、より具体的な知見を数多く得ることができました。

インタビューに回答してくださったすべての方が事前にアンケート調査の結果を含む各種資料をしっかりと確認され、熱意をもってご自身の今の状況や過去の体験をお話しくださいました。個々の状況や体験は異なるものの、どれもが国際的なビジネス環境における日本人の活躍に少しでも貢献できればといった思いが伝わる内容でした。それと同時に、他の業界や業種などにおける状況について関心を持たれている様子を知ることができたことも本インタビュー調査の成果と言えます。

このような個々の状況や体験を相互に見聞きする機会はなかなか得られないことが明らかになったこともあり、私たち研究チームとしては、業界や業種を超えてビジネスパーソンが横断的にそれらの知見を共有する場の必要性を感じました。これが第3章の座談会において議論に出てきた、および、次の終章で示す、ビジネスコミュニケーションのための英語力を習得する場としての「言語学習プラットフォーム」構想に繋がるものになります。第1部のビジネスコミュニケーションに関する英語の成長要因とテクノロジーからの視座に加え、第2部の実証データ（アンケート調査分析、自由記述分析、インタビュー調査分析）からの具体的な視野を広げた形で「言語学習プラットフォーム」の構築に向かうことになります。詳細は終章でご確認ください。

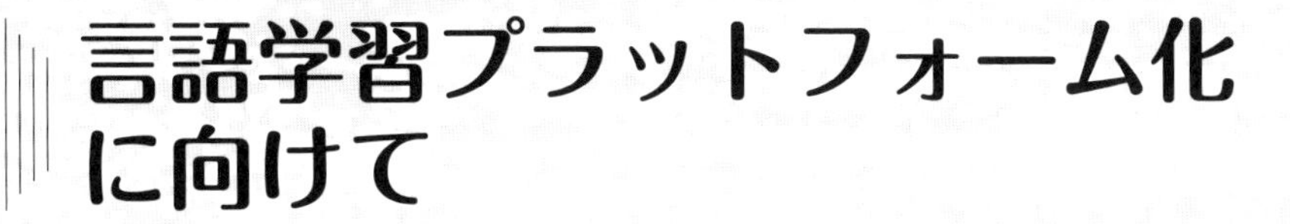

終章 言語学習プラットフォーム化に向けて

1 本書のまとめ

今なお進展し続けるIT革命でビジネス環境も英語学習環境も大きく変化していますが、『なぜビジネスパーソンが実感する英語力はほとんど向上していないのか？』という素朴な疑問で本書はスタートしました。アンケート調査とインタビュー調査から得られたデータや知見を交えて、その疑問への回答を試みてきましたが、本書の内容は以下のように3つの観点からまとめられています。

①英語力は大事だが、それだけでは不十分

結論は、やみくもに英語力を向上させるだけでは、ビジネスにおけるコミュニケーション力は向上しづらい、ということです。たとえば、企業内で英語教育や研修を行う際に、TOEIC L&Rスコアの到達目標を示し、点数を上げることだけを目指して英語を学習したとしても、ビジネスの現場に直結するようなコミュニケーション力を身につけるのは難しいということです。

もちろん、オンライン会議のように周辺情報が削がれ、言語にかなり依存せざるを得ないコミュニケーション形態の場合、その理解力や発信力において英語の実力差がはっきりと出ることもあります。会議において、ファシリテーションのような高度な役回りを果たすうえでは、英語の表現力や理解力があると会議の進行は円滑になるでしょう。その意味で、英語力の向上は欠かせないものですが、それだけでは十分ではないというのが私たちの結論です。

なぜか。それは、ジュニア、シニア、エグゼクティブの成長段階で求められる英語力は一様ではないと考えるからです。テストの点数に反映されるような英語力を一律に伸ばすだけではなく、各段階に求められる業務に即して、その業務に根差した英語力を修得していくことが必要になります。

②成長の各段階で求められる英語は一様ではない

ジュニアの段階では、業務に関連する語彙力を習得し、英語力の弱点を補強するために時間をかけて想定問答集や会議資料の準備をする、情報の提示の仕方や不明点の確認の仕方を工夫するといったことが求められます。相手から得た英語による情報の大意を把握するために、あるいは、

自分が発信する英語の正確さを確かめるために翻訳ツールを活用するのも『あり』です。しかし、大切なのは、業務にかかわる英語の学習を継続して、英語で行う業務の効率化を図りながら、業務の幅を広げる個々人の工夫を重ねることだと思われます。活躍しているビジネスパーソンは、その成長の過程で、このような地道な努力をされていました。

シニアの段階では、交渉、調整などのために相手とリアルタイムのやり取りをする場面が増えます。ジュニアの段階に比べて、事前に準備する時間的余裕がなく、即時対応が求められることが多くなります。そのような状況下では、機械翻訳などのテクノロジーは現状必ずしも有効ではありません。即時対応をするためにマインドセットを切り替えて、完璧な英語でなくても、相手の反応を見ながら、あるいは、周りの助けを得ながら、中学レベルの英語で対応していくことも重要だと考えます。さらには、相手とコミュニケーションを重ねるなかで徐々にわかってくる『お決まりのパターン』を意識し、そのパターンに即したコミュニケーションを図ることで英語力の弱点を補うことも大切でしょう。

エグゼクティブの段階では、取り交わすコミュニケーションの相手の数は、社内にしても、社外にしても大幅に増えることが想定されます。相手の言わんとしていることを理解するためには、あるいは、こちらの意図や主張を正確に伝えるためには、相手の文化的背景や個別の事情をくみ取り、その複雑な状況に適した英語表現をとることが求められるでしょう。専門英語というよりも、交流の場面でのスモールトークのような一般英語が求められることが増え、いよいよ高いレベルの英語力、そして、それをベースとしたコミュニケーション力が必要となると思われます。ジュニア、シニアを通じて、相手を理解する、相手が理解できるようにする、そのような訓練を地道に積み重ねた人だけが到達できる段階ではないでしょうか。

既存知識が陳腐化しやすい昨今、キャリア形成をしていくためには知識のアップデートが必要とされています。英語に関しても、業務内容や担う役割、やり取りする相手の変化にあわせて、常にアップデートしなければなりません。ビジネスコミュニケーションを円滑に行うためには、ジュニア、シニア、エグゼクティブという各段階の業務に根差した英語の習得が必要であると考えます。

③英語を使用する「場」をつくることが大切

英語学習の一般的なイメージは、書籍を買い込んで問題を解いたり、文法や語彙を暗記したり、英語をたくさん聞いて、リスニングの訓練をしたり、ということだと思います。しかし、この本で強調してきたのは、ビジネスコミュニケーションにおいて大事なのは「相手がいる」ということです。第１章で述べたとおり、ジュニア、シニア、エグゼクティブと進むにつれて、やり取りする相手の数は次第に増えていくでしょう。そして、その相手には一人ひとり異なる固有の状況や事情、意図があります。そのため、ビジネスコミュケーションを成功させるには、いかに相手を理解し、相手が理解できるようにするかが鍵となってきますが、一般的なイメージでの英語学習では、ここで述べたような「相手がいる」ということが前提になっていないことが多いように思われます。

大切なのは、「相手がいる」ことを意識した環境に身を置くことです。大抵の業務は、簡単な英語のやり取りを重ねることで遂行することができるかもしれません。しかし、複雑な調整や交渉、信頼関係の構築のために、「相手」の状況や事情、意図を、より深く意識しなければならない段階に来ると、例えば相手に配慮した丁寧な表現や婉曲的な表現などの必要性を感じるようになります。このようなことは、一般的なイメージでの英語学習をとおして認識することはなかなか難しいと言えるでしょう。

多くのビジネスパーソンは、英語業務の現場に飛び込み、同じ内容を伝えるにしても様々な言い方があることを学び、独自に工夫を重ねるなかでビジネスコミュニケーションを成功させるための英語力を伸ばしています。現在は、オンライン会議の普及により、英語を使用する会議に参加してその様子を見ることのハードルが低くなりました。電話に比べて相手の表情も比較的見やすくなりました。「相手がいる」ことを意識した環境をつくることは、オンライン上でも実現可能と言えるでしょう。そして、そのような環境を英語学習という形式に落とし込むことも不可能ではないと考えます。それが序章でお示しした、『言語学習プラットフォーム』の構想です。

活躍されているビジネスパーソンが経験してきた苦労や、それを乗り越えるため行ってきた創意工夫の数々を、その人のなかだけにとどめておくことは非常にもったいないことです。様々な事例を集めて、それらを知る・学ぶ・共有する「場」をつくることで疑似的な英語によるビジネスコミュニケーションの環境を構築できる可能性があると考えます。すでに一部の企業では、コロナ禍により人の往来が減ったことを契機として、外国人を相手にしたコミュニケーションに関する研修をオンライン上で行っています。実際に会わなくても、実際に業務をしなくても、疑似的にビジネスコミュニケーションを図り、そこで求められる英語力を磨く「場」を提供することは可能ではないか、そしてまさにその「場」の提供こそが必要である、というのが本調査研究における私たちの結論となります。

2 言語学習プラットフォーム化に向けた学際的研究と産学連携

過去に「2006年調査」、「2013年調査」を実施し、「2022年調査」を終えたのが現在です。終わりは始まりの一歩です。最後に、本書でまとめたことから、どのような未来が考えられるかについて触れたいと思います。

第3章の座談会にお招きした方々は、英語教育分野の専門家ではありません。多くの知見を提供していただいたインタビュー調査の対象者もビジネスの現場にいる方々でした。私たちは応用言語学の1分野である英語教育に携わっていますが、本書の主題である「ビジネスコミュニケーションのための英語力」は、もはや応用言語学の分野だけでは捉えることができない複雑な要因があり、分野を超えた学際的な研究が、今後さらに必要になります。

その一例として、機械翻訳が挙げられます。第5章で述べられているとおり、今回の調査結果から、機械翻訳の使用割合は、回答者の英語業務の割合や英語業務の対応度、英語力などによって異なることが確認されました。一方、あくまでこの結果は調査時点における機械翻訳の精度を前提としており、調査時期が変われば今回とは違った結果になる可能性があります。そのため、重要なのは、機械翻訳の最新の精度をとらえ、どういった場面では機械翻訳が使えるのか、どのような目的で使う際は人による確認や修正が必要になるのか、を都度見極めることにあるということが示唆されました。

そして、その見極めは、英語教育分野の専門家だけではできません。今後、機械翻訳の研究開発について、各国の国民性や対話形式、企業の理念や営業方針、さらには相手の性格なども取り込む方向で進められた場合、機械翻訳の精度や使用範囲の見極めには、人文領域の文化人類学、心理学、ビジネス領域の経営学など、あらゆる知識が不可欠になります。当然、話し手の言語の癖や、表現形式についての（応用）言語学の知見もさらに必要となるでしょう。すなわち、テクノロジー、人文、ビジネスなどの各専門分野を横断したコラボレーションが必須となるわけです。

さて、この機械翻訳をはじめとするテクノロジーがさらなる発展を遂げ、大半の業務が自動化された場合、ビジネスにおける人の役割はどのような領域になるのでしょうか。

想定されるのは、包括的な情報に基づいてどう判断するか、どのパートナーと信頼関係を構築しビジネスを進めていくか、といった大局的な領域だと思われます。これらは、シニアやエグゼクティブの段階にいる方々が担う役割とも関わる部分です。

これが現実となると、ビジネスパーソンには、文化や歴史、哲学の知識などから成る人間力といったものが一層求められることになるでしょう。そして同時に、相手を理解し、相手に理解してもらうための英語力を備えることが重要になります。情報や知識のインプットの段階であれば機械翻訳の助けを借りることもあると思います。しかしながら、お互いの人間力をとらえながら、信頼関係を構築しなくてはならない場面では、自分の言葉で、世界共通語としての英語（English as a Lingua Franca）でコミュニケーションをすることが求められるのではないでしょうか。

お伝えしたかったのは、今後、テクノロジーによる言語支援が進化、高度化しても、「ビジネスコミュニケーションのための英語力」の必要性がなくなることはないだろうということです。

その「ビジネスコミュニケーションのための英語力」向上の鍵となる『言語学習プラットフォーム』は、ビジネスパーソンの経験や困難を乗り越えるための工夫などを共有することに加えて、前述したとおり、各専門分野を横断した学際的な研究から得られる知見を取り込むものです。そのひとつとして、第3章の座談会において槌谷和義氏が話しているように［図表1］、報告書や論文作成など、時間をかけることが許容された静的な環境での言語能力をX軸に、プレゼン後の質疑応答など、即時対応が求められる動的な環境での言語能力をY軸に、そして、英語力や業務経験値をはじめとする様々な変数をZ軸においた、3次元構造の体積を最大化させるような英語学習の仕組みをこのプラットフォームに搭載することが考えられます。

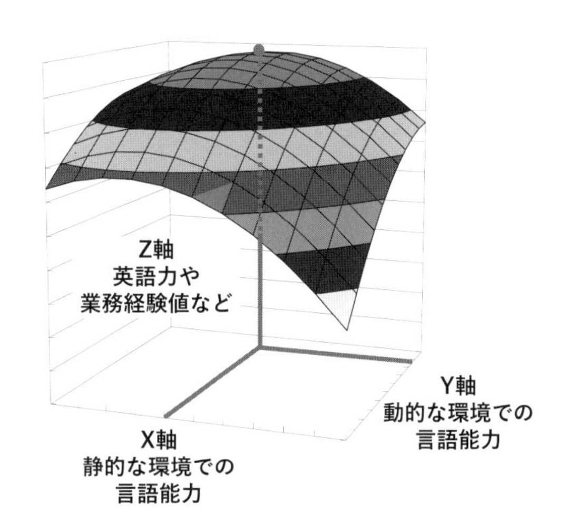

［図表１］ 言語学習プラットフォーム イメージ図

ここでは、学習者は、「ビジネスコミュニケーションのための英語力」の習得に関して、自身の個別の状況に応じた最適な情報を獲得できることを想定しています。そのため、学習者は、最初に自分の置かれている状況を把握すべく、自己診断を行うことになりますから、プラットフォームの開発は、学習者の自己診断機能から始めることになると思います。

そして、その自己診断の結果、自分が将来目指す方向に向けて、長所を伸ばす人もいれば、できなかった点を克服していく人も出てくるでしょう。いずれにしても、一人ひとりが自分の立ち位置を認識したうえで、このプラットフォームが、それぞれの目標に向かっていく道標（みちしるべ）となることを大きな目標とします。

英語教育の今後は、大きな視点から物事を考えて、ビジネスの現場に携わる方々、様々な分野の研究者、さらには英語学習や評価に関するリソースを多数持つ英語教育産業の方々とコラボレーションすることが欠かせません。そして、その結果を『言語学習プラットフォーム』に集積し、「ビジネスコミュニケーションのための英語力」の習得を必要としている方々が随時利用できる仕組みを作り、情報の集約と発信を繰り返しながら、発展させていくことが必要になります。

今回の調査は、多くの方の善意、そして日本人の英語力を向上させたいという強い思いから成り立っています。この書を手にされた英語教育、企業内教育に携わるすべての方が、調査から導き出された知見を、生徒、学生、社員の方々に共有され、英語学習の動機づけの一助としていただくことを心から願っています。

付章

本書の学問的背景にあるESPの考え方
――ESPの基本概念であるジャンルに焦点を当てて

本書は、人材教育に携わる人事の方や英語学習に向き合うビジネスパーソンが手にしてくださることを前提として作成されました。できるだけ平易な文章で書いてきたつもりですが、それでも、ご承知のように、アカデミックな世界で使用される専門用語には厳密な定義があり、概して、わかりづらいものがとても多いのが実情です。

しかしながら、そうした専門用語だけではなく、本書の背景にはきちんとした学術的な理論があるのです。ここでは、本書を貫いている学術理論、特にESPと「ジャンル」について、まとめておきたいと思います。

本書において、「ジャンル」に触れている箇所は主に第1章で、シニア層に求められる英語成長要因として、「型」や「パターン」という言葉で取り上げられています。この第1章に数多く出てくる「型」や「パターン」という言葉は、学術的には「ジャンル」という概念に基づいた具体的な説明で使用したことになります。

さらに、同じく第1章で述べられている事前準備（その「ジャンル」理解に基づく事前準備）や相手の存在を意識したコミュニケーションなどの様々なビジネスコミュニケーションが、実は本書全体を支えているESPという考え方、特にそのなかの「ジャンル」という概念に基づいて行われているものでもあります。具体例（「ケース1」と「ケース2」）を使いながら、なるべくわかりやすくその「ジャンル」という概念を説明するつもりですが、詳しい専門的な説明については、最後に提示した参考書等を参照していただきますようお願いします。

1 ESPの考え方「ESPへの入り口」

【ケース1】突然のプレゼンテーション

大学院で機械工学を学んだマサキ君は英語が苦手です。機械工学のノウハウを買われて浄水器の専門メーカーに勤め出して間もない頃でした。急に、ドイツのビールメーカーから問合わせがあり、「直接エンジニアの話を聞きたい」という依頼がきました。さあ、マサキ君はどうしたらいいのでしょうか？　マサキ君は親戚のジュディー先生が英語の先生であることを覚えていたので助けを求めてやってきたのです。ジュディー先生は「大丈夫よ。ESPの方法を使うと、ひと月もあれば、ある程度の説明ができるようになりますから」と答えました。

さて、そのESPとは一体何なのでしょうか。また、なぜ、わずかひと月程度で専門的な事柄を英語で説明できるようになるのでしょうか。ESPとはEnglish for Specific Purposesの頭字語であり、「専門英語教育」と訳されることがよくあります。専門英語と聞くと、専門分野の文書や難しい論文を連想するかもしれません。確かに、難しい専門用語で書かれているものもあります。しかし、ESPの概念を使うと、様々な英語がわかりやすくなるという魔法のようなことが可能になることはあまり知られていません。

ひとつの例として、ある「物語」を紹介しましょう。次の文章をお読みください。

1. When the old man cut open the peach, out came a little boy. They named him Peach Boy. He grew up to be a fine strong lad.
2. Peach Boy returned victorious to his village.
3. One day, the old man went to the mountain to cut wood and his wife went to the river to wash clothes.
4. One day Peach Boy heard about some ogres that were causing trouble to the village. He set out to fight them.
5. Once upon a time, there lived an old man and his wife in a small village.
6. Suddenly, down the river came a huge peach. The woman caught it and brought it home.
7. He met a dog, a monkey and a pheasant and they all decided to go with him. Peach Boy and his helpers defeated the ogres.

簡単な英語ですが、読みにくいと思いませんか。なぜでしょう？　そうです。順番が間違っているのです。では、「正しい順番はどうなりますか？」と学生に聞くと、迷わず「5番からスタートします」という返事が返ってきます。「その理由は？」と聞くと、「文頭の"Once upon a time"があるからです」と回答をしてきます。そうです。"Once upon a time"という定型表現がカギとなっているのです。そしてこれは、あの『桃太郎』という有名な「物語」だと気づくことができたのではないでしょうか。

これが「ESPへの入り口」だと考えましょう。この『桃太郎』の「物語」をESP的に分析してみると［図表1］のようになります。下線を付けた太文字の部分がヒントになるところ（ヒント表現）です。"Once upon a time"からスタートして、時間の経過をつかさどる"One day"や"Suddenly"を経て、問題が起きて（"were causing trouble"）、それを解決して、めでたく終わります。

No.	内容	パターン（定型スクリプト）
5	Once upon a time, there lived *an old man and his wife in a small village.*	〈Orientation〉：シーンと登場者 ムーヴ（Move）
3	One day, *the old man* went to the mountain to cut wood and *his wife* went to the river to wash clothes.	〈Events〉：様々なことが起き始める ムーヴ（Move）
6	Suddenly, *down the river* came a huge peach. The woman caught it and brought it home.	
1	When the old man cut open *the peach*、out came a little boy. They named him Peach Boy. He grew up to be a fine strong lad.	
4	One day *Peach Boy* heard about some ogres that were causing trouble to the village. He set out to fight them.	〈Complication〉：問題が起きる ムーヴ（Move）
7	*He* met a dog, a monkey and a pheasant and they all decided to go with him. Peach Boy and his helpers *defeated the ogres.*	〈Resolution〉：問題が解決する ムーヴ（Move）
2	*Peach Boy* returned victorious to his village.	

［図表１］『桃太郎』の「物語」の分析

このように「物語」には、約束事が存在します。それで、「むかし、むかし」とか“Once upon a time” と聞くと、「物語が始まる」と思うようになるのです。この「物語」の特徴をGibbons（2002）は『ジャックと豆の木』を使って分析し、「物語」には、［図表１］の右列に記載したような「定型スクリプト」が存在すると結論付けています。

また、「物語」には、こうした順番以外にもいくつかの特徴があります。

1）時間の流れに沿った説明があるため、時間関係の接続詞などが使用される（one day, when, for many days）。

2）過去形の動詞がある。

3）アクションを表現する動詞が多くある（met, woke, ran, fought）。

4）対話を表現する動詞が多くある（said, yelled, cried）。

さらに、Gibbons（2002）はこうした「物語」以外にも、子どもたちに言語の基本的なことを教えるには“type of text”（文書の種類）の特徴を提示する必要があるとしています。桃太郎は「物語」、すなわち過去のことを説明する文書の一例ですが、この「物語」と、マサキ君が行う「プレゼンテーション」とでは、その文書（テクスト）そのものに違いがあるのは容易に想像できると思います。

このように、人間が言語を使う様々な文書（text）や談話（discourse）には、約束されたパターン（定型スクリプト）があると考えられています。また、このスクリプトの流れを理解するヒントになる定型表現（ヒント表現）もあります。

［図表１］の〈Orientation〉、〈Events〉、〈Complication〉、〈Resolution〉が、「物語」固有の約束されたパターン、すなわち「定型スクリプト」であり、"Once upon a time, One day, Suddenly" などが「ヒント表現」になります。

ESPでは、**このような定型スクリプトのある文書を「ジャンル（genre）」**と言い、**スクリプトの情報の流れの詳細を「ムーヴ（move）」**と言います。なお、「ジャンル」という言葉は本書のキーワードとなりますが、これは次項「2. ESPの考え方」で詳しく説明します。

「ムーヴ」について、ひとつだけ例をあげると、［図表１］のNo.4で*Peach Boy*という固有名詞をNo.7では*He*という代名詞で受けています。まさにこれも情報の自然な流れとなっています。そしてくり返しますが、このスクリプトの流れを理解するヒントとなるのが「ヒント表現（hint expressions）」なのです。言語を習得するときには、表面にある「ことば」だけでなく、その「ことば」を支えるフレームである「ジャンルごとの定型スクリプト」もあわせて学ぶことが重要です。そうすることで言語を、より上手に使用できる気がしませんか。

Gibbons（2002）によれば、「ジャンル」のひとつに仕分けられる「レポート（report）」に関して、その「定型スクリプト」を理解していれば、小学生の場合には「恐竜について」のようなものから、中・高校生になると「地球温暖化について」になり、大学や大学院で実際に研究を行って、例えば、「精密機器の評価基準について」のレポートへと発展させることができます。

また、このレポートのテキスト（text）をもとに専門誌に掲載する研究論文を作成することも、「論文」における「定型スクリプト」や「ヒント表現」を把握していれば、実現可能ということです。例えば、以下の*JACET Selected Papers* Vol. 1に掲載された論文の要旨（abstract）を詳しく見てみましょう（Tojo et al., 2014：131－132）。

Linguistic Dimensions of Hint Expressions in Science and Engineering Research Presentations

The oral research presentation is an important genre in science and engineering fields. To help nonnative English speakers become better able to listen to and prepare research presentations, we tried to define hint expressions that signal moves (sections of communicative purpose occurring in logical progression) and identify the characteristics of these hint expressions. In this study, we first defined "hint expressions" by comparing them with formulaic sequences and then undertook the cataloguing of hint expressions for 12 moves from 16 English research presentations by expert native speakers in science and engineering (from a subcorpus of JECPRESE, http://www.jecprese.sci.waseda.ac.jp/). Based on observations during a manual tagging process, we hypothesized that the chronological sequencing of hint expressions within a text and the sensitive use of verb tense and modality appearing in them plays a key role in perceiving shifts in communicative purpose. Our analyses revealed a characteristic distribution of verb tenses and modals across moves, which suggested that being aware of hint expressions can help nonnative English speaker researchers become better able to perceive and identify moves as well as prepare more effective research presentations. Our findings have pedagogical implications and should also contribute to the development of automated pragmatic tagging of moves.

一見、ひとつの文字の塊のように読みにくい（？）アカデミックな文書ですが、以下のように「ヒント表現」をハイライトしていくと構造がわかりやすくなります。

The oral research presentation **is an important** genre in science and engineering fields. ［研究背景の説明］ **To help** nonnative English speakers become better able to listen to and prepare research presentations, **we tried to define** hint expressions that signal moves (sections of communicative purpose occurring in logical progression) and identify the characteristics of these hint expressions. ［研究の目的］ **In this study, we first defined** "hint expressions" by comparing them with formulaic sequences and then undertook the cataloguing of hint expressions for 12 moves from 16 English research presentations by expert native speakers in science and engineering (from a subcorpus of JECPRESE, http://www.jecprese.sci.waseda.ac.jp/). **Based on observations** during a manual tagging process, **we hypothesized that** the chronological sequencing of hint expressions within a text and the sensitive use of verb tense and modality appearing in them plays a key role in perceiving shifts in communicative purpose. ［研究方法］ **Our analyses revealed** a characteristic distribution of verb tenses and modals across moves, which suggested that being aware of hint expressions can help nonnative English speaker researchers become better able to perceive and identify moves as well as prepare more effective research presentations. ［研究結果］ **Our findings have** pedagogical **implications and should also contribute to** the development of automated pragmatic tagging of moves. ［結論］

このように、文書（書き言葉・話し言葉も含む）には、様々な種類があり、そのコミュニケーションの目的と受け手（読み手・聞き手）を考慮して、もっとも効果的にコミュニケーションを取っている（最適化）うちにパターン化が起きて、定型スクリプトができ、頻繁に登場する表現が使用されるようになっていくのです。

では、【ケース1】について、もう一度考えてみましょう。マサキ君は、英語の基礎的なことを中学校から大学まで学んだはずです。クライアントのビール会社の幹部たち（聞き手）に自社の浄水器の説明を上手に行うためには、「定型スクリプト」があれば良いことが想像できると思います。Gibbons（2002）が分析した「プレゼンテーション」に関する「定型スクリプト」にそのヒントがあります。

「プレゼンテーション」に関する定型スクリプト
Report → Procedure → Discussion → Argument

「プレゼンテーション」を上手に組み立てるには、まずは、商品の紹介のレポート（Report）を準備し、使い方の説明（Procedure）ができるようにします。最後には、議論（Discussion）と他社の商品との比較（Argument）の資料を用意する必要があることがわかると思います。

ここで重要なのは、商品紹介のレポート（Report）、使い方の説明（Procedure）、議論（Discussion）、他社商品との比較（Argument）にもそれぞれ「定型スクリプト」、すなわちパターン化された型が存在するということです。つまり、これら4つのパターンを組み合わせることで、はじめて質の高い「プレゼンテーション」を作ることができるということなのです。

第1章で「型はひとつあるだけでなく、それを習得してしまい、組み合わせることで会議を回している」という話がありました。特に、シニア層のビジネスパーソンというのは、それまでの豊富な業務経験から様々なパターンを習得しており、それらを上手く組み合わせることで業務を円滑に進めているのです。

さらに、このパターンの組み合わせを考えるにあたってとても大切な点として、「聞き手が誰なのか」ということがあります。「プレゼンテーション」の定型スクリプトであるレポート（Report）：商品紹介の英語での説明を例に考えてみましょう。

第1章でジュニア層の特徴として、「専門用語を理解することで、英語でのコミュニケーションが可能となり、業務プロセスは円滑に進行する」という話がありました。マサキ君はまだジュニア層ですから、専門用語をきちんと使用しながら商品紹介をすれば必要最低限の目的は達成できるでしょう。一方、同じく第1章に「シニアの段階では、相手に合わせて臨機応変に英文表現を変える」とあるとおり、マサキ君がジュニア層とシニア層の間にある壁を突破するには、「相手」の存在をより意識することが求められます。

寺内（2010）は、新商品のセールスではセールスポイントがはっきりわかるように説明し、自信をもって商品を勧めることが重要であると述べています。これも「**相手が**はっきりわかるように説明する」、「自信をもっていることが**相手に**伝わるようにする」ということなので、「相手」の存在を前提としたコミュニケーションの重要性を説いているわけです。

マサキ君は商品紹介の英語を準備するにあたり、ジュディー先生から次のようなアドバイスを受けました。「相手の状況や事情を気遣いながら、相手をリスペクトする英語表現が大切。また、相手とのやり取りのなかで生み出されるパターンを認識し、そのうえでの言葉の投げかけも必要です。どれもが「相手」が存在するということね」。

マサキ君は、ジュディー先生の教えを胸に秘めて、今回の商品紹介の「相手」を考えました。「相手」は自社のクライアントです。社内の人間ではありません。役職も幹部層なので、セールスポイントを端的に説明し、同時に詳細情報は別途用意する必要があるでしょう。

マサキ君はそういったことを踏まえながら、早速以下の英文を準備しました。アンダーラインが付されているフレーズが教えを反映したヒント表現になります。くり返しになりますが、「聞き手が誰なのか」ということを絶えず意識することがとても重要になります。

マサキ君：Hello, I am Masaki Miki, an engineer with Yamato Techno. Thank you very much for your interest in our newest water purifier equipment, the AWT800.
The sales points of the AWT800 are its high performance, the long life span of its filters, its compact size and its reasonable price.
Please refer to the specifications sheet for detailed information.
I would be happy to answer any questions you may have about the AWT800.

「ESPへの入り口」のまとめ

【ケース1】は誰もが直面する可能性のあることですが、マサキ君のようにジャンルの特徴を的確につかみ、それを上手に利用できると、きちんとしたコミュニケーションが取れそうだということがおわかりいただけましたでしょうか。ジャンルの概念を正確に理解し、それを様々な場面で応用する、これがESPの入り口であると言えるでしょう。

次に、「ジャンルとは何か」について、より詳しく説明します。

2 ESPの考え方「ジャンルとは何か」

【ケース2】質疑応答への備え

マサキ君は、来月予定しているドイツのビールメーカーの幹部たちへの浄水器の説明について、何とかなりそうな気がしてきたようですが、プレゼンテーションには質疑応答があることに不安を感じ始めました。ジュディー先生は、「『ジャンル』というものをもう一度理解して、質疑応答に向けてしっかりと準備すること」と、アドバイスをくれました。

「ESPへの入り口」で、ESPとはEnglish for Specific Purposesの頭字語であり、「ジャンル」

が基本概念だということを説明したので、それをさらに理論的に説明していくことにします。

ESPにおいては、ジャンルの概念を把握することが大切とされていることを強調しました。[図表2]を見てください。類似した学問的背景や職業のニーズを持つことによりそのアイデンティティが認められた集団を「ディスコース・コミュニティ」または、専門家集団と言います。このコミュニティにおいては講演、学術論文、手紙など様々なコミュニケーションのイベントが行われています。これらのイベントを「ジャンル」と言い、各イベントのテクスト（書き言葉と話し言葉を含む）を「ジャンル」によって分析する方法がジャンル分析です。

この「ジャンル」は、ディスコース・コミュニティに所属するメンバーが、ある決まったコミュニケーションをくり返し行うことで、そこで使用される言語がパターン化されていき、そのパターンで構成されたイベントが「ジャンル」となるのです。

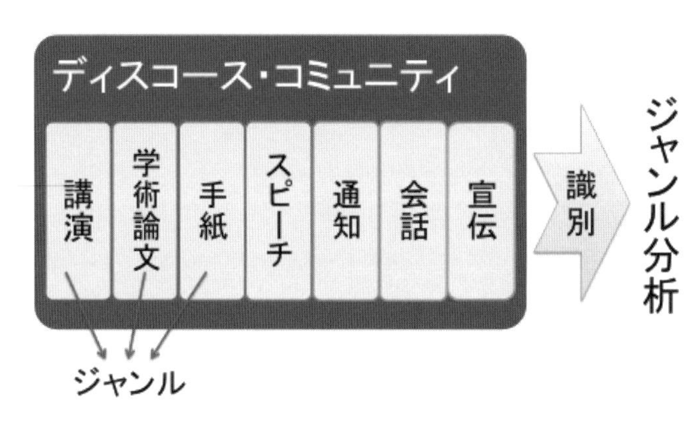

[図表2] ESPのジャンルの概念

すなわち、それぞれのディスコース・コミュニティにおいて、専門家が決まった言語のパターンを使用するのは、効果的なコミュニケーションを図るためなのです。そして、それらのくり返されたパターンが「ジャンル」を作り出すことになります。[図表2]をよく見てください。学術論文と手紙では相手（ここでは読み手）が異なりますから、当然そのコミュニケーションの方法も異なるものとなり、ひとつの「ジャンル」となっていくのです。

実は、文部科学省が初等中等教育における教育課程の基準を定めた『学習指導要領』においても、「ジャンル」という用語そのものは使っていませんが、「目的に応じた読み方」をするようにということが述べられています。

> **「説明、評論、物語、随筆などについて、速読したり精読したりするなど目的に応じた読み方をする」**（『高等学校学習指導要領　コミュニケーション英語Ⅱ』）

コミュニケーションの目的が違うのだからスタイルが異なるのは当然なのです。同じ内容でも読み物として精読するのと、スピーチとして人の前で発表するのは、根本的に目的が違うことは容易に想像がつくと思います。同様に、同じ内容でも新聞記事と学術雑誌では、その書き方（情報の提示の順序や使用する用語も含めて）が変わってきます。読者が異なるのですから当然のことなのです。でも、このような「ジャンル」を意識した英語教育は、残念ながらそれほど強調されていないのが現状です。

Language is composed patterns.

Sound patterns form words.	→ Pronunciation
Word patterns form phrases and clauses.	→ Collocation
Phrase and clause patterns form sentences.	→ Grammar
Sentence patterns form texts.	→ Paragraph structure
Text patterns form genres.	→ Text structure

［図表３］パターン化とジャンル（野口 2009：5）

パターン化によってひとつのジャンルが作られるプロセスを書き出すと［図表３］のようになります。音声（sound）がパターン化すると単語（word）となります。その単語がパターン化すると句や節（phrase and clause）になります。この句と節がパターン化すると文（sentence）になります。その文はパターン化するとテクスト（text）となります。そして、テクストがパターン化されるとジャンル（genre）となります。「ジャンル」とは、パターン化されたテクストということです。ここで［図表２］をもう一度ご覧ください。まさに学術論文と手紙ではジャンルが異なってくるのです。このジャンルという視点を学習者に持たせることがESPにとって非常に重要となってきます。日本の英語教育では、パラグラフ（paragraph）の構成までは指導されてきましたが、テクスト（text）の構成のレベル、すなわち、ジャンルまでは扱われていなかったのが実情です。つまり、この「ジャンル」という概念自体が意識されることはなかったとも言えます。

マサキ君のプレゼンテーションの例を思い出してください。もしジュディー先生から「ジャンル」に関する指導やアドバイスがなかった場合、どうなると思いますか。英語の句や節、文法、パラグラフの構成に関しては正しいものを作れたとして、それは、「クライアント」に対して行う「商品のプレゼンテーション」として適切な内容と言えるでしょうか。もっとも伝えたい商品のセールスポイントを話す前に、細かい使い方などの説明からスタートしてしまうようなことも考えられるわけです。セールスが目的の商品プレゼンとして適切とは言えないですよね。

このように、ジャンルによって異なる目的や相手を意識しながらコミュニケーションを取ることが重要です。ジャンル別にパターン化された定型スクリプトや頻繁に使用される表現などを念頭におくことで、コミュニケーションの効果を最大化することができるというわけです。

では、【ケース２】について改めて考えてみましょう。マサキ君は、クライアントのドイツのビール会社の幹部たちに自社の浄水器の説明を上手に行うために「定型スクリプト」を使うことが重要であることを認識し、商品のセールスポイントをプレゼンテーションできる段階までにはなりました。ところが、難しいとされる質疑応答への対応について悩んでしまったわけです。

プレゼンテーションと質疑応答ではコミュニケーションの目的が違うのですから、どういうジャンルなのかをきちんと把握し、準備する必要が出てきたわけです。「エンジニアと直接話をしたい」とマサキ君に言ってきたということは、相手側が技術的なことに興味があると推測できます。専門用語の英訳を用意することはもちろんですが、それに加えて、ジャンルを意識しながら、聞かれると思われる質問をできるだけ多く予測して、準備をすることがビジネスの成功につながります。マサキ君は、今回の質疑応答を順序良く進め、かつ、わかりやすく説明するため、下線を付けたヒント表現や相手側の興味関心事となる部分をポイントにしながら、以下のような想定問答を作成しました。

ビールメーカーの方：Hello, I am Fred Patterson from Original Beers.

マサキ君：Hello, I am Masaki Miki, an engineer with Yamato Techno. I am pleased to meet you. I am happy to learn that your company is interested in our newest water purifier equipment, the AWT800.

ビールメーカーの方：Yes, we have heard a lot about it but want to get some specifics from someone in engineering.

マサキ君：Well, I have been involved in the development of the AWT800 and know it very well. I would be happy to answer your questions.

ビールメーカーの方：Well, my first question is about how much of the impurities it can remove. The well water in our area sometimes has pollutants.

マサキ君：I see. Our AWT800 can remove 99% of chlorine and other impurities from water. If you can provide me with details as to the specific pollutants in the water you use, I can do further experiments for confirmation. My email address is on my business card.

ビールメーカーの方：That would be very helpful. My next question is about the life span of the filter. How often does it need to be changed?

マサキ君：The AWT800 filter has a long life span. It can be used for about 40, 000 liters

ビールメーカーの方：Oh, that is good. That means we would only need to change it about once a month.

マサキ君：Yes, and another advantage of the AWT800 is its compact size. It is only 2 meters square and 2 meters high.

ビールメーカーの方：That is an important advantage. But how much is this purifier?

マサキ君：You will need to negotiate the price with our sales department, but I am sure you can get it at a reasonable price.

ビールメーカーの方：I will do that. And as soon as I get back to my office, I will send you more details about the water pollutants that we need to deal with. I am glad I was able to talk with you directly.

マサキ君：It is my pleasure. I look forward to receiving the information. If there is anything else you would like to know, please feel free to contact me.

ビールメーカーの方：Thank you. I'll be in touch.

マサキ君：Looking forward to working with you.

【ケース1】は「プレゼンテーション」というジャンルに基づいた例文でしたが、【ケース2】はその後の「質疑応答」となっています。「質疑応答」は「相手とのクイックなやり取りを行う」ジャンルとなりますので、マサキ君は、その特性に沿った想定問答を作りました。

さらに、マサキ君は「質問は技術的な内容と金額が中心となる」、「相手にAWT800の利点をアピールする必要がある」といった個別のケースに関することも勘案しました。結果、数値データなどの具体的な情報も想定問答に含めています。ジュディー先生の教えに沿って、「ジャンル」を念頭において入念な準備をしていると言えるでしょう。

もっとも、「質疑応答」については、こうした準備はもちろん大事な準備ではありますが、その場で想定外の質問が出てくる可能性も覚悟しておく必要があることは言うまでもありません。

「ジャンルとは何か」まとめ

【ケース2】のような経験があるという方は多いのではないでしょうか。【ケース1】と同様、「質疑応答」という「ジャンル」の特徴をしっかりと把握すること、そのうえで、ケースごとの個別具体的なニーズに沿って、さらに効果的なコミュニケーションを図るために、入念な準備を行うことが重要であることが理解できたと思います。

3 結びに代えて

本章は、様々なビジネスコミュニケーションにおいて、「ジャンル」を理解することがいかに大切なのかを、マサキ君の例をもとにまとめてみました。「ジャンル」という視点からコミュニケーションを捉えた場合、コミュニケーションを行う際には、

Purpose:　「何を目的として」
Audience:　「誰を情報の受け手（聞き手・読み手）として」
Information:　「どのような内容を」
Language feature:「どのような形式で」

という4つのポイントの頭文字をとった「PAIL」を念頭に置くことが重要とされています（野口、2006）。この付章でお伝えしたかったのは、本編（第1章から第6章まで）を貫いている基本的な概念は「ジャンル」であるということです。第1章で仕分けされているジュニア層、シニア層、エグゼクティブ層といった異なる層において求められるビジネスコミュニケーションの根底にも「ジャンル」が存在しています。上の層になればなるほど、ビジネスコミュニケーションの目的や相手方、伝える内容、言語の形式は複雑になり、多くのジャンルを組み合わせて使いこなせるようになることが要求されます。

本書の価値、それはこの「ジャンル」の重要性が、大規模調査に基づいた客観的なデータで証明されたことにあるとも言えるかもしれません。「ジャンル」を絶えず意識しながら効果的なコミュニケーションを行っていけるようになること、本書の読者の皆さんがそうしたまさにプロフェッショナルのビジネスパーソンになられることを心より願っています。

最後に、本書でしばしば登場するCEFRについても簡単に説明しておきます。CEFRとはCommon European Framework of Referencesの頭文字をとったもので、もともとは欧州共同体で作成が着手され、2001年欧州評議会から刊行されたものです。日本語としては「ヨーロッパ言語共通参照枠」というのが一般的となっています。ヨーロッパはもちろん、日本の小中高、さらには大学の言語、特に英語教育の教授、学習、評価の枠組みのひとつとして利用され、言語能力を評価する国際指標のひとつとなっていますが、このCEFRは試験そのものでなく、あくまでも指標であることに注意を払う必要があります。

CEFRには、A1、A2、B1、B2、C1、C2の6つの共通参照レベルがあり、A1とA2は「基礎段階の言語使用者」、B1とB2は「自立した言語使用者」、C1とC2は「熟達した言語使用者」を指します。このなかで、本研究の大きなテーマのひとつにある「B1レベルからB2レベルへのステップアップ」というのは、自立した使用者の入り口（Threshold）であるB1レベルから、職業人として英語使用を可能とする（Vantage）B2レベルの人材になることを意味しています。

しかしながら、CEFRは、特に日本で注目されがちな上記の共通参照レベルだけではなく、複言語主義・複文化主義という言語・文化に関する思想、「行動指向アプローチ」に基づく教授観、先述の共通参照レベルや例示的能力記述文（「～ができる」）のような評価尺度など、政策面に関わるマクロなレベルから授業実践などミクロなレベルまで多岐にわたる内容を提案していると言われています（小池2010；茂木2021）。「行動指向アプローチ」とは、言語使用者を、社会行為を行う者として捉え、言語行為はある目的で行動することによって生じるという考え方です。

本書を読んで、ESP、ジャンル、CEFRについて興味がわいた方、より専門的に学んでみたい方のために参考となる文献を紹介しておきます。

ESP＆ジャンル

『ビジネスミーティング英語力』（監修：寺内一、編集：藤田玲子・内藤永、荒木瑞夫・照井雅子・国際ビジネスコミュニケーション協会、2015年、朝日出版社）

『21世紀のESP―新しいESP理論の構築と実践』（英語教育学体系第4巻）（編集：寺内一ほか、2010年、大修館書店）

『言語科学の百科事典』（編集：鈴木良次、2006年、丸善）

Towards a New Paradigm for English Language Teaching: English for Specific Purposes from Asia and Beyond .（編集：Terauchi, H. Noguchi, J. & Tajino, A. 2020年 , Routledge）

Genre analysis: English in academic and research settings.（著：Swales, J. 1990年 , Cambridge University Press）

CEFR

『教材・テスト作成のためのCEFR-Jリソースブック』（編集：投野由紀夫、2020年、大修館書店）

『CAN-DOリスト作成・活用 英語到達度指標CEFR-Jガイドブック』（編集：投野由紀夫、2013年、大修館書店）

『外国語教育Ⅱ―外国語の学習、教授、評価のためのヨーロッパ共通参照枠』（訳・編集：吉島茂・大橋理枝ほか、2004年、朝日出版社）（*Common European Framework of references for languages—learning, teaching and assessment*. Council of Europe. 2001年, Cambridge: Cambridge University Press）

参考文献・引用文献

Bennett, M. J. (1993). *Towards ethnorelativism: A developmental model of intercultural sensitivity.* Yarmouth, ME: Intercultural Press.

Chomsky, N. (2013). Lecture I: What is language? *The Journal of Philosophy, 110*(12), 645-662.

Council of Europe. (2001). *Common European framework of reference for languages: Learning, teaching, assessment.* Cambridge: Cambridge University Press.

Gibbons, P. (2002). *Scaffolding language, scaffolding learning: Teaching second language learners in the mainstream classroom* (pp. 51-76). Reprinted in *Academic success for English language learners: Strategies for K-12 mainstream teachers,* 2005 (pp. 275-310). New York: Pearson Education.

Hofstede, G., Hofstede, G. J., & Minkov, M. (2010). *Cultures and organizations: Software of the mind* (3rd ed.). New York: McGraw-Hill.

経済産業省（2010）『日本企業の人材マネジメントの国際化度合いを測る指標（国際化指標 2010）』 https://warp.da.ndl.go.jp/collections/info:ndljp/pid/8710090/www.meti.go.jp/policy/economy/jinzai/sangakujinnzai_ps/pdf/shihyo2010.pdf

King James Version. (1611). Genesis. In *The Holy Bible.* [Publisher unknown].

小池生夫・寺内一・髙田智子（2008）「企業が求める英語力調査報告書」小池生夫・投野由紀夫（編）『第二言語習得研究を基盤とする小，中，高，大の連携をはかる英語教育の先導的基礎研究』（平成 16 年度～平成 19 年度科学研究費補助金（基盤研究(A)，課題研究番号 16202010））．東京：タナカ企画

小池生夫（監修）・寺内一（編著）・髙田智子・松井順子・財団法人国際ビジネスコミュニケーション協会（2010）『企業が求める英語力』東京：朝日出版社

宮森千嘉子・宮林隆吉（2019）『経営戦略としての異文化適応力』東京：日本能率協会マネジメントセンター

茂木良治（2021）「外国語教育においてどのように異文化間能力を養成するのか―学習活動と評価法からの考察―」南山大学『アカデミア文学・語学編』111, 109-131.

文部科学省（2003）『「英語が使える日本人」の育成のための行動計画』https://www.mext.go.jp/b_menu/shingi/chousa/shotou/082/shiryo/attach/1301980.htm

内閣府（2003）『人間力戦略研究会報告書』https://www5.cao.go.jp/keizai1/2004/ningenryoku/0410houkoku.pdf

野口ジュディー（2006）「ESP とジャンル分析」鈴木良次（編）『言語科学の百科事典』東京：丸善 . 254-255.

野口ジュディー（2009）「ESP のすすめ―応用言語学からみた ESP の概念と必要性―」福井希一・野口ジュディー・渡辺紀子（編著）『ESP 的バイリンガルを目指して』大阪：大阪大学出版会．2-17.

寺内一（編著）（2010）『ビジネス・キャッツ』東京：南雲堂

寺内一（監修）藤田玲子・内藤永（編集）（2015）『ビジネス・ミーティング英語力』東京：朝日出版社

Tojo, K., Hayashi, H., & Noguchi, J. (2014). Linguistic dimensions of hint expressions in science and engineering research presentations. *JACET Selected Papers, 1*, 131-163.

WorldAtlas. (2018). The 10 most spoken languages in the world. https://www.worldatlas.com/society/the-10-most-spoken-languages-in-the-world.html

吉島茂・大橋理枝（他）（訳・編）（2004）『外国語教育Ⅱ―外国語の学習、教授、評価のためのヨーロッパ共通参照枠』東京：朝日出版社

索　引

主要なページのみを表示

欧文

あ

か

さ

た

な

は

ま

ら

略語一覧

AI：Artificial Intelligence
CEFR：Common European Framework of Reference for Languages
ChatGPT：Chat Generative Pre-trained Transformer
CQ：Cultural Intelligence Quotient
EBP：English for Business Purposes
EFL：English as a Foreign Language
ELF：English as a Lingua Franca
EQ：Emotional Intelligence Quotient
ESL：English as a Second Language
ESP：English for Specific Purposes
NNS：Non-Native Speaker
NS：Native Speaker
OJT：On-the-Job Training
OLM：Online Meeting
TED：Technology Entertainment Design

本研究の担当と本書の執筆分担

本研究は第1期（プレアンケート調査項目とプレインタビュー調査項目の作成・プレ調査実施・データ分析）と第2期（本アンケート調査項目と本インタビュー調査項目の作成・本調査実施・データ分析）は以下のメンバー全員で行った。第3期にあたる本書の執筆は第2期で行ったデータ分析を土台にして、担当者を決めて執筆した。

第1期（2022年4月～2022年8月）：
プレアンケート調査項目とプレインタビュー調査項目の作成・プレ調査実施・データ分析
寺内　一・内藤　永・山中　司・石川　希美・マスワナ　紗矢子・山田　政樹・山田　浩・三橋　峰夫・吉田　温子・三木　耕介・槌谷　和義・中原　正徳・宮田　勝正・小川　洋一郎

第2期（2022年8月～2023年3月）：
本アンケート調査項目と本インタビュー調査項目の作成・本調査実施・データ分析
寺内　一・内藤　永・山中　司・石川　希美・マスワナ　紗矢子・山田　政樹・山田　浩・三橋　峰夫・吉田　温子・三木　耕介・槌谷　和義・中原　正徳・宮田　勝正・小川　洋一郎

第3期（2023年4月～2024年2月）：
本書の執筆
【執筆担当】
刊行によせて　寺内　一
序　章　山中　司・寺内　一
第1章　内藤　永
第2章　内藤　永
第4章　三木　耕介・篠原　凌乃子
第5章　石川　希美・三木　耕介
第6章　山中　司・マスワナ　紗矢子
終　章　内藤　永・寺内　一
付　章　寺内　一
あとがき　金丸　敏幸
※第3章は座談会のため執筆担当なし

あとがき

この種の書籍にあとがきが付くことは珍しいことではないでしょうか。まずは、改めて本書の出版にご尽力いただいた関係者の皆様に、この場をお借りして御礼を申し上げます。本書の成り立ちや概要については、本研究の統括であるJACET特別顧問の寺内一先生が「刊行によせて」において説明されていますので割愛いたします。ここでは少し広い視点に立って、本書の出版委員会の母体であるJACETと日本の大学英語教育の関わりについてご紹介したいと思います。

JACETの創立は1962年、2023年度の会員は2,100名を数え、日本の英語教育に関する学会としては、最大級の組織となります。日本の大学での英語教育は、1991年の大学設置基準の大綱化以降、それぞれの大学が様々な目的を掲げ、創意工夫を凝らしたカリキュラムや授業を行うようになりました。そのような流れの中でJACETは、当時の会長（第4代）であった小池生夫先生を中心として、『大学設置基準改正に伴う外国語（英語）教育の改善の手引き』（1992, 1996）を発行して大学英語教育の改革を図るとともに、『わが国の外国語・英語教育に関する実態の総合的研究』（2002, 2003, 2007）のような全国横断的な実態調査研究を実施しています。こうしてJACETでは、国内外の社会の変化に合わせて英語教育のあるべき姿を模索し続けながら、常に社会に目を向けた英語教育とは何かを問い続けて参りました。本書の土台となる2つの調査研究（「2006年調査」、「2013年調査」）も、このような時代の中で発展してきました。

本書で扱う「企業でのビジネスコミュニケーション」と大学英語教育は、一見無関係のように見えます。企業で働くすべての方が大学英語教育を受けるわけでも、大学で学ぶ英語がビジネスコミュニケーションのみを目的にしているわけでもないからです。しかし、企業の新規採用者の4割を大学卒業者が占め、さらに大学卒業者の就職率が97%を越える状況を考えると、企業で働く方のコミュニケーションに大学教育が与える影響は決して無視できるものではないでしょう。さらに、英語を中心とする国際コミュニケーションとなれば、中等英語教育と社会を繋ぐ大学英語教育が果たす責任は非常に重いと言わざるを得ません。その意味で、本書が大学英語教育にもたらす影響は大きいと考えています。本書はビジネスに関わる多くの方を対象としておりますが、同時に将来の社会人を育成する大学教育の関係者にも広く読まれることを期待します。

大学は、学術探究と実践の場であるとともに、社会を支え、発展させる次世代の人物を育成する場でもあります。社会を構成する大きな柱である企業、そこで行われる様々なビジネスコミュニケーション、これらの実態や、そこで求められる能力とは何かを知ることは、これからの大学教育を考えるうえで欠かせないものとなるでしょう。本書で紹介されている調査結果や分析、提言を検討することで、今後の大学英語教育、また、それと連動する初等・中等英語教育を、より良いものにしていく動きが出てくることを願ってやみません。企業や行政との協力、共同研究といった次に繋がる取り組みが生まれることにも期待して、結びの言葉に代えたいと思います。

2024年3月

JACET産学連携事業成果出版特別委員会　担当理事・京都大学　金丸敏幸

【２つの先行研究】
2006 年調査：企業が求める英語力
https://www.asahipress.com/denshi/518/?detailFlg=0&pNo=1

2013 年調査：ビジネスミーティング英語力
https://www.asahipress.com/denshi/836/?detailFlg=0&pNo=1

【本研究の報告書】
ビジネスコミュニケーションのための英語力研究成果報告書
https://www.jacet.org/wp-content/uploads/ESBC_Survey2024.pdf

ビジネスコミュニケーションのための英語力
英語の壁を打ち破ったビジネスパーソンの成長要因

2024 年 3 月 15 日　初版第 1 刷発行

監　修　内藤　永・寺内　一
編　集　山中　司・石川希美・マスワナ紗矢子
著　者　一般社団法人大学英語教育学会
産学連携事業成果出版特別委員会
一般財団法人 国際ビジネスコミュニケーション協会

発行者　小川　洋一郎
発行所　株式会社朝日出版社
〒 101-0065 東京都千代田区西神田 3-3-5
TEL (03)3263-3321
FAX (03)5226-9599
印刷所　図書印刷株式会社

ISBN978-4-255-01365-7　C0082　2024, Printed in Japan